THE STORM BEFORE THE CALM

*America's Discord, The Coming Crisis of The 2020S,*
*and The Triumph Beyond*

by

George Friedman



Translated by
Hiromichi Hamano
First published 2020 in Japan by
Hayakawa Publishing, Inc.
This book is published in Japan by
arrangement with
Doubleday, an imprint of The Knopf Doubleday Group,
a division of Penguin Random House, LLC.
through The English Agency (Japan) Ltd.

Illustrations created by Stacy Haren from Geopolitical Futures.
Maps and charts created by Geopolitical Futures.

装幀／秦 浩司

# 2020－2030 アメリカ大分断

## 危機の地政学

# 2020-2030 アメリカ大分断

## 危機の地政学

ジョージ・フリードマン　濱野大道 訳
GEORGE FRIEDMAN

THE STORM BEFORE THE CALM:
AMERICA'S DISCORD, THE COMING CRISIS OF THE 2020S,
AND THE TRIUMPH BEYOND

早川書房

アメリカの未来である私の孫たちに捧げる――イーサン、オースティン、ミラ、
アッシャー、アリ、キャサリン、ニコラス、ダグラス。

あれは最良の時代であり、最悪の時代だった。叡智《えいち》の時代にして、大愚の時代だった。新たな信頼の時代であり、不信の時代でもあった。光の季節であり、闇《やみ》の季節だった。希望の春であり、絶望の冬だった。

人々のまえにはすべてがあり、同時に何もなかった。みな天国に召されそうで、逆の方向に進みそうでもあった。要するに、いまとよく似て、もっとも声高な一部の権威者が、良きにつけ悪しきにつけ最上級の形容詞でしか理解することができないと言い張るような時代だった。

チャールズ・ディケンズ『二都物語』（加賀山卓朗訳、新潮文庫、二〇一六年）

目次

## 第3部　危機と静けさ

訳者による注は小さめの（　）で示した。

## 本書の見立て

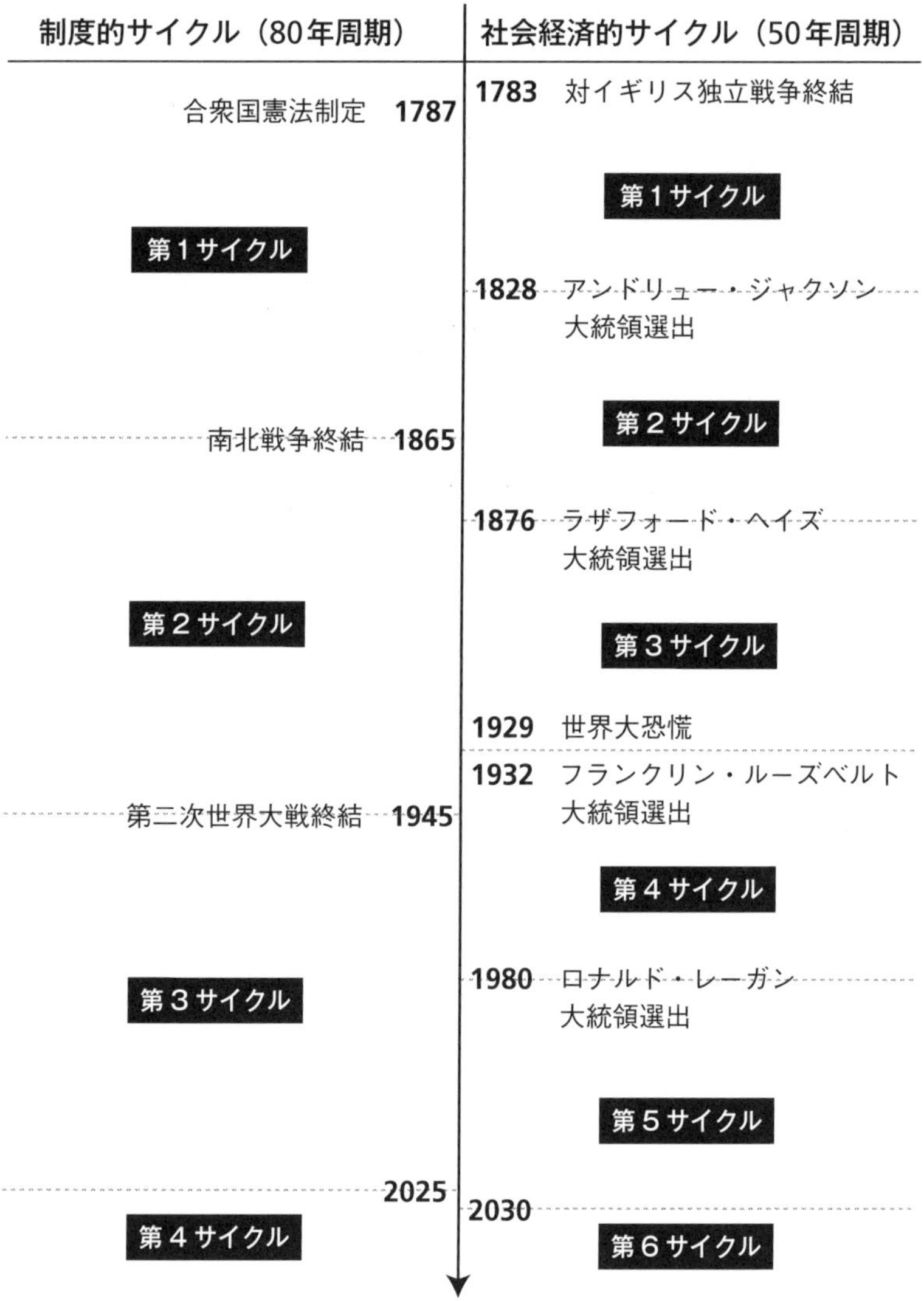
制度的サイクル（80年周期）
社会経済的サイクル（50年周期）
1783　対イギリス独立戦争終結
合衆国憲法制定　1787
第１サイクル
第１サイクル
1828　アンドリュー・ジャクソン大統領選出
第２サイクル
南北戦争終結　1865
1876　ラザフォード・ヘイズ大統領選出
第２サイクル
第３サイクル
1929　世界大恐慌
1932　フランクリン・ルーズベルト大統領選出
第二次世界大戦終結　1945
第４サイクル
1980　ロナルド・レーガン大統領選出
第３サイクル
第５サイクル
2025
2030
第４サイクル
第６サイクル

# まえがき

現在、アメリカ合衆国は困難な時代の真っただなかにある。アメリカ人の眼はいま、ドナルド・トランプ大統領にじっと向けられている。反トランプ派は、彼を腐敗した能無しだと考える。一方の支持者たちは、特権階級のエリートによる攻撃にさらされた犠牲者だと考える。あたかも彼という人間が〝問題〟か〝解決策〟であるかのように、緊張の波はトランプのまわりに集中して押し寄せる。

これは新しい現象などではない。今日《こんにち》の社会で見られるような敵対的な怒りと分裂は、アメリカ史のほかの時代に比べれば取るに足らないものだ。たとえば、一九世紀の南北戦争では六五万人が犠牲になった。あるいは一九六〇年代には、デトロイト暴動を鎮圧するために第八二空挺師団が駆りだされたこともあった。エイブラハム・リンカーンは「文盲」や「猿」などと揶揄《やゆ》された。リチャード・ニクソンは犯罪者と呼ばれた。実際にニクソンは犯罪者になったが、すべての責任をマスコミになすりつけた。リンカーン、ニクソン、トランプといった一部の大統領たちは、一方からは罵《のの》しられ、他方からは愛される。しかし実際のところ彼らは、問題を起こすほどの権力を握ってはいないし、みずからが乗る潮流をコントロールすることもできない。

アメリカ人はしばしばジョージ・ワシントン、アンドリュー・ジャクソン、エイブラハム・リンカーンを引き合いに出し、大統領という存在におおいに重きを置こうとする。なんと皮肉なことだろう。なぜならヨーロッパ諸国の首相と比べると、アメリカの大統領にはそれほど権力がないからだ。建国者たちは意図的にそう設定し、この取り決めは長い歴史の試練に耐えつづけてきた。アメリカの大統領はふたつの議会、数多くの連邦判事、そして五〇の独立した州と向き合わなくてはいけない。自身で何かを成し遂げることなどめったにできないにもかかわらず、大統領はつねに国民の心に眼を向ける。そのため国が周期的かつお決まりの危機に陥《おちい》ったとき、アメリカ人は、出来事の物理的な原因を理解しようとするのではなく、大統領を非難したり褒めたたえたりする。

本書では、アメリカ史の根底にあるこの一連のプロセスに焦点を当てたい。私たちが置かれている状況をより幅広い歴史という文脈で読み解き、現在の〝激しい感情〟の全体像をとらえていきたい。さらに、二〇二〇年代〜三〇年代に差し迫っている真の危機について予測し、アメリカ合衆国がその痛みと混乱を解決し、より強く生き生きとした存在として対岸にたどり着く方法を考えてみたい。

現在、アメリカ合衆国では大きな構造変化が立てつづけに起きており、これらの変化が社会に深刻なひずみを生みだしている。連邦政府は周期的な移り変わりのただなかにあり、その運営方針や社会との伝統的な関係も変わりつつある。システムのなかの欠陥が増すにつれ、変化はさらに加速していく。同時に経済システムも根本的な変化のさなかにあり、過剰な資金流入と投資機会の減少などがそれを後押ししている。結果としてイノベーションの質は下がり、生産性の伸びは大きく低下する。これらのふたつのひずみにくわえ、グローバル・システムのなかでバランスをとろうとする姿勢から生まれる圧力との狭間《はざま》で、アメリカ社会をひとつにまとめてきた接着剤の力は弱まり、二〇二〇年代をとおしてさらにその力は弱まっていく。大統領が誰であれ、今後一〇年にわたってこの国の空気は恐怖と嫌悪に覆われつづける。

当然ながら、これははじめて起きた事態などではない。

一歩下がって長期的な視点から見ると、アメリカの歴史にはふたつの大きな周期《サイクル》が存在することがわかる。それらのサイクルを理解すると、今日の合衆国が置かれた状況をより深く把握することができる。ひとつは、およそ八〇年ごとに生じてきた「制度的サイクル」。一度目の制度的サイクルは、一七八〇年代後半のアメリカ独立戦争の終結と憲法制定から始まり、一八六五年の南北戦争によって終わった。二度目の制度的サイクルはその八〇年後、第二次世界大戦の終わりとともに幕を閉じる。次のサイクルが生まれる緊張感はいままさに増しつつあり、二〇二五年あたりに実際の移行が起きる。

もうひとつの周期は「社会経済的サイクル」で、およそ五〇年ごとに生じてきた。直近でサイクルが移り変わったのは一九八〇年ごろ。一九六〇年代後半に始まった経済的・社会的な機能不全が一九八〇年ごろにピークに達し、システムの抜本的な変化につながった。のちの章でくわしく説明するように、そのまえに社会経済的サイクルが移り変わったのは、大恐慌が始まったあとの一九三〇年代初頭のことだった。そのひとつまえのサイクル移行は、南北戦争のあとにアメリカが再び始動しはじめた一八八〇年代。私たちはいま新たな社会的・経済的不安定の時代に直面しており、このサイクルは二〇二〇年代末ごろに終わる。

ふたつの主要なサイクルの流れに注目すると、これまで見えなかったものが見えてくる。現在の制度的サイクルは、二〇二〇年代なかばの危機とともに終わる。そして社会経済的サイクルは、そのあと数年以内に起きる危機によって終わる。ふたつのサイクル移行がこれほど接近し、事実上重なり合うのは米国史上はじめてのことだ。当然ながらこれは、二〇二〇年代がアメリカ史のなかで非常に困難な時期のひとつになることを意味している。とくに、世界のなかでアメリカが担う〝役割〟について考えると、このサイクルの重なりはより大きな意味を持つことになる。そのような複雑で新しい役割は、以前のどのサイクルのあいだにもほぼなかった要素だといってもいい。そう考えれば、現在のトランプ政権は、いまの時代と次の時代の前触れでしかない。肯定的にとらえようが否定的にとらえようが、これはドナルド・トランプについての問題ではないのだ。彼を大胆で精力的な大統領だと考える人もいれば、下品で無能だと考える人もいる。しかしその向こう側に眼を向けたとき、トランプは——そして私たち国民もみな——アメリカというジェットコースターの乗客にすぎないということがわかるはずだ。

これらの社会経済的サイクルのあとにはいつも、自信と繁栄の時代がアメリカに訪れたことを忘れてはいけない。南北戦争のあとには驚異的な成長の時期が続き、その三五年後にアメリカは世界の工業製品の半分を生産するようになった。第二次世界大戦のあとには、かつてないほどの規模で知的職業階級が成長した。冷戦後にはＩＴバブルが起き、世界は一変した。私は、破滅が来ると予測しているわけではない。アメリカ史の次のフェーズが始まる二〇三〇年初頭までひどく困難な時期が続き、その後には自信と繁栄の時代が続くと予測しているのだ。

ほかの国でときどき起こる事態とは異なり、このようなサイクルはアメリカを破壊するのではなく、むしろ前に推し進めてくれる。このサイクルは、いわば合衆国を動かすエンジンのようなものだ。直前のサイクルで生まれた問題とともにそれぞれの期間は始まり、アメリカの強さを引きだすための新しいモデルを生みだす。最終的に解決策の効果が消え、それ自体がまた解決すべき新たな問題になる。

これらのサイクルがじつに規則正しく素早く切り替わるというのは、とりわけ驚くべきことだろう。ほかの国々では、サイクルのタイミングと激しさを予想するのはきわめてむずかしい。一方、アメリカのサイクルははるかに予測しやすく、移行もより頻繁に起きる。その下支えとなるのは、アメリカが築き上げてきた素早さと機敏さだ。さらに、アメリカ合衆国の構造――制度、国民、土地――がそのような結果を生みだしたといっていい。それらすべての要素が、急速な成長のためだけでなく、成長を管理するための土台を作り上げていった。国の成長は、かならずしも直線的なものではない。使い果たされて効果がなくなった古いシステムは破壊され、新しいシステムと置き換えられなければいけない。アメリカという国の性質はつねにそのような流れをうながしてきたし、（以降の章で検討するように）今後もうながしつづけるにちがいない。

ここで忘れてはいけないもっとも重要な事実は、アメリカ合衆国は発明された国家であるという点だ。たとえば中国やロシアのように、何千年にもわたって固有の地域に住みつづけてきた限定的な人々の集団から国が自然に生まれたわけではない。そうではなく、アメリカ合衆国は意図的かつ迅速に作りだされた国だ。アメリカの体制はまず独立宣言のなかで計画され、憲法によって制度化された。多くの国から来た人々と多くの言語からアメリカは成り立っており、彼らが移り住んできた理由もさまざまだった。みずからの意思で来た者がほとんどだったが、無理やり連れてこられた人々もいた。アメリカ合衆国の人々は、白紙の状態から自分たちを作り上げた。多くの点において、アメリカの土地がアメリカそのものを作りだしたといっていい。アメリカは、ほとんどの人には想像すらできなかった可能性、かつ誰も予測できなかった方法で利用できる可能性を国民に与えた。

体制、国民、土地が一体となり、ほかの多くの国にはない機敏さがアメリカにはもたらされた。体制は柔軟に構築され、発展のために国民に大きな自由が与えられ、国民は猛スピードで土地を利用していった。だからこそ米国は、驚異的な速さで発展することができるのだ。すべてのものはある時点でかならず消耗するため、国を崩壊させるような危機がたびたび起きる。しかし実際のところ、アメリカは危機を糧《かて》にまた立ち上がり、驚くべき素早さでまた国を築いていく。

私はこの本を三つのパートに分けた。第1部では、米国の性格、価値観、「アメリカ人」の形成につながった歴史について説明したい。くわえて、合衆国に強い回復力があり、極端な時代を生き延びることができる理由についても考えていきたい。第2部では、ふたつの主要なサイクルについてくわしく解説する。米国史に影響を与える現実について考え、アメリカがいま直面している危機をもたらした要因にとくに注目したい。第3部では、将来の予測をする。二〇二〇年から二〇三〇年までの一〇年のあいだにふたつのサイクルの巨大な力が接近したとき――史上はじめての事態となったとき――いったい何が起きるのか？　そして最後に、嵐が過ぎ去ったあとの状況とアメリカの将来に眼を向けたい。

この本で私が描くのは、アメリカ合衆国が水面下でどのように機能しているのかという物語だ。

それを理解するためにはまず、米国の体制、国民、土地の特性を掘り下げて考える必要がある。合衆国の真の物語とは、成長のためにその形を体系的にどう変えてきたのかという物語である。つまり私たちは、建国時からのアメリカの形の変化を理解しなければいけないということだ。それからサイクルの動きに注目を移し、それが未来について何を予示しているのかを最後に見きわめる必要がある。

# 第1部　アメリカという発明

# 第１章　アメリカの体制と動きつづける国家

一七八七年の夏、フィラデルフィアで開かれた憲法制定会議の最終日。採択のすぐあと、旧ペンシルベニア州議会議事堂の前で待っていたひとりの女性が、ベンジャミン・フランクリンに尋ねた――この国は君主国と共和国のどちらになるのか？　フランクリンの答えは「共和国です、あなたがそれを保つことができるなら」というものだった。フィラデルフィア憲法制定会議はアメリカ政府を作りだした。これは、ふたつの意味での発明だった。第一に、何も存在しなかったところに政府が作られた。第二に、政府機関という機構が作られたが、それは建国者たちの頭のなかから生まれたものだった。世界のほかの国々とは異なり、アメリカ政府には過去がなかった。設計、建築、技術をとおして、新たな政府が誕生したのだ。

その機構は、ふたつの原理にもとづいて作られた。第一に、建国者たちは政府を恐れた。なぜなら政府は権力を溜め込み、専制的になる傾向があったからだ。第二に、建国者たちは国民を信用していなかった。なぜなら国民は私利私欲を追い求めることに眼を向け、公共の利益とは別の方向に政府を推し進めようとするおそれがあるからだ。政府の存在は必要不可欠であり、市民が存在しなければ国は成り立たない。しかし機構が政府と市民の両方を抑え込み、権力を溜め込む能力を制限する必要があった。建国者たちは、そのような機構を作り上げた。

建国の父たちは、自然と抑制のきく機構を発明し、政府や政治とは無縁の〝アメリカ社会の広大な領域〟を作りだそうとした。彼らが生みだすことを試みたのは、独立宣言で約束された幸福を市民が追い求めることのできる私的な領域だった。私的な領域とは、商業、産業、宗教、そして私生活の核となる果てしない喜びの領域である。建国者たちが作り上げた機構についてなにより大切だったのは、もっとも重要であるべきもの——つまり、政治とは無関係なもの——にたいする干渉をどれほど抑制できるかという点だった。

機構を作りだすことと、大きな手間をかけずに機構を動かしつづけることは別の問題だ。機構をうまく動かすための解決策は、それを非効率的にすることだった。新たに作り上げられた勢力バランスは、三つの重要な流れへとつながった。まず、法律を制定することがきわめてむずかしくなった。つぎに、大統領が専制君主になることはほぼ不可能になった。最後に、連邦議会の行動の範囲は裁判所によって制限されることになった。建国者たちが築き上げた驚くほど非効率的な政府システムは、意図したとおりの働きをみせた。政府はほとんど何もできなかった。何か少しだけできたとしても、うまくはできなかった。政府は国を守り、一定量の国内取引を維持する必要があった。しかし、創造性のサイクルを生みだすのは個人の生活のほうだった。そのサイクルは、社会、経済、制度の急速な進化を後押ししつつ、（ときどき危機は起きるものの）国を崩壊から救ってくれた。だからこそ、フィラデルフィアのペンシルベニア州議会議事堂をあとにしたベンジャミン・フランクリンは、自信と警戒心が入り混じった気持ちを抱いていた。大きな力と危険な力のあいだでうまくバランスがとれるよう、体制が緻密に設計されていることを彼は知っていた。しかし同時に、それが未検証の新しい政府形態であることも知っていた。

重要なのは、憲法のなかでどのような表現を使うかという点ではなかった。むしろ道徳的な原理を作り、正式に言葉として記すことが重要だった。それとなく暗に示されるルールもあれば、はっきり明記されるべきものもあった。公と私の両方における社会での制約は、政治的な命令や文書によってではなく、特別な道徳観を国家の常識と位置づけることによって課すことができる。道徳的な原則は複雑であり、ときに互いに矛盾することもあった。が、核となるものは共通していた——それぞれのアメリカ人は、自身が望む行動について成功するも失敗するも自由であるべき。

これこそが、幸福追求権という概念の意味するものだった。国家は誰を邪魔することもできない。個人の運命は、その人の性格と才能のみによって決まる。建国者たちは、国家と個人生活を分ける以上のことをした。彼らは、それらのあいだに継続的な緊張関係を作りだした。たとえば地方自治体の教育委員会の会合では、政府の現実と市民のニーズがつねに天秤にかけられることになる。市民が望むのは、増税なしでさらに豊かなサービスが提供されるという状況だ。しかし政府のほうは、改善のための努力などいっさいせずに、より多くの権力と税金を手に入れようとする。民主的に選出された教育委員会のメンバーは板挟みとなり、彼らへの圧力はみるみる高まっていく。これが緊張関係の縮図であり、そのような関係は地方自治体だけでなくワシントンの中央政府にもつきものだ。

原則として共和制は、特定の場所や人々に結びついたものではなかった。建国者たちは共和制を、もっとも自然で道徳的な政府と社会の形だととらえた。世界のどこであれ、理想的な政府形態として共和制が採用されてもおかしくはなかった。同時に、アメリカ合衆国の共和制が失敗に終わってもおかしくはなかった。どこかに同じ制度が存在していたか否かに関係なく、共和制がもっとも公正な政治体制であるという建国者の判断は変わらなかった。

それは、共和制に唯一無二の特徴があったことを意味した。共和制は、アメリカの住民だけが手にできるものなどではなかった。アメリカ人がこの体制を維持できればアメリカのものとなり、他者が同じような体制を持つことを選べば他者のものになる。これこそ、アメリカ合衆国がほかの国々とは根本的に異なる理由だ。多くの国はきまって、共通の歴史、言語、文化、場所に根づいて成り立っている。たとえばフランスや日本は、過去と深く結びついている。一方のアメリカは、新たな発明――道徳的かつ実用的な目的のために設計された政府形態――に根づいており、原理上は〝アメリカ国民〟に根づいて成り立っているわけではない。だからこそ、フランクリンは前述のように「共和国です、あなたがそれを保つことができるなら」と警告した。アメリカの共和制という概念自体が、過去とは関係のない人工的なものなのだ。

その体制は合衆国と呼ばれている。その国はアメリカと呼ばれている。その体制と国は、体制の原則を国が受け容れることによって結ばれている。それは、アメリカという国が存在するために必要なことではない。アメリカ人は別の政府形態（たとえば君主制）へと移行する道を選ぶこともできたし、それでもアメリカはアメリカのままだったはずだ。しかし〝合衆国〟という言葉の制度的・道徳的な意味を厳しく適用した場合、共和制以外の国を合衆国と呼ぶことはできなかった。アメリカ合衆国は、政治体制の原則が国を統治する場所である。これはほかの多くの国に存在するものとはまったく異なる理解であり、ときに無視されがちな深刻な結果を生みだすことになる。

アメリカ人は自分を合衆国《ユナイテッド・ステイツ》の市民だと呼ぶことはできるが、〝ユナイテッド・ステイシアン〟（United Statian）と呼ぶことはできない。そのような言葉の使い方は許されていない。国民が自然と関係を築いていくのは、共和制としての合衆国にたいしてではなく、祖国としてのアメリカにたいしてである。自分がアメリカ人だと口にするのは簡単だとしても、土地や人々にたいする愛と、合衆国にたいする関係はまったく異なるものなのだ。共和制の前につねに立ちはだかる挑戦のひとつが、この両者の位置を正しく保つことだ。なぜなら、私たちが生まれながらにして持つのは祖国を愛するという傾向であり、共和制を愛するのはまた異なる知的な行動だからだ。そのふたつがひとつに融合する必要はない。しかしアメリカという国は、融合しえない区別を生みださないように建国時から設計されてきた。たいていその制度がうまく機能するが、うまく機能しないときに緊張が生まれる。

独立宣言が署名された直後、トーマス・ジェファーソン、ジョン・アダムズ、ベンジャミン・フランクリンは、合衆国の国璽《こくじ》（「グレート・シール」と呼ばれる国章）をデザインするための委員会を起《た》ち上げた。独立宣言の署名によってアメリカが戦争と混乱の時代に突入したことを踏まえれば、国璽の制作はあとまわしにされてもおかしくはなかった。しかしながら三人の男たちが知っていたのは、合衆国の建国は道徳的なプロジェクトであり、道徳的なプロジェクトには象徴が必要になるということだった。国の道徳的な使命を定義し、国民に神聖な感覚を与える何かが必要だった。国璽の完成には何年もの時間がかかった。一七八二年、大陸会議のチャールズ・

表面　　裏面

図1　アメリカ国璽

トムソン書記官はこの国璽プロジェクトを完了するよう指示され、そのとおりにした。最終的にできあがった国璽は、共和制の原則と同じようにアメリカ社会のなかで神聖なものとみなされ、現在もいくつかの場所で使われている。なかでももっとも重要なのが、アメリカ人の心にいちばん近い場所、ドル紙幣のなかだ。

　政府を作りだすことは、国を作りだすことの序章だった。政府は機構を動かすだけでも成り立つが、国家は実際の人々の生活に必要なものを提供しなくてはいけない。人々は抽象的な生活を送っているわけではない。彼らは国家のなかで現実的な生活を送り、その国家が彼らに「何者か」という感覚を与える。部分的に、それは政府の在り方によって生みだされるものである。部分的に、それは国家の原則――自分たちがどんな種類の人間であり、どんな種類の人間であるべきかを教えてくれるもの――によって生みだされるものでもある。このテーマについては、重厚な学術書が何冊あっても説明が尽きることはないだろう。しかしジェファーソン、アダムズ、フランクリンがこの国に与えた国璽は、私たちが自身を見るためのレンズであり、現在の行動規範ができあがった理由を説明してくれるものでもあった。国璽はシンボルであり、シンボルは解読されなければならない。これらのシンボルのなかに私たちは、建国の父たちが考えたアメリカ人のあるべき姿、合衆国における市民権の在り方を見いだすことができる。

国璽について注目すべきなのは、三人の男たちがそれを生みだしたという事実だ。並外れた人々が集まる建国者の集団のなかでも、彼らはもっとも並外れたメンバーだった。くわえて三人は、独立革命を率いた集団を構成する各派閥を代表する人物だった。ジェファーソンは民主共和党（のちの民主党）のメンバーだった。アダムズは連邦党（のちの共和党）に属していた。因習打破主義者だったフランクリンは、アメリカ的な精神をもっとも象徴する存在だったにちがいない。彼はまじめだったが、穏健とはいいがたかった。フランクリンは彼自身がひとつの党であり、この国を愛する人々の代表だったが、品位を保つためにはユーモアが必要だと理解していた。哲学の天才、法律の天才、愉《たの》しい人生の天才というこれら三人の知性派が、「われわれは何者か」「何者でありつづけるべきか」というひとつのビジョンを共有できたのは、じつに驚くべきことだ。

国璽の表《おもて》に描かれたワシは、アメリカの強さを表わしているという。実際のところ、ベンジャミン・フランクリンはワシの絵を採用することに反対し、自身の娘に宛てた手紙のなかで次のように理由を説明した。

私としては、わが国の象徴としてハクトウワシが選ばれるべきではなかったと感じている。ハクトウワシは品性のない鳥であり、正直な生活を送っていない。川の近くの枯れ木にとまるハクトウワシを見たことがあるかい？　怠け者のワシたちは自分で魚を捕まえようともせず、ミサゴがせっせと動きまわるのをただ見つめているだけだ。そして、働き者のミサゴが魚を捕まえ、妻や子どもたちに食べさせるために巣に持ち帰ろうとすると、ハクトウワシが追いかけてきて魚を奪い取るのだ。

フランクリンは、より正直な鳥である七面鳥が選ばれることを望んでいたといわれている。彼としてはおそらく、ハクトウワシを選ぶというありきたりな考えが許せなかったのだろう。この手紙のなかでフランクリンは冗談を交えて文章を綴っているが、シンボルがいかに重要かという大切な点も指摘している。

国璽のハクトウワシの上には「E pluribus unum」（エ・プルリブス・ウヌム）というラテン語の文字が書かれており、これは「多くから作られたひとつ」を意味する。この言葉は当時、「一三の植民地の多くが協力してひとつになる」ことを示すと考えられていた。しかし時の流れとともに、歴史は異なる意味を与えるようになった。移民の波が全米に押し寄せると、このモットーは「アメリカにやってきた多くの文化がひとつの国になった」ことを指し示すために使われるようになった。建国者たちが、将来的にアメリカがこれほど多様な移民を受け容れることになると想定していたとは考えにくい。が、憲法は帰化のための規則を定めており、この将来をしっかり見越していた。イギリス人のあとにやってきたプロテスタントのスコットランド系アイルランド人たちは、暴力的で非融和的だと忌み嫌われた。アメリカ移民の歴史のなかでは、よくある平凡な話だ。国璽のデザインは理論上ひとつに固定されているが、実際には進化していく。多くの文言のうちひとつが〝アメリカ人〟の基盤となるべく選ばれたが、それはきわめて慎重に選ばれたものだった。しかし二五〇年たったいまでも、移民の原則は国を引き裂こうとしている。

じつのところ、「エ・プルリブス・ウヌム」の本来の意味は、南北戦争へとつながった別の致命的な問題を指し示すものだった。当時の植民地が互いにどれほど異なり、人々がその差をどれほど認識していたかという点は、往々にして忘れられがちだ。ロードアイランド植民地は、地理、習慣、社会秩序においてサウスカロライナ植民地とは異なっていた。それらの差はいまでも続いているが、かつてほどの差はなくなった。「エ・プルリブス・ウヌム」がモットーとして選ばれたのは、新しい州のあいだに共通点が多かったからではなく、お互いを奇妙で風変わりな外国人だとみなす傾向があったからだった。今日の私たちは、お互いを見ず知らずの他人とまでは考えていない。それでも、ニューヨーカーはしばしばテキサス人にとって風変わりであり、逆もまたしかり。つまり、地域間の緊張はいまでも続いているのだ。

国璽の裏には、未完成のピラミッドが描かれている。すでに何世紀ものあいだピラミッドが造られていない時代に生まれようとしていた近代国家にとっては、興味深い選択だといっていい。しかし、そのシンボルの意味は強力だ。ピラミッドの建設は、国家の富、資源、労働力が必要になる巨大な事業である。つまり、統一のための原理を意味するものだ。ピラミッドは、それが存在する共和国とそれを造りだした人々をひとつに結びつける。ピラミッドが私たちに教えてくれるのは、共和制がたんなる概念ではなく国民が作りだした産物であり、その事実が共和制と国家を結びつけるということだ。

国璽のピラミッドはまた、共和制の確立がまだ道なかばであり、アメリカ人による骨の折れる労働をとおして完成を目指す必要があることも示唆している。人々はピラミッドの建設をひたすら続けなければいけない。ピラミッドの形には、労働を特定の方向へと推し進めるという意味がある。人々はレンガを造り、モルタルを造り、レンガを延々と積み上げていく。ピラミッドは労働に形と予測可能性を与えてくれる。労働にも危機と成功の瞬間があるが、それこそがアメリカ社会の現実を表わしている。

ピラミッドの上には、「Annuit coeptis」(アンヌイト・コエプティス)の文字。「彼はわれわれの取り組みを支持する」を意味するラテン語で、「彼」は一般的に神(God)だと考えられている。しかしながら建国者たちは、「God」という単語をあえて使わないことに決めた。アメリカでは、合衆国がキリスト教国だと主張する人々と、完全に非宗教的な国だと訴える人々のあいだで大きな議論が続いている。国璽の制作者たちは、この問題をしっかり理解していた。妥協と合意のどちらによるものかはわからないにしろ、独立宣言にも憲法にも「キリスト」どころか「God」という単語も出てこない。しかし、人間を超越する何か——建国の取り組みを判断・支持する何か——についてははっきり言及されている。たとえば独立宣言には、「(神の)摂理」(providence)という単語が登場する。建国者たちは、キリストに言及することもできたし、あるいは神についての言及をすべて避けることもできた。が、そのどちらの道も選ばなかった。たんに啓蒙主義の政教分離論を受け容れるわけでも、反対にイギリスの信心深さを受け容れるわけでもなかった。建国者たちは、神の力についての言及は拒否したものの、神の力が存在することははっきりさせた。私が思うに、このあいまいさは意図的なものだろう。結果として創造的な緊張が生まれ、その緊張がずっと続くことになった。

ピラミッドの下には、国璽の三つめのモットー「Novus ordo seclorum」（ノブス・オルド・セクロールム）の文字。「時代の新しい秩序」を意味するこの言葉は、建国者たちが合衆国をどのようにとらえていたかを示すものだ。アメリカの建国はたんなる新しい政治形態の登場を意味するものではなく、人類史における劇的な変化だった。それほど過激なものだった。このフレーズを考えだしたチャールズ・トムソンは、「新しいアメリカの時代の始まり」を意味するものだと主張した。トムソンの言葉のもっとも合理的な解釈は、「新しい時代が始まり、アメリカが新しい時代の中心になる」というものにちがいない。当時、この主張はまったく合理的なものではなかった。実際のところ、まったくばかげた主張だった。アメリカはまだ幼年期にあった。世界には、数世紀（なかには数千年）にわたって発展してきた国が山ほどあった。ヨーロッパが支配する時代はまだ終わりそうもなかったし、ヨーロッパ時代にまさる新しい時代はまだ見えなかった。にもかかわらず、建国者たちは新しい時代――アメリカの時代――が到来することを見越し、それを国璽に刻んだ。

まちがいなく国璽は、建国者たちが思い描いた理想をはっきりと指し示すものだった（理想は奴隷制度によって汚されたが、それについてはのちほど説明する）。彼らは合衆国の建国を、果てしない努力に満ちた新しい時代とみなしていたが、その努力はまえもって規定された論理的な目標に向けて形作られたものだった。彼らが目指したのは何か神聖なものを核とした時代だったが、その神聖な力が何かについて具体的に定められてはいなかった。建国者たちが想像したのは、偉大さ、神聖さ、そして労働という土台のうえに築かれた国家だった。国璽は、建国者が望んだことを教えてくれるものの、具体的な何かを意味しているわけではない。国璽に刻まれたモットーは、アメリカの軌跡と目標を指し示している。目的地を把握することによって私たちは自分の進むべきルートを設定し、来たるべき危険や機会を予測できるのだ。

建国の父たちは、大西洋の西端に住む一握りの人々が、英国のような偉大な世界帝国を打ち破ることができると信じていた。それどころか、世界を作り変える新しい国を築くことができると信じていた。だからこそ、議論は自然と「国璽」から「独立戦争」へと移っていった。ある意味、アメリカ独立戦争はイギリスのみを相手にしたものではなく、一四九二年に始まったヨーロッパの時代に対抗するものでもあった。アメリカ人たちは、ヨーロッパの時代は抑圧と不平等のうえに成り立っていると考えた。一方のヨーロッパ人は、自分たちの価値観を物事の自然な道理だと信じていた。その道理に反感を抱いた建国者たちは、自由と平等を勝ち取ることだけでなく、自然の支配をも目指すようになった。産業革命はまだ産声を上げたばかりだったが、基本となる原理はすでに明らかだった。それは、理性と技術によって自然を支配するという原理だった。かくしてアメリカの歴史の大部分では、科学とその派生物であるテクノロジーに焦点が当てられることになった。とくにベンジャミン・フランクリンやトーマス・ジェファーソンに注目してみると、建国者たちがたんなる〝国家の建設〟以上の見通しを持っていたことがわかる。

ここで、国璽の制作を指示した三人のうちふたりが発明家だったことを思いだしてほしい。ジェファーソンとフランクリンは、軽量の鋤《すき》や避雷針といったさまざまな道具を発明した。ジェファーソンはすぐれた建築家でもあり、彼が建設した堂々たる邸宅がバージニア州モンティチェロにいまも残されている。その家には、ジェファーソンの発明である荷物用小型エレベーターも設置されていた。「体制が発明された」「生みだされた」と私が主張するとき、それは「生まれながらの発明家たちによって発明された」という意味になる。彼らは技術者だった。彼らが作ろうとしたのは、自然の管理をとおして人間の生活を楽にするツールだった。発明は体制の一部であり、さらにアメリカ文化にも組み込まれた。ジェファーソンとフランクリンは、ありとあらゆる政治的前提に疑いの眼を向けた。くわえて彼らはすべてのことを疑問視し、どう改善できるかを考えた。このような創作力こそが、農機具からスマートフォンの発明に至るまで、アメリカの歴史全体に大きな影響を与えてきた。

この創作力は、切迫感と結びついたものだった。人々は、祖国よりも良い生活を送るためにアメリカにやってきた。ニューヨークやミネソタで着の身着のまま生活を始めた移民たちは、大急ぎで前に進む必要があり、進むことを望んだ。彼らにとっては時間が大切な要素であり、必然的にアメリカ文化においても時間が大切な要素になった。

切迫感とテクノロジーの組み合わせが、合衆国を前に推し進めていった。どの時代でも、人間の生き方を根底からくつがえすような何かが発明され、それが社会全体のための変革のサイクルを生みだした。このサイクルには、失敗や失望もたくさん含まれていた。住宅の設計にしろ、電気の管理にしろ、政治体制の発明にしろ、技術の発展には失敗がつきものだった。いったん考えだされた発明は、新たな挑戦と可能性に対処するために再び発明されなおさなければならなかった。

独立宣言のあるフレーズについて考えてみよう。多くのアメリカ人にとってはごく当たりまえの文言だが、その驚くべき特異さは無視されがちだ。建国者たちは三つの権利について言及した――生命、自由、幸福の追求の権利。このフレーズのもとになったのは、イギリスの哲学者ジョン・ロックが提唱した「生命、自由、財産の権利」だった。アメリカの建国者たちは「財産」を「幸福の追求」に変えた。アメリカ文化の核となるこの難解な言葉を、彼らは意図的に選んだのだった。

ある意味、テクノロジーと発明はつねに幸福と結びついているといっていい。コンピューター、自動車、電話などの発明によって、仕事、移動、コミュニケーションがより簡単になった。それらの発明は、かつては存在しなかった可能性を切り拓いた。たとえば、医学の進歩について考えてみてほしい。医学の飛躍的な発展によって人が不老不死になるわけではないにしろ、しばらくのあいだ死を食い止め、私たちを幸せにしてくれるかもしれない。このように、テクノロジーと幸福はアメリカ社会のなかで密接に関連している。ときにテクノロジーは、愛や神といった別の種類の幸福の代わりにもなる。アメリカ人は愛や神に大きな価値を置くが、異なる形の大きな情熱とともに最先端テクノロジーを愛しているのだ。

したがって、アメリカ政府の発明について議論する場合、まずは一般的な意味での発明に眼を向け、さらに幸福にも注目する必要がある。建国者たちはそのような流れを理解していたため、独立宣言のなかでは幸福追求が固有の権利として位置づけられた。しかしそれが、混乱を招く原因になった。

幸福の追求こそが、アメリカ文化の形を定めているといっていい。もちろん、義務、愛、慈善といったほかの要素もアメリカ文化に影響を与えている。しかしそれらの要素はどれも、幸福追求という核の周囲をまわる衛星にすぎない。最終目標である幸福とは非常に個人的な概念であり、一〇人いれば一〇通りの異なる定義があっても不思議ではない。誰しも、幸福の定義をみずから決めることができる。このように考えると、自由の定義がおのずと明らかになるはずだ。自由とは、幸福の追求のための前提条件である。自由とは、自分自身にとっての幸せをみずから定義できることを意味する。

幸福は、合衆国に力を与える感情のエンジンだ。アメリカは、幸福の追求を基本的権利に定めている唯一の国である。しかしテクノロジーが廃《すた》れるのと同じように、幸福には失望がつきものとなる。政治体制は機構であり、物事を成し遂げるための新たなツールだ。しかし成し遂げるべきことが変わるように、政治体制の構造も時とともに変化しなければいけない。国家の制度を変えることにはきまって痛みがともない、戦争と密接に結びついてきた。これについては第２部で議論する。まずは、アメリカという土地についてくわしく検討する必要がある。土地は永続的なものであるにもかかわらず、アメリカ合衆国では幾度も変化と再編成が繰り返されてきた。

# 第2章　土地——アメリカと呼ばれる場所

西半球の大陸に名前をつけたのは、マルティン・ワルトゼーミュラーだった。ドイツ人地図制作者の彼は、一五〇七年に新たな世界地図を発表しようとしていた。同じころ、ポルトガルのために航海に出たイタリア人探検家アメリゴ・ベスプッチは、コロンブスがインドにたどり着いたのではなく、新しい大陸に遭遇したのだと誰よりさきに気がついた。ワルトゼーミュラーが地図を制作中だと知っていたベスプッチは、この情報を手紙で知らせた。ワルトゼーミュラーは地図に描かれた場所になんらかの名前をつける必要があったが、コロンブスがどう考えたにしろ、インドと名づけるわけにはいかなかった。そこで彼はアメリゴ・ベスプッチに敬意を表して西半球の大陸を「アメリカ」と呼ぶことに決め、のちにその名前が定着するようになった。

アメリカと名づけられるまで西半球の大陸には名前がなかった。その大陸に住む人々は、自分たちの部族の土地やほかの知り合いの土地に独自の名前をつけていた。しかし彼らにとって半球は「全世界」を意味するものであり、半球そのものに名前をつける必要はなかった。東半球の住民たちもまた、西半球に名前をつけたことはなかった。西半球に名前を与えることをとおして、ワルトゼーミュラーは新たな世界を作り上げた。世界は西半球と東半球のふたつの半球で構成されていると主張した彼は、イタリア人にちなんだ名前——今日まで使われつづける名前——をつけ、西半球にヨーロッパ的な性格を与えた。

やがてアメリカという名前が西半球を定義するようになった。その再定義によって、先住民が所有する土地という色合いは薄れ、西半球はますますヨーロッパ的なものになっていった。地理は同じままだった。山や川は長い年月をかけて少しずつ形を変えていくが、その地理と住民の関係は一変した。鉄道の建設や広大な都市の開発が進むにつれて、国の風景だけでなく、人々による地理のとらえ方も変わっていった。砂漠で作物を育てるために川の流れを変えることは、「地理についての異なる理解」と「その土地でできることについての異なる感覚」の両方を人々に与える。それこそ、私がこう主張する理由だ——世界のすべての人間がなんらかの形で地理を再発明する一方で、アメリカ人ははるかに野心的に（あるいは悪質なやり方で）国の地理を発明・再発明してきた。この再発明こそが、米国が爆発的な発展を遂げ、大国として急成長することを可能たらしめたのだ。

政治体制が発明されたのと同じように、土地——少なくとも、土地と入植者の関係——も発明された。移住者の世代ごとに、または移住者の波がやってくるたびに、山、土、川の意味は変わった。ヨーロッパやアジアに比べると、アメリカは広大で人が少なかった。ヨーロッパ人はアメリカ人になり、先住民を追い払った。そのプロセスを通じて彼らは、土地を発明・再発明するための扉を開いた。ある意味において、アメリカの土地は政治体制と同じくらい人工的なものだった。

## 北アメリカへの入植

アメリカはふたつの大きな〝島〟から成り立っており、パナマ地峡によってかろうじてつながっている。ふたつの島の地理には非常に大きな差がある。南の島でもっとも特徴的なのは、アマゾンと呼ばれる広大な熱帯雨林と西側に連なるアンデス山脈だ。北の島でもっとも特徴的なのは、ロッキーとアパラチアというふたつの山脈のあいだの広大な平原と、その山々から大平原を経てメキシコ湾へと流れでる複雑な河川網だ。南の島には豊かな金と銀が埋まっていた。メキシコをのぞいた北の島には、耕作に適した豊かな土地が広がっていた。

ヨーロッパ人たちがアメリカに行こうとそもそも考えたのも、実際にやってきたのも、インドや東インド諸島にたどり着きたいという願いがあったからだった。かの有名なシルクロードは中国やインドから西へと延び、地中海を経由してヨーロッパへとさまざまな製品をもたらした。一五世紀なかば、トルコを中心とするイスラム国家であるオスマン帝国の台頭により、シルクロードは遮断された。彼らは道路を封鎖し、通過する製品に課す税金を大幅に吊り上げた。ヨーロッパ人たちはシルクロードからやってくる製品に依存していたが、オスマン帝国はそれらの品に耐えがたいほどの値段をつけた。

オスマン帝国を経由せずにインドにつながるルートを見つけ、ヨーロッパが抱える問題を解決した人々は、誰であれ大儲けすることができた。はじめに、ポルトガルがアフリカを迂回する航路を見つけた。オスマン帝国との戦争によって出遅れたスペインは、西に向かうルートを探した。理論上は悪くない作戦だったが、現実的には失敗した。なぜならスペイン人たちは、西半球が行

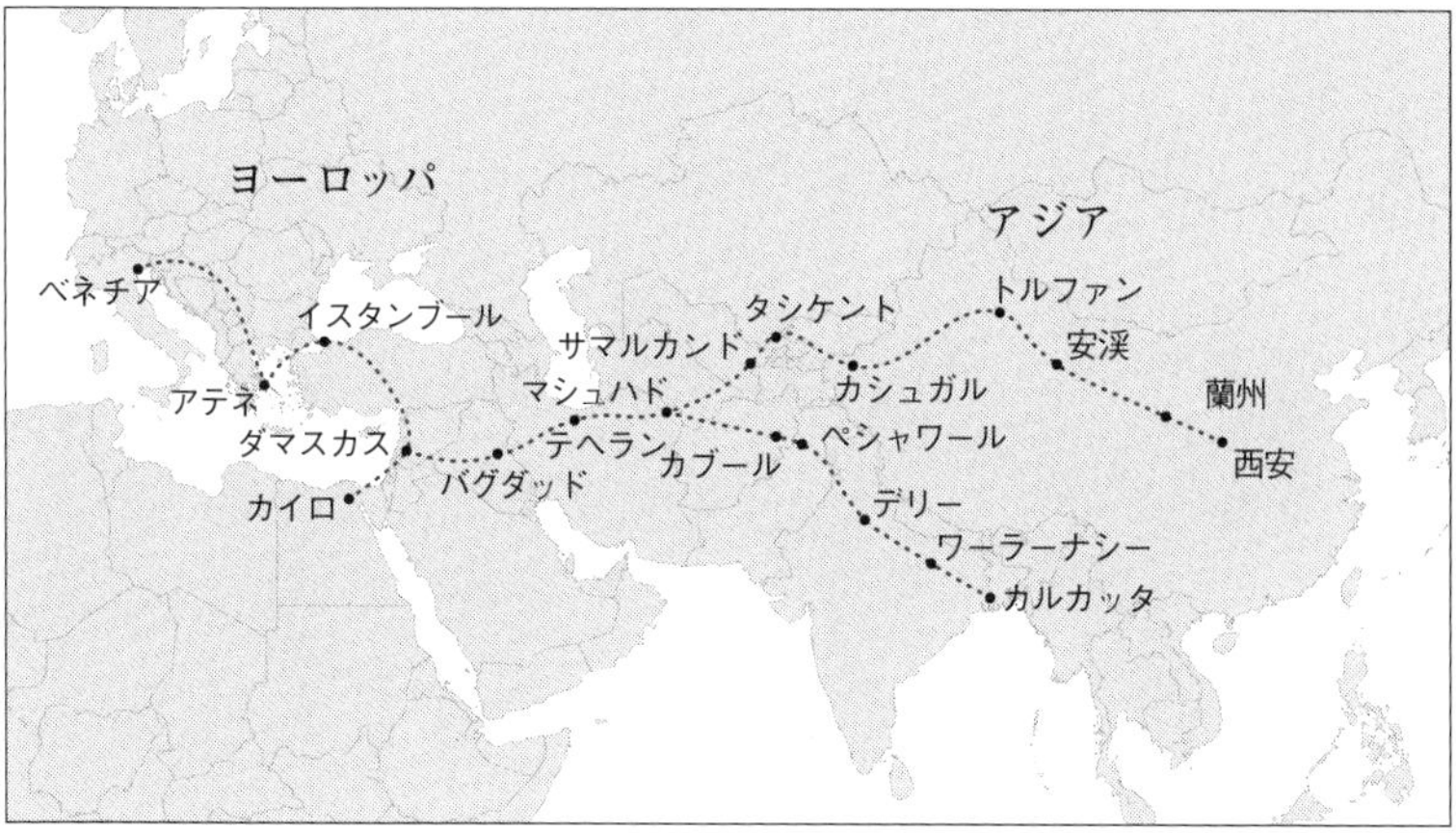


図2　初期のシルクロード

く手を阻《はば》んでいることを知らなかったからだ。

はじめは失敗に見えたものが、少なくともスペインにとっては輝かしい成功に変わった。イベリア半島からの海流と風は、スペインからカリブ海、カリブ海から南米の東海岸、のちに西海岸へとつながる幹線道路になった。ポルトガルがはじめに大規模な上陸を果たし、ブラジルを手中に収めた。彼らは先住民を捕らえて奴隷化し、さらにアフリカから奴隷を送り込んで働かせ、各地に大きな農園を造った。ポルトガルに先手をとられたスペインは、ブラジルを越えて西海岸へと突き進む必要に迫られたが、そこで大きな戦利品を得ることになる。今日のペルーにあったインカ帝国は、きわめて生産性の高い金鉱と銀鉱を管理しており、すでに大量の発掘を行なっていた。それこそ、スペインが望んでいたものだった。

海流と風の影響によって、北アメリカにたどり着くのはよりむずかしかった。が、そもそも北側には、搾取できそうな富も少ししかなかった。当時、北ア

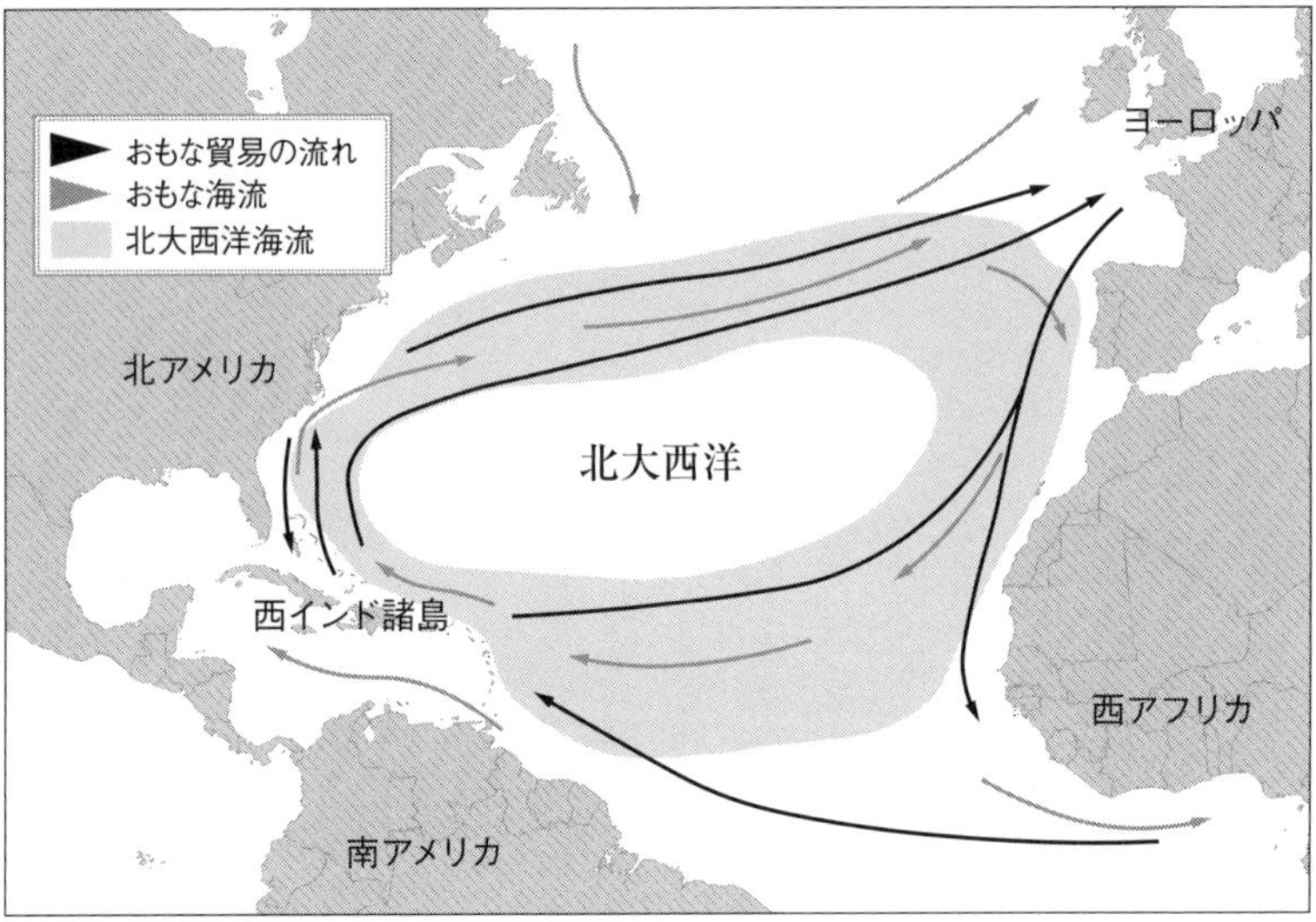

図3　大西洋の風と海流

メリカという場所にはほとんど価値がないように見えた。とくにスペイン人たちは、定住ではなく富を奪うことを目的に新大陸にやってきたため、金と銀が豊富な南米に狙いを定めた。スペインはヨーロッパに属す国であり、ヨーロッパは敵に満ち満ちていた。スペインは自国で大規模な軍隊を必要としており、国民を新大陸に移住させる余裕はなかった。ポルトガルも同じ状況だった。彼らは、南米の先住民の帝国を次々に破壊し、人々を奴隷化し、奴隷を農園で働かせ、金や銀を略奪した。結果、ごくわずかな役人や冒険家たちの集団が先住民を支配するようになった。一握りの冒険家がすべての国々を征服するというのは、まさに異常な状態だった。スペイン人やポルトガル人たちはすぐれたテクノロジーを持っていた。しかし実際に勝利をもたらしたのは、彼らがヨーロッパから持ち込んだ病気のほうだった。

短期的に見ればポルトガルとスペインが勝者だったが、長期的にはそうではなかった。抗しがたい海流、風、天候のために、彼らは北アメリカへの進出を避けた。のちに北米の大西洋岸にたどり着いた探検家が見つけたのは、ひどい嵐にたびたび襲われ、勇猛果敢なインディアンたちが住む土地だった。しかし北米には、南米にはないふたつのものがあった。ひとつは、ぜいたくな毛皮をまとった動物たちで、とりわけビーバーは貴重だった。これらの毛皮は高値で取引され、とくにフランス人にとっては驚くほど利幅の大きい商品だった。フランス人たちもほとんど定住はせず、動物の捕獲と取引に力を入れた。インディアンとビーバーが住む北米の広大な荒野に可能性を見いだしたフランスは、ケベックに植民地を造った。しかしスペインと同じように自国の軍隊に人手が必要な時期だったため、大量の移民を送り込むことには消極的だった。とはいえ、動物の捕獲と毛皮の取引は大きな利益を生んだ。さらに、捕獲よりも取引によって稼ぐほうが効率的だったため、フランスは先住民の国々との闘いに膨大なリソースを費やすのではなく、彼らと緊密な商業的・政治的関係を築こうとした。その関係が、北アメリカにおけるフランスの勢力の基盤となった。

南米にはなく北米にはあったふたつ目のものは、広大で豊かな農地と、農産物を港に運ぶための河川網だった。長期的な視点をとおして北米にきわめて貴重な価値があるとはじめに気づいたのはイギリス人だった。島国であるイギリスは、それほど大量の兵士を必要としておらず、入植者を送り込む余裕があった。北米という新たな土地も彼らを歓迎した。最終的にイギリスがスペインとポルトガルを追い抜き、スペイン海軍に代わって北大西洋で主導権を握り、北米の地理の形を変えることになった。移住は、高い費用がかかる終わりのないむずかしいプロセスだった。しかしイギリス人の移住と入植こそが、北米を世界システムの中心に変えた。

入植が始まったのは、コロンブスの航海からまだ一世紀もたっていなかった一五八七年のことだった。イギリスはまず、現在のノースカロライナ州にあるロアノーク島に植民地を建設しようとした。が、この入植は破滅的な結果につながった。ロアノーク入植のあと、イギリスとスペインのあいだで戦争が起こり、三年にわたって植民地への物資の供給が止まった。ロアノーク島は、自給自足で暮らせるような場所ではなかった。戦争が終わって補給船が島に戻ったとき、入植地は跡形もなく消えていた。

この三年のあいだにロアノーク植民地で何が起きたのか、はっきりとしたことはわかっていない。もっとも有力な説は、物資の供給が止まって食べものに困った入植者たちが、友好的なインディアンたちの集落に逃げ込んだというものだ。ヨーロッパの国々と同じようにインディアン諸部族も、つねに互いに戦争状態にあった。一説によると、入植者たちに庇護を与えたインディアンの部族が敵の部族から攻撃を受け、入植者ともども虐殺されてしまったという。それは、遠く離れた場所での孤独な死だった。

イギリスは二〇年ほど待ってから、現在のバージニア州の海沿いにあるジェームズタウンに再び入植した。そこは、北米の東海岸ではじめて長く続いた植民地だった。植民地化はバージニア会社によって進められ、大きな見返りを期待する投資家たちが資金を提供した。入植者のほとんどは、スウェットエクイティ（出資金の代わりに技術、発明、労力などを提供して株式を得る制度）によって一攫千金を狙う上流階級の冒険家たちだった。残りの入植者の多くは、冒険家ほど大きな野心を持たない職人や労働者だった。富を望む移民が集まる場所ではあったものの、植民地ではイギリスの階級構造がそのまま保たれ、分け与えられる富の量は階級によって定められた。ジェームズタウンはまさに、アメリカの将来の姿そのものだった。資金を提供した投資家たちは、ほかの人々の野心や努力から大きな見返りを得ようとした。ジェームズタウンは、イギリスの貴族制度とアメリカのベンチャー精神をうまく融合させた街だった。

それから数十年のあいだに、各地にヨーロッパの植民地が造られていった。現在のニューメキシコ州の州都サンタフェは、一六〇七年にスペイン人によって建設された。さらに多くの金鉱を探していたスペイン人たちの耳には、メキシコの北側での儲け話についての噂や嘘が毎日のように飛び込んできた。結局、彼らは金山を見つけることこそできなかったものの、現在のメキシコと北米を隔てる砂漠と山がひどく手ごわい存在であるという教訓を学んだ。メキシコ人は砂漠を越えなければいけなかった。イギリス人は海を越えなければいけなかった。それから数世紀にわたってジェームズタウンがサンタフェを抑え込むことができるのか、誰にもわからなかった。サンタフェが生まれた翌年の一六〇八年、北東部のセントローレンス川流域にフランス領ケベックが築かれた。かくして、北アメリカの本格的な植民地化が始まった。この年、ヨーロッパの三大都市であるロンドン、パリ、マドリードの競争によって、現代史が真のスタートを切った。

一二年後、現在のマサチューセッツ州にプリマスが開拓された。一六二一年にメイフラワー号がプリマス植民地に到着したのはアメリカ人にはよく知られた歴史であり、ここが最初のイギリスの植民地だと信じている人も多い。実際にはジェームズタウンに次いで二番目、ロアノーク島を含めれば三番目の入植地だった。ジェームズタウンと同じように、プリマス植民地も投資会社の資金をもとに開発された。こちらの会社は、マーチャント・アドベンチャラーズと呼ばれていた。移り住んだ人々の多くは分離派《ピルグリム》（母国イギリスでの宗教弾圧を恐れてアメリカに渡った清教徒《ピューリタン》）ではなく、ジェームズタウンに入植したような冒険家たちだった。植民地を運営していたのはピルグリムではなく、マーチャント・アドベンチャラーズのほうだった。さらに植民地では、〝ストレンジャーズ〟（外部の人たち）と呼ばれる冒険家と信心深いピルグリムがはっきり区別されていた。プリマス植民地でピルグリムたちが制作し、アメリカ連邦制の基盤となった「メイフラワー誓約」は、じつに巧妙な文書だった。男性の半数以上はストレンジャーズだったが、投票権のない女性や子どもを含めれば、ピルグリムのほうが多数派になった。その論理を利用してピルグリムが冒険家たちに不利なルールを定めたことによって、両者のあいだに大きな緊張関係が生まれた。

プリマス植民地が築かれてから五年後、オランダが現在のマンハッタン南部にニューアムステルダム植民地を造った。フランス人と同じように、オランダ人も定住ではなく貿易のためにアメリカにやってきた。彼らはオランダ西インド会社から創業資金を調達し、交易所を設立した。マンハッタン島の西を流れるハドソン川の流域はアパラチア山脈まで広がっているため、オランダはニューヨーク州北部や西部、さらに五大湖にもアクセスすることができた。この地域にはたくさんのビーバーが生息しており、その毛皮はヨーロッパでは男性用シルクハットの材料として重宝されていた。猟師たちはビーバーを捕まえてインディアンと取引し、インディアンたちは現在のオールバニー近くの交易所でオランダ人に売った。毛皮はニューアムステルダムへと運ばれてから船で輸送され、ヨーロッパで販売された。ニューアムステルダムは、北米とヨーロッパをつなぐ主要な港になった。そして一六六四年にイギリスが街を占領し、ニューヨークに改名した。

これらの植民地の成り立ちは、アメリカの将来の姿を予言するものだった。それぞれの植民地の建設は、企業によって行なわれる事業であり、莫大な利益を上げるためにあえてリスクを冒す投資家がそれらの企業を所有していた。投資家たちは、どのように稼ぐのかについても、誰と手を組むのかについても無関心だった。奴隷によって成り立つプランテーション（大規模農園）であれ、毛皮を取引する交易所であれ、小さな農場であれ、利益さえ出れば方法はなんでもよかった。プリマス植民地は、あたかもプロテスタントの入植者に支配されているかのようにも見えただとしても、マーチャント・アドベンチャラーズは一顧だにしなかった。問題は、投資にたいする満足のいく見返りがあるかどうかだけだった。最終的な支配権は投資家の手にあり、入植者はなんとしてでも利益を生みださなければいけなかった。

## 北アメリカで生活する

大西洋とアパラチア山脈がそれぞれの植民地の運命を定めた。そのふたつのあいだの〝距離〟が、植民地の商業的な性質だけでなく、道徳的な性質にも影響を与えた。ペンシルベニアより南部では、アパラチア山脈は大西洋岸から三二〇キロ以上離れた場所にあった。そのあいだには、大規模な商業プランテーションに適した肥沃で平らな土地が有り余るほど広がっていた。一方、ペンシルベニアより北部では、山脈から海までの距離はずっと短かった。土壌は岩がちで丘陵地帯が多く、冬は長かった。そこは、家族農場、職人、商人、銀行家のためだけの場所だった。南部では、大規模なプランテーションを運営するために安い労働力が必要だった。北部では、ひと

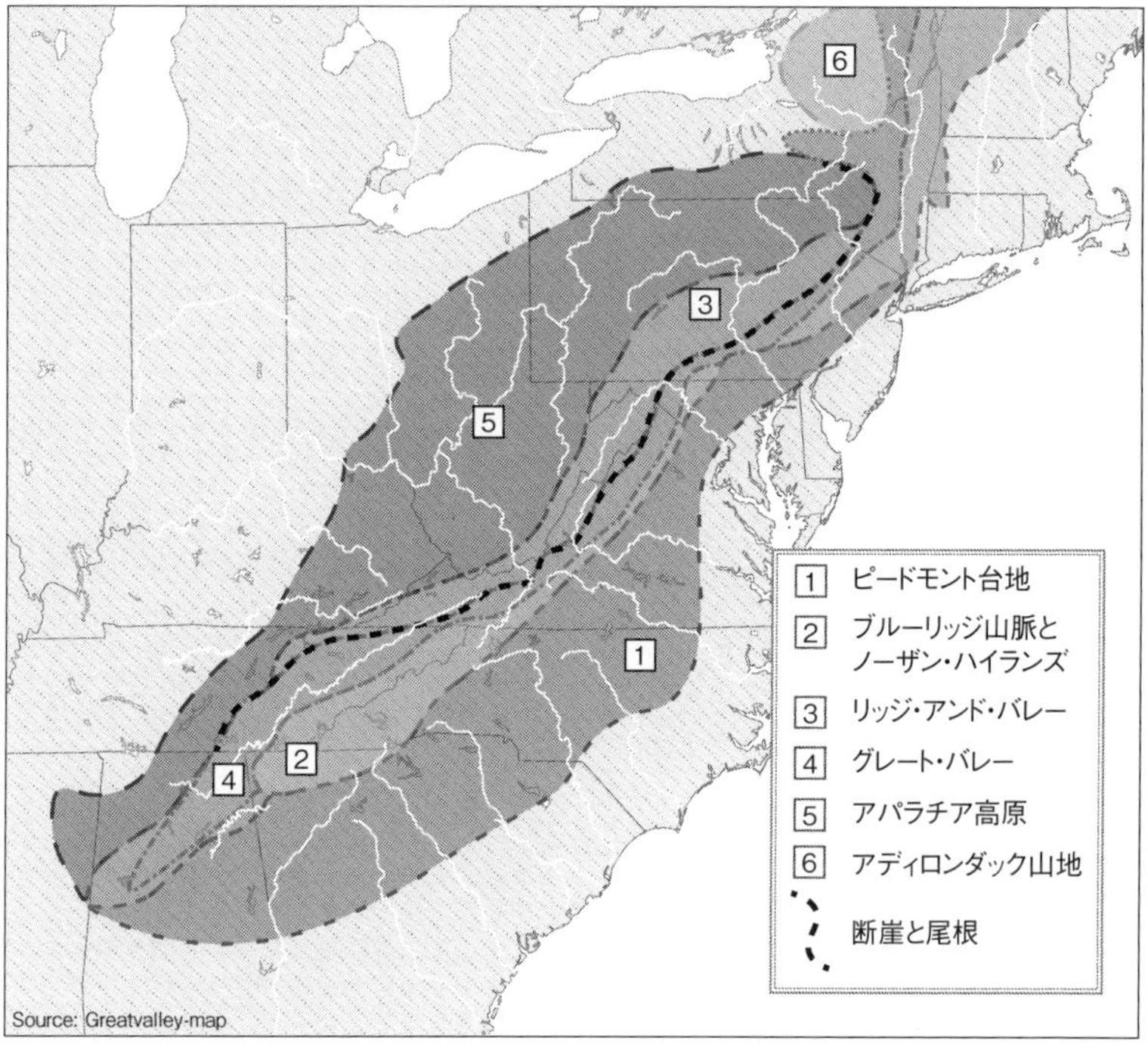


図4　大アパラチア渓谷

りかふたり手伝いがいれば充分に事足りた。この区別がアメリカの歴史を定義した——奴隷制なのか、奴隷解放なのか。南部連合なのか、北部の連邦政府なのか。その区別ははじめから存在していた。南部の地理的条件にかんがみれば、奴隷制は大きな利益をもたらす望ましいものだった。北部の地理的条件にかんがみれば、奴隷制は不経済なものだった。ここに、何世紀もあとに米国を引き裂くことになる制度的・道徳的危機の地理的な端緒が見えてくる。

　初期に造られたふたつの植民地には、それぞれの地域の特徴を反映する異なる種類のアメリカ人がいた。大西洋からアパラチア山脈までの距離が充分にあり、プランテーションを運営する充分な土地があった南部の入植者は、イギリス人の気高い態度をなんとか保とうとした。それは、ジェームズタウンに入植した冒険家たちが保とうとした気高さだった。北部では、プリマス植民地のカルバン主義にもとづく禁欲的な態度が広まり、商業への献身と厳格な倫理観を核とする植民地ができあがっていった。ふたつの地域は異なるタイプの指導者を生みだしたが、それは将来の共和国における深刻な分裂を指し示すものだった。ここで、アメリカの独立革命を率いたふたりの指導者について考えてみよう。

ジョージ・ワシントンは、一六五六年にバージニア植民地に移住したジョン・ワシントンのひ孫だった。ジョンの父親は、英国で王党派の一家に生まれた。王党派が力を失ったとき、地位の高い聖職者だったジョンの父親は、すべての財産を没収された。すると息子のジョンは、二等航海士としてアメリカ行きの船に乗ることを決心した。イギリスで家族がすべてを失うのを目の当たりにした彼は、育ちの良い紳士ではあったが、貧乏だった。のちに結婚して幸せな家族を築き、新しい境遇のなかで必死に努力を続けた。ジョンは土地を売買し、購入した土地でタバコの葉を栽培して輸出した。そして大成功を収め、称号こそ持たないものの奴隷を持つ英国貴族として暮らした。このような成功の物語は、当時としては珍しいものではなかった。

ジョン・アダムズは、マサチューセッツの清教徒の家庭に生まれた。彼の父親は教会の執事で、母方の祖父は医師だった。アダムズの野心は法律と仕事に向けられており、英国貴族への憧れなど毛頭なかった。当時、マーチャント・バンク（おもに証券引受と商業支援を行なうイギリス特有の金融機関）や造船の世界にはたくさんのチャンスが転がっていた。マサチューセッツを中心としたアメリカ北東部のニューイングランドはじつに豊かだったが、それは英国人が呼ぶところの「中流階級」の生活の豊かさでしかなかった。

入植者たちはみなイギリス人だったものの、それぞれ異なる野心を持っていた。英国貴族のぜいたくな生活を送り、瀟洒《しょうしゃ》な邸宅に住み、農奴の代わりにアフリカ人奴隷を従えて暮らすためにアメリカに来た人々もいた。ほかにも、聖職者、弁護士、商人として堅実な中流階級の生活を送るために移り住んできた人々もいた。ほとんどの人は、みずから額に汗して働いて生計を立てるために入植という道を選んだ。その後に移住してきた何百万人ものイギリス人たちと同じように彼らは、自分の技能を活かすことのできる仕事をするために、あるいは自分で耕作できる土地を求めてやってきた。多くの人が持つ夢はささやかなものであり、祖国よりも少しでもましな何かを望んでいただけだった。なかには、商人として実直に働いて金を貯め、富を築くことを夢見る者もいた。ほかにも、英国で奪われた貴族の気高さを再び手にすることを夢見る者もいた。

この地域的な差は、アパラチア山脈だけに影響されたものではなかった。川による影響も大きかった。ニューヨークより南部では、すべての川がアパラチア山脈から東側の大西洋に向かって流れていた。一方の北部では川は北から南に向かい、さまざまな植民地をまたいで流れていた。南部の川は、南部の植民地同士をつないではいなかった。よって河川は植民地と植民地のあいだの交通手段とはならなかったし、道路の建設はむずかしく費用も高かった。南部ではそれぞれの植民地がはっきり区別され、長いあいだ孤立状態が続いた。

南部の植民地を互いに孤立させ、さらに北部からも孤立させたもうひとつの要因があった。乏しい輸送手段、物理的に大きな植民地の面積、まばらな人口という要因にくわえて、南部では北

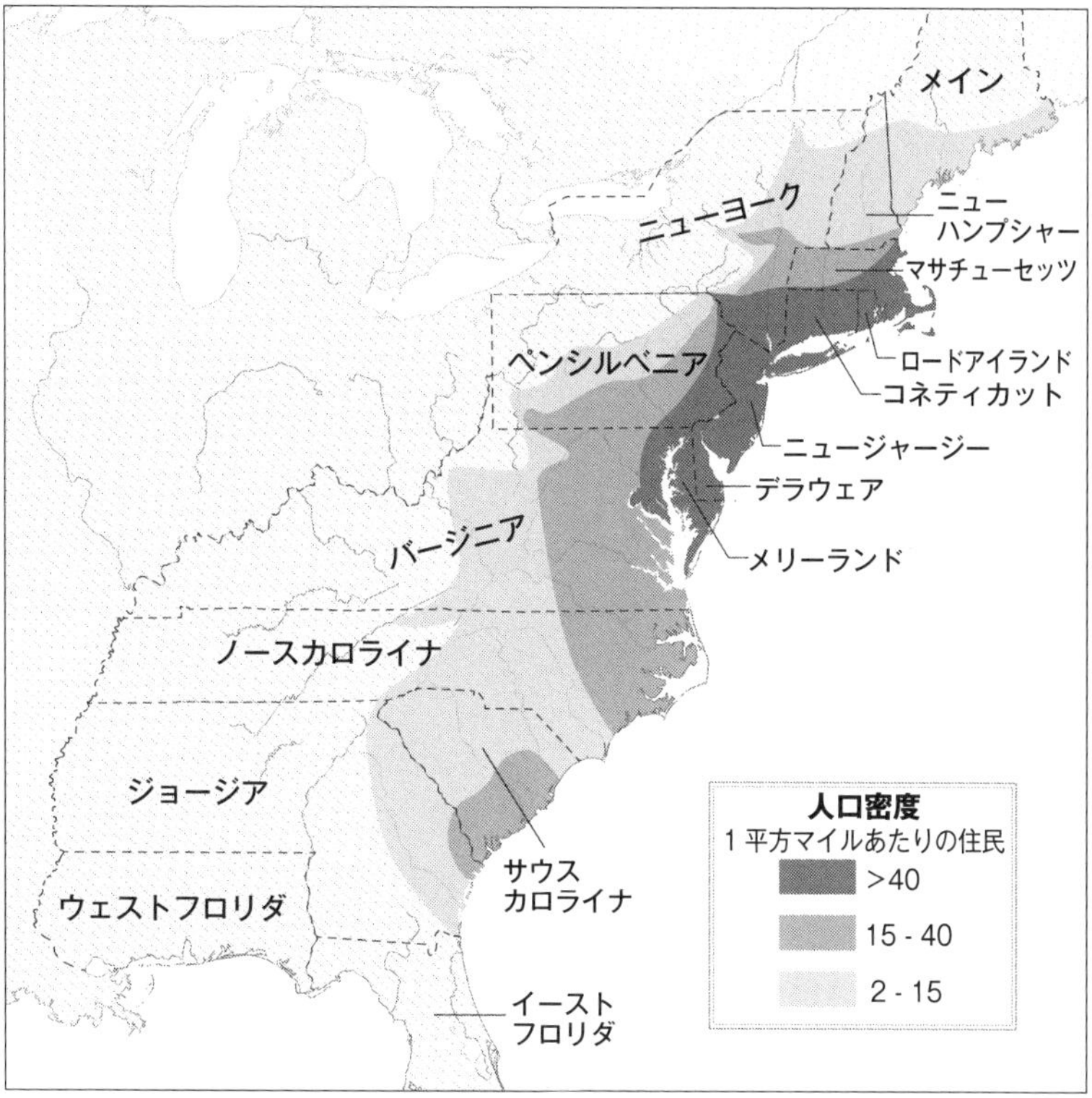


図５　アメリカの植民地（1775年）

部とは異なる農産物が栽培されていた——タバコと綿花だ。南部のプランテーションで作られるこれらふたつの主要商品のほとんどは、北部ではなくイギリスに直接出荷されていた。のちに独立革命に参加した南部人たちがより強く抱いたのは、アメリカ人として一丸となるという感覚よりもむしろ、独立したひとつの植民地としてほかの植民地と同盟を結んで闘うという感覚のほうだった。単一政府による統一国家という考えは、南部のほとんどの地域の地理的現実に反するものだった。一方、より面積が小さく、人口密度が高く、区別があいまいだった北部のニューイングランド地域では、人々の態度はちがった。強力な中央政府を持つという考えは、北部ではより理解しやすいものだった。その時点での根本的な問題は、南部と北部の関係ではなく、それぞれの植民地とイギリスのあいだの関係だった。

## アメリカ合衆国の起源

一七五四年、七年戦争が勃発した。この戦争はヨーロッパのほぼすべての国を巻き込んだだけでなく、余波が世界じゅうに及んだ。現在のポーランドにあるシレジア地域の支配権の奪い合いを引き金として起きたこの戦争を闘ったのは、ふたつの同盟だった。一方はイギリス、もう一方はフランスが率いていた。くわえて戦争の裏には、北米にあるイギリスの植民地の問題も隠れていた。フランスは、イギリスによって北米から追放されることを恐れた。イギリスは、フランスとインディアンの同盟によって植民地が奪われることを恐れた。しかしながら真の問題は、イギリスかフランスのどちらがヨーロッパと世界を支配するかということだった。

北米において核となる戦略的な問題は、オハイオ領土——オハイオ川流域を中心とするアパラチア山脈の西側の地域——を支配できるかどうかという点だった。フランスは、アパラチア山脈の西側に進出しようとするイギリスの勢力を押しとどめることを望んだ。しかしながら、イギリスのおもな勢力はアパラチア山脈の東側にあったため、フランスがイギリスを北アメリカから追放するためには、山脈を越えて相手の植民地を圧倒する必要があった。このようにして、アパラチア山脈が闘いの前線になった。

英国にとって、これは世界戦争のほんの小さな一部にすぎなかった。しかし植民地の入植者にとっては、すべてを賭けた闘いだった。フランスとインディアンを阻止するために、入植者たちは市民軍を結成した。その軍のひとつを指揮したのが、当時二二歳だったジョージ・ワシントン大佐だった。入植者たちは、「経験よりも階級が大切」というイギリス式の伝統にしたがって行動した。ワシントンは入植者陣営のなかでもそれほど優秀とはいえず、弱冠二二歳であまりに経験不足であり、高く立ちはだかるアパラチア山脈の助けがどうしても必要だった。入植者たちは、アパラチア山脈の前線をなんとか自分たちだけで守り抜いた（イギリス軍には母国での重要な任務があった）。

しばらくたってからイギリスは、エドワード・ブラドック将軍率いる軍隊を派遣した。ブラドックは、アパラチア山脈についてあまり深く理解していなかった。イギリス軍が主戦場としてきたのは北ヨーロッパのなだらかな平原ばかりであり、兵士たちはまっすぐ並んで列を作り、大きな隊形を組んで闘った。それが英国紳士たちの闘い方だった。

起伏の激しい斜面に鬱蒼《うっそう》と木々が生い茂るアパラチア山脈では、紳士的な闘い方など通用しなかった。兵士たちは単独あるいは小さな集団で闘い、岩や木の陰に隠れて敵を待ち伏せしなくて

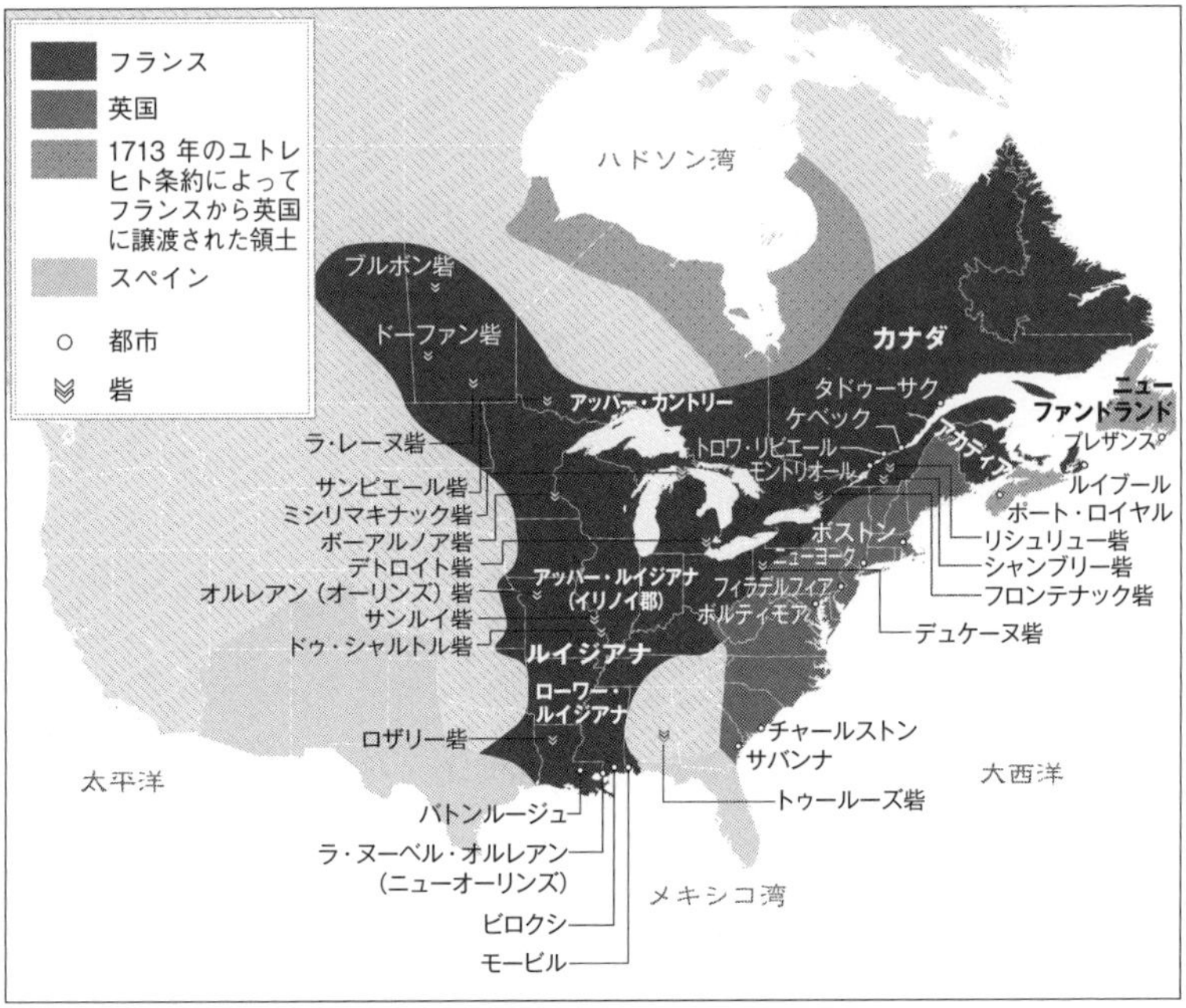


図6　アメリカ合衆国の起源

はいけなかった。みずからの判断で隠れて行動するのが成功の鍵であり、集団で秩序を保つことなど不可能だった。インディアンは言わずもがな、インディアンから教えを受けたフランス人もそれを熟知していた。イギリスからの入植者たちの知識は、上流階級と貧困階級のあいだで大きな差があった。上流階級は母国を見習おうとしたが、山で食べ物を狩って生活する貧困階級の人々は、上流階級者の考え方を異常なものだと考えた。ワシントンの長所は、戦場のそのような現実をすぐに把握できたことだった。

　ブラドックと将校たちにとって、入植者たちの闘い方はみっともないものだった。イギリス人にしてみれば、戦争はただ勝つのではなく、品位と優雅さを保ちながら勝つことも重要だった。アメリカ人たちは野蛮人のように闘った。そのためイギリス人は、アメリカの軍や将校にたいして軽蔑的な態度で接した。ワシントンのような入植者の男たち――みずからをイギリス人、将校、紳士だと考えていた人々――にとって、そのような軽蔑は耐えがたいものだった。英国貴族の眼から見れば、アメリカ人は自分たちとは似ても似つかない存在でしかなかった。ワシントンらはそう痛感させられた。この瞬間から、イギリスと植民地のあいだの亀裂が広がっていった。北米でのブラドックの将軍としての仕事は惨憺《さんたん》たる結果へとつながり、部下の兵士たちは散々な目に遭うことになった。イギリスは闘いに負けたにもかかわらず、それでも入植者たちは劣った人々として扱われた。

戦争は、イギリス人にたいする入植者の怒りに火をつけた。有力者たちが属する階級ではとりわけ強い怒りが沸き起こり、怒りのなかから深い認識が生まれた。それこそが、自分がイギリス人ではなくアメリカ人なのだと入植者たちが気づいた瞬間だった。この戦争とアパラチア山脈から、「国家」という新しい感覚が出現した。

アパラチア山脈との悪戦苦闘がアメリカ人の性格を変え、国家を形作りはじめた。すべての入植者たちは当初、英国貴族のように振る舞いたいと願っていた。しかしながら彼らは、統治権が「能力」や「業績」とは無関係であるという貴族的な考えを受け容れようとはしなかった。悪戦苦闘の末にいまの立場を勝ち取ったアメリカ人にとっては、業績こそがすべてだった。ジョージ・ワシントンのような貴族三世でさえ、そう知っていた。彼は非常にアメリカ的な貴族だった。植民地アメリカを作り上げたのは、英国から向けられた軽蔑だった。アパラチア山脈での闘いに挑むイギリス人将校の部隊の動きを見た入植者たちは、独立戦争で英国に勝てる可能性があると確信した。やがてイギリスは、ヨークタウンでの入植者との闘いのあとについに降参した。しかし実際にはその何年もまえに、ペンシルベニアのデュケーヌ砦《とりで》での闘いに挑んだブラドックが大敗を喫し、イギリスはすでに多くの植民地を失っていた。イギリスは、勝つべき闘いに敗れた。勝つべき闘いに勝つ、それこそがアメリカ人がけっして忘れたことのない教訓だった。

ブラドックの敗北によって、それぞれの植民地と英国のあいだに文化的な隔たりが生まれた。イギリス人はアメリカという場所を理解していない、とアメリカ人は気がついた。アメリカはまったく異なる場所なのだ、と。ある意味それは、ニューイングランド地方の人々よりも、イギリスの社会秩序を模範とする南部の住民にとって大きな衝撃だった。しかし誰もが痛感したのは、イギリス式の歴史はアメリカにはそぐわないという事実だった。その気づきによって扉が開かれ、アメリカとは何か、について人々は深く考えなおすようになった。

独立宣言に署名した建国の父たちは、七年戦争の時代を生き抜いた世代の人々だった。署名者のほとんどが一七二〇年から一七四〇年のあいだに生まれ、彼らが生きているあいだに米国は劇的に変化した。一七二〇年、北米の植民地にはおよそ四六万六〇〇〇人のヨーロッパ人が住んでいた。一七四〇年までに人口は約九〇万人に増え、一七七六年までに約二五〇万人になった。植民地の人口は、成熟したヨーロッパの権力国であるポルトガルとほぼ同じ規模にまで成長した。この世代の人々は、片方の眼を大西洋に向け、もう一方の眼を山脈に向けていた。さらにトーマス・ジェファーソンのように、アパラチア山脈のさらに向こう側に眼を向ける人もいた。

## アメリカの川

アメリカは、「北米大陸の東海岸沿いの細長い土地の国」として生き残ることはできなかった。元宗主国であるイギリスは、失った植民地の支配について完全にあきらめたわけではなかった。アメリカ合衆国も、やすやすと自分たちの領土を守りつづけることができるわけではなかった。アメリカの海軍の規模は小さく、部隊の移動も容易ではなかった。問題は川だった。川の多くは西側の山から東側の海へと流れていたため、部隊を南北に迅速に移動させるのはむずかしかった。このような川の流れの方向がアメリカを脆弱にし、戦略的奥行き《ストラテジック・デプス》は耐えがたいほどゼロに近くなった。しかしアパラチア山脈の反対側には、地理的な奥行きだけでなく、並外れた規模の河川系があった。そのような奥行きが、多くの問題を解決してくれた。

アメリカの拡大を後押しした原動力は、カナダとの国境からおよそ一六〇キロの距離にあるミネソタ州北部の小さなイタスカ湖から始まる。人里離れた美しい田舎にある湖の面積は、およそ五平方キロメートル。この湖から、幅六メートルほどの小川が南に向かって流れている。チペワ族のインディアンは、この小川を「ミシシッピ」（大きな川）と呼んだ。南下するあいだに、一三の大きな川、七七の小さな川がミシシッピ川に合流する。その多くは、船による航行が可能な川だ。ミシシッピ川はルイジアナ州のニューオーリンズ（一七一八年に設立）を越えてさらに南へと進み、メキシコ湾やそのさきの世界の海へとつながっている。

トーマス・ジェファーソンはこう綴った。「ルイジアナを領有するフランスは……竜巻の萌芽であり、大西洋の両岸の国々に突如として現われ、各国の究極的な運命に大いなる影響を与えるだろう」。ジェファーソンは、ルイジアナを支配する国こそが世界でもっとも強力な国になると予言した。彼は正しかった。当時、ナポレオンはどうしても金を必要としていた。ジェファーソンはどうしてもルイジアナが欲しかった。両者の思惑が絡み合い、フランスは一五〇〇万ドルという破格の安値で世界的権力の鍵を米国に売り渡した。ナポレオンは偉大な兵士だったが、ジェファーソンは偉大なる戦略家だった。

トーマス・ジェファーソンにとってこの地域は、米国に戦略的奥行きと安全保障を与えるだけの存在ではなかった。ルイジアナを手に入れたことによって入植者たちは、自分の土地を所有して耕作できるようになった。しかしなにより重要なのは、余った農作物をバージ船で南のニューオーリンズまで運び、外洋貨物船に積み込んでヨーロッパ各国に販売できるようになったことだった。この貿易から、自由で、平等で、裕福な農民たちを基盤とした豊かなアメリカが生まれることになる。そのような貿易を行なうことは、アパラチア山脈の東側でも西側でも、ヨーロッパの脅威がまだ残っていた北西部領土でも不可能だった。くわえて、ロッキー山脈まで西側にさらに領土を拡大できれば、アメリカが安定した大国になることはまちがいなかった。

ジェファーソンが作り上げたものを理解するには、一七八七年に合衆国連合会議で可決された「北西部条例」についての理解が必要になる。北西部領土とは、アパラチア山脈とミシシッピ川に挟まれた地域で、独立戦争によってアメリカが英国から奪い返した土地である。この条例は、西部地域を再形成するための法的基盤を定めるものだった。条例によって、人口が増加しつづける北西部は（たんなる植民地ではなく）新たな州に分割されることになった。さらに、新たに生まれた領土と州では奴隷制度が禁止された。独立戦争を闘った軍人たちには、ほぼ無償かつ無条件で土地の所有権が与えられた。その土地を売買するのも、取引するのもすべて自由だった。も

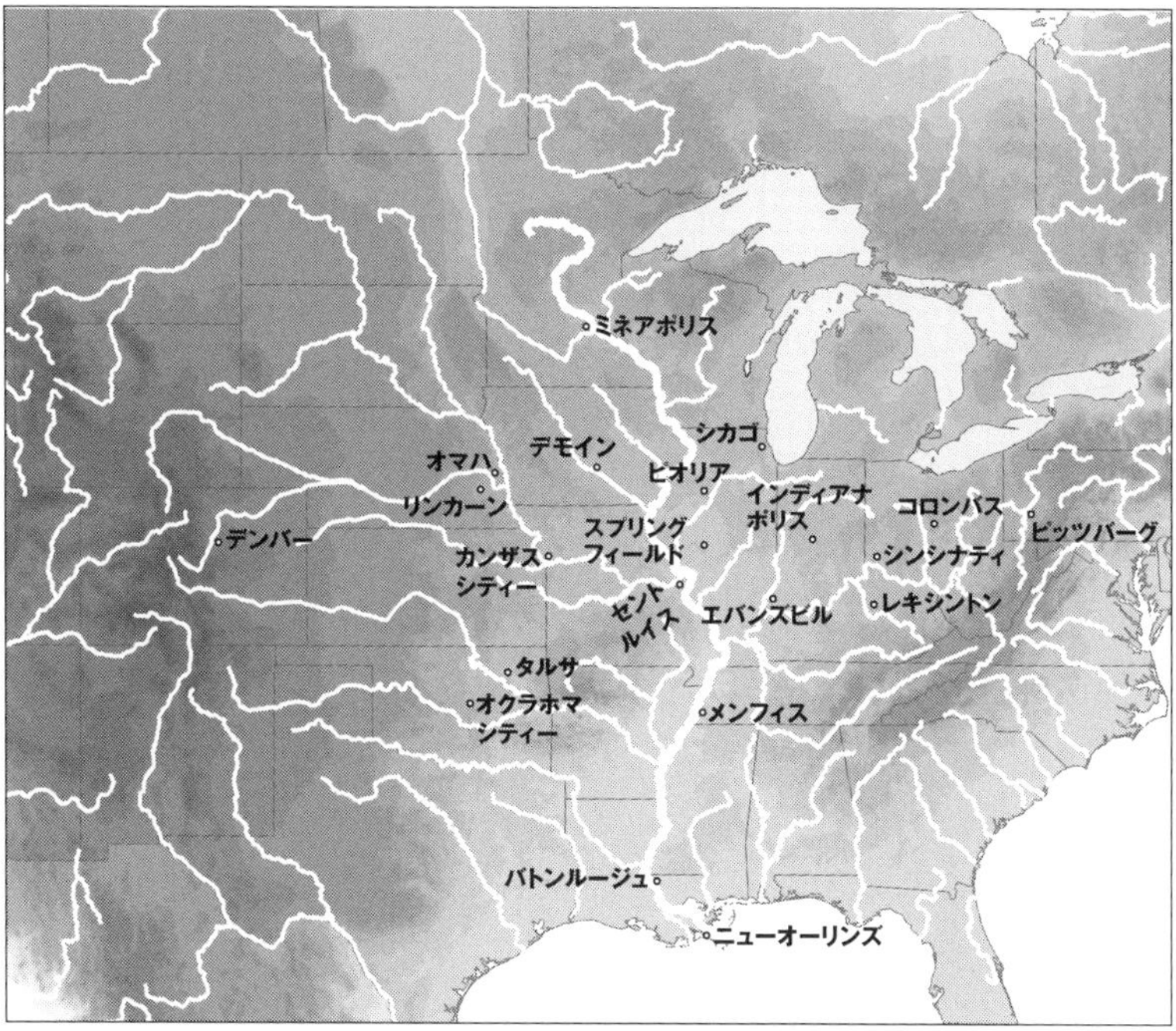


図7　アメリカの川

う、彼らが農奴になるようなことはなかった。そしてもっとも驚くべき政策として、この土地から生まれたすべての州には、土地の売却資金をもととした州立大学の設置が義務づけられた。一八〇四年には、第一号となるオハイオ大学が設立された。一八〇五年に誕生したルイジアナ準州にもこれらの決まりごとすべてが適用され、自作農民に土地が与えられ、義務となる大学も設立された。それらの大学が、やがてアメリカに大改革をもたらすことになる。

　ジェファーソンが西方への領土拡大を目指した背景には、政治的理由もあった。

われわれの連合が大きくなればなるほど、それぞれの地域の思惑によって全体が揺らぐことは少なくなる。それにどう考えても、ミシシッピ川の対岸に住み着くのが見知らぬ者たちや見知らぬ家族ではなく、自分の同胞や子どもたちであるほうが得策なのは明らかではないか？

つまりジェファーソンは、ルイジアナの買収には戦略的な理由のほかに、重要な政治的理由もあると考えていた。国が大きくなればなるほど安定性は高まる。なぜなら各地域の思惑は、大きな土地よりも小さな土地で対立を引き起こしやすいからだ。さらに、経済的な理由もあった。ルイジアナ準州には、世界でもっとも豊かな農地があった。そのような農地は、アメリカの経済を前に推し進める原動力となるだけでなく、経済成長が引き起こす遠心力を抑え込むことができる。ジェファーソンは分裂の脅威に対応しつつ、米国が向き合うことになるサイクルの移り変わりを和らげる経済基盤を作ろうとしていた。

ルイジアナ買収は、その一世紀後に米国を世界の強国へと駆り立てるエンジンになった。さらにこの買収は、アメリカ史の最初のサイクルを終わらせる力を生みだした。これを機に西部の入植者たちは、東海岸の銀行家やプランテーション所有者の権力に対抗するようになった。強国としてのアメリカの道徳的および政治的基盤を築いたのが政治体制だとすれば、経済力の拡大をうながしたのがルイジアナ買収だった。この経済力がそれから二世紀以上にわたって、一連のサイクルをとおして合衆国を体系的に変えていく後押しとなった。

## インディアンとの戦争

これまで多くの人々が、北アメリカ土着の部族国家をなんと呼ぶべきか議論してきた。当然ながら、先住民が使う呼称、つまり部族の実際の名前を使うのがもっとも妥当であることは言うに及ばない。しかし同時に、これらの部族全体を意味するひとつの用語も必要になる。「インディアン」という呼び方は、コロンブスがインドにたどり着いたと勘ちがいしたことに由来している。「ネイティブ・アメリカン」の「アメリカン」というのは、イタリア人探検家の名前にちなんでつけられたものだ。カナダ人は「ファースト・ネイション」という呼称を好むが、史実とは異なるという批判を受けることが多い。彼らは何千年もまえから西半球に住み、地球上のほかの人間と同じように互いに戦争を繰り返し、互いの土地を奪い合ってきた。ヨーロッパ人たちが来たときに存在したのは、最初の国家《ファースト・ネイション》などではなかった。一連の呼称問題は、この話題にまつわる道徳的なジレンマがいかに複雑かを指し示すものだ。私がインディアンという用語を使うのは、適切かどうかについてはほかの選択肢とさほど変わらず、なおかつ一般的に使われているからだ。

北米には古くからインディアンが居住しており、合衆国の初期の歴史はインディアン部族の歴史と複雑に絡み合うものだった。メキシコのアステカ族やペルーのインカ族は、スペインの征服者たちの登場にただ唖然とし、政治体制はすぐさま破壊されてしまった。北米はちがった。第一に、北アメリカには言葉も文化も異なる多くの部族国家があった。よって、ひとつの部族の崩壊がほかの部族の崩壊を意味するわけではなかった。ヨーロッパ人がやってくるずっとまえから北米の部族国家は、トルテック族やアパッチ族といった〝外国人〟に取り囲まれていた。彼らは戦争や外交の意味を理解し、コマンチ族と闘ったり、イロコイ連邦に仲間入りしたりを繰り返した。

〝外国勢力〟という概念は北アメリカ文化の一部だった。新しい勢力が急にやってきても——たとえ、奇妙な外見のヨーロッパ人たちが新しい技術とともにやってきても——心理的な崩壊にはつながらなかった。たとえば、イロコイ連邦はそもそも複雑な部族連合であり、ほかの部族を征服して勢力を広げていった。もちろん、鉄や火薬といった技術は目新しいものだったにちがいない。しかし、ヨーロッパ人の数がまだ少なかったことにくわえ、彼らが土地について理解できていなかった点を踏まえると、イロコイ連邦やほかの先住民の部族国家が総崩れにならなかったのはなんら驚きではない。それどころか実際のところ、初期のころの敵対的な遭遇のほとんどにおいて、先住民のほうがヨーロッパ人を打ち負かしたのだ。

一八〇〇年、アメリカは図8のような集団に分かれていた。インディアンが住んでいたころの北米の地図は、東半球の地図と様子はそう変わりなかった。互いに異質で、しばしば敵対的な集団によって大陸は分断されていた。強力な中央政府の出現に抗《あらが》おうとする小さな集団もあった。総じてインディアンたちは、ほかの人間集団より際立って平和を好むわけでも、際立って好戦的でもなかった。全面的な戦争が起きるのを防ぐひとつの安全弁となったのは、大陸の面積が広く、未開拓の土地が多く残っていたという事実だった。そのため弱い集団は闘いから身を引き、遊牧民として生き延びることができた。この点において、北アメリカは中央アジアやユーラシアの一部の地域と似ているといっていい。インディアンとヨーロッパの文化をはっきり区別することは、ある意味では妥当な考え方だろう。ところが広い視野で見ると、その区別はよりあいまいになる。インディアンはまわりの部族を異なる国家とみなし、近隣諸国と外交や戦争を行なっていた。ヨーロッパと同じように、各地に広がるこれらの集団は、

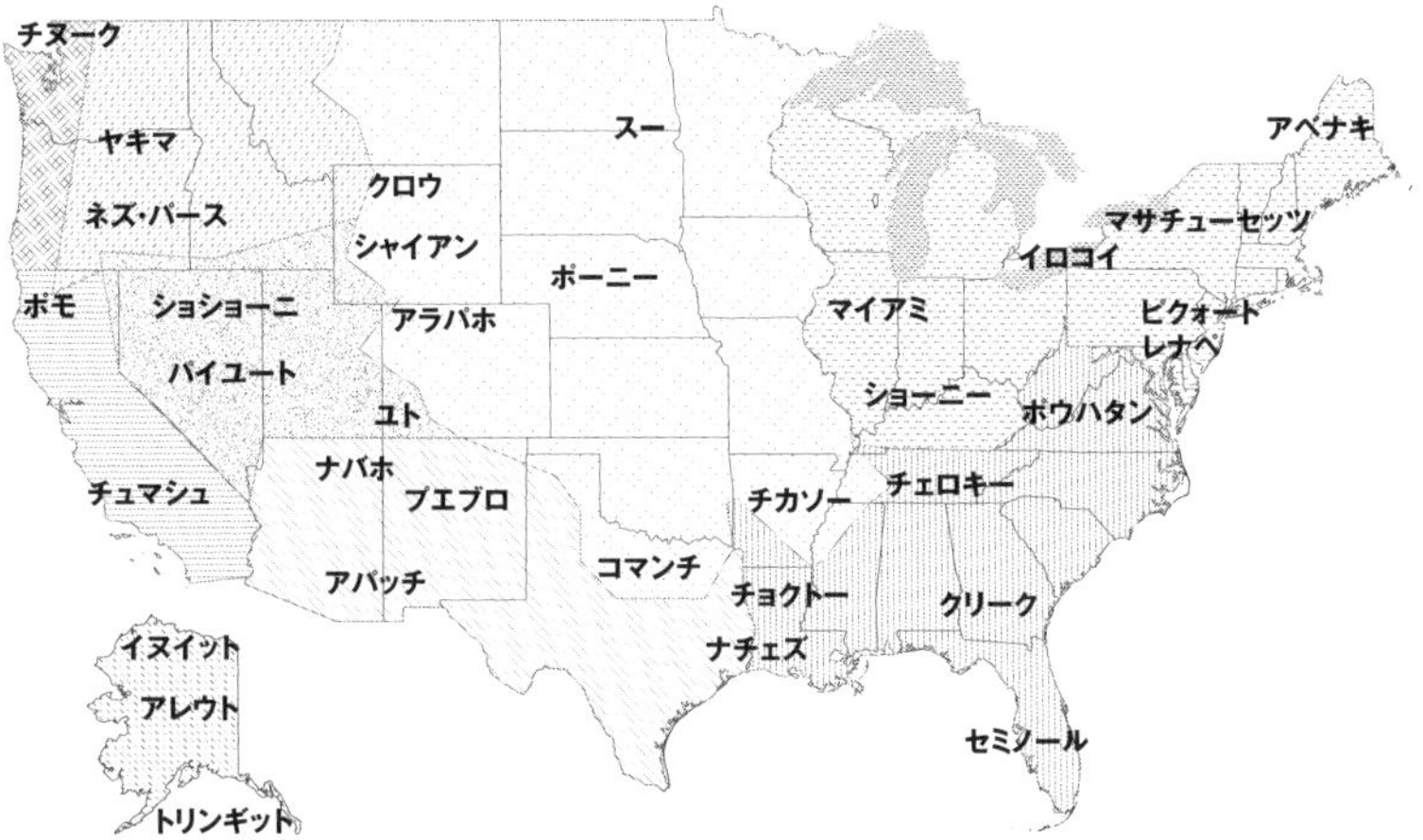


図8　1800年当時のインディアン部族国家の集団

意見の相違によってたびたび分裂した。しかしここで理解しなければいけないのは、インディアンの部族国家は自分たちを〝ひとつの民族〟とは考えていなかったという点だ。彼らは互いを外国人だとみなした。インディアンたちはヨーロッパ人のことも異国の人間だと考えたが、最終的には理解できる相手として受け容れた。

ヨーロッパ人による侵略は、複雑な地政学的状況へとつながった。インディアン部族国家はヨーロッパ諸国と同盟を結び、ときにほかのヨーロッパの国と闘い、ときにほかのインディアン国家と闘った。そのような同盟は長く続くこともあれば、すぐさま破棄されることもあった。ヨーロッパ人（のちのアメリカ人）には三つの強みがあった。第一に、大陸でいったん足がかりを築ければ、彼らは時間をかけて圧倒的な数の人々を送り込むことができた。第二に、彼らの技術は、インディアンの多くが持つ技術よりすぐれていた。そしてもっとも重要な点として、インディアンの国家はそれぞれが互いに深く分裂しており、ヨーロッパ勢力との同盟をとおして彼らは自分たちの敵を倒すことができた。くわえて、新たな武器よりもさらに破壊的だったのは、ヨーロッパ人が持ち込んだ病気だった。インディアン側にはなんの防御策もなかった。

コマンチ族の物語を知ることは、北米の歴史を理解するうえで不可欠なものだ。歴史学者のペッカ・ハマライネンは、数々の賞を受賞した著書『コマンチ族の帝国』（*The Comanche Empire*〔未訳〕）のなかで、コマンチ族の興隆、支配、没落についてくわしく解説している。攻撃的なインディアン帝国であるコマンチ族が活躍したのは、アメリカの領土が西へと広がったのと同じ時期だった。一七〇〇年までコマンチ族は小さな部族国家として、現在のニューメキシコ州の峡谷の土地で暮らしていた。一時的にセントラル・バレーの平原に移り住んだこともあったものの、より強い国家に追いだされ、過酷な環境の峡谷へと戻っていった。そのような荒れ果てた土地を欲しがる国はなく、峡谷では安全に暮らすことができた。その後に起きたコマンチ族の南部への移住について、ハマライネンは次のように説明する。

コマンチ族による南部大平原への移住は、初期のアメリカ史における重要な転換点のひとつになった。当初の動きは穏やかで、ごくありふれた移住だった。やがてそれは、地政学的、経済的、文化的に多大なる影響を及ぼす本格的な入植プロジェクトに変わった。移住をきっかけに、アパッチ族との半世紀にわたる戦争が始まった。結果としてアパッチ族は、ニュー・スペイン（現在のメキシコ）北部地域の中心を流れるリオ・グランデ川南岸の草原地帯にあった居住地からの移動を余儀なくされた（アパッチ族がどこに住むかという問題は、それ自体が地政学的に非常に重要な意味を持っていた）。コマンチ族による南部大平原への侵略は、端的にいって、アメリカ西部で起きた史上もっとも長く残虐な征服作戦だった。あるいは少なくとも、一五〇年後にアメリカがメキシコに侵略するまではもっとも残虐なものだった。

その時点ですでにスペインはメキシコを占領していた。コマンチ族は、スペイン人たちがヨーロッパから連れてきた馬を盗んだり、取引をとおして手に入れたりした。コマンチ族はこの新しい〝技術〟と〝方法〟をすぐに会得し、馬を見事に使いこなすようになった。コマンチ族の戦士たちは、驚くほど熟練した馬の乗り手になった。ほかのインディアンの国々の戦士はもとより、何千年もまえから馬を飼いならしてきたヨーロッパの戦士よりもはるかに腕は上だった。騎乗のスキルにくわえ、かつての領土からの追放にたいする積年の恨みが、コマンチ族復活の原動力となった。

一〇〇年ほどかけてコマンチ族は不毛な峡谷地帯を離れ、ロッキー山脈の東の平原に移り住んだ。一八世紀の終わりまでに彼らは大きな帝国を築き、ほかの国々の土地を奪って住人を追いだした。その勢力の広がりは、実際に掌握していた領域だけにとどまるものではなかった。コマンチ族の奇襲部隊はまわりのあらゆる地域に移動して活動したため、彼らが影響を及ぼす範囲は地図上の領土よりもはるかに大きかった。スペイン人征服者《コンキスタドール》の技術を身につけたコマンチ族は、みずからも征服者になった。

一九世紀までにコマンチ族は、ヨーロッパ列強の動きを阻止できる力を持つほどに成長した。

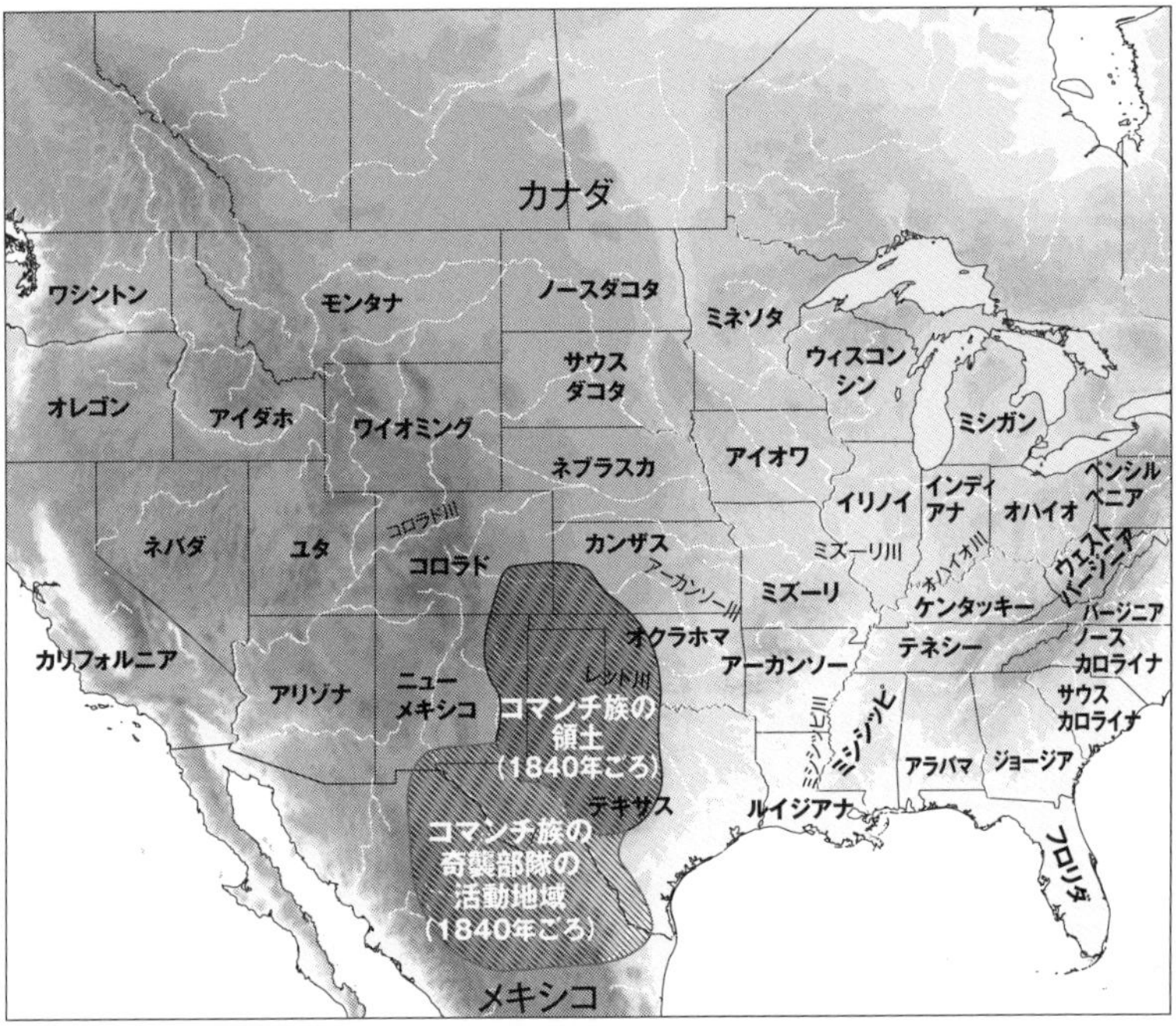


図9　コマンチ帝国　ハマライネンの著書（2008）より抜粋

ハマライネンは著書のなかで、アパラチア山脈の西側の動きが活発になった時代の北アメリカの現実について、自身の見解を次のように説明する。

> 植民地勢力にたいする先住民の政策を、たんなる生き残り戦略としてとらえてはいけない。インディアンたちも戦争を闘い、商品を交換し、条約を結び、勢力拡大、強要、利用、支配のために人々を囲い込もうとしたと考えるほうが妥当だろう……つまり先住民文化の運命はかならずしも、土地からの追い立て、人口減少、文化的衰退へと向かう一方通行の坂道を滑り落ちてい

たわけではなかった。

ヨーロッパ人ほど効率的ではないにしろ、コマンチ族も同じように大量虐殺を行なった。彼らは他国を滅ぼし、人々を殺し、奴隷にした。コマンチ族の冷酷さは、ほかの部族にもヨーロッパ人入植者にもひどく恐れられていた。しかし同時に彼らは複雑な文化を持ち、その領土内はきわめて文明化されていた。

「ヨーロッパの入植者は、無力で非文明的なインディアン部族をただ一方的に圧倒した」「弱い野蛮人が追い払われた」といった認識は正しいものではない。実際のところヨーロッパ人たちは、弱い国家だけでなく、有能で洗練された帝国建設者も打ち倒した。アステカ族やインカ族と同じように、コマンチ族とイロコイ族は大きな帝国を築き上げ、力によってほかの国々を征服した。彼らは、武力の使い方も心得ていた。インディアンたちはヨーロッパ人と同様に、人間のあらゆる美徳と悪徳を利用することができた。

当時、北米全土を占拠していたのはインディアン諸国だった。だとすれば合衆国の発展のあらゆる段階において、インディアンが犠牲者、協力者、敵、征服者として存在していたことになる。最後には彼らは負けたが、その背景には技術的な理由と政治的な理由の両方があった。入植者との争い末期の一八八〇年代になるまで、インディアンたちは互いに統一の同盟を作ろうとはしなかった。インディアン国家の一部はアメリカ人と手を結び、より危険な敵に立ち向かうほうが有益だと考えた。ヨーロッパからの入植者の流入が始まった時点においてはとりわけ、アパッチ族とコマンチ族のあいだの敵意は、アメリカ人にたいする憎しみよりもはるかに大きかった。ローマ人やイギリス人などの偉大な征服者と同じように、アメリカ人は先住民の分裂を巧みに利用した。

すべてのインディアンたちが協力してヨーロッパ人たちに対抗していたら？　その結果を妄想するのはじつに興味深いことだ。しかし、そんなことは不可能だった。北アメリカ大陸はあまりに広かった。インディアンは自分たちが住む場所と近隣の国々については知っていたものの、遠く離れた地域のことは何も知らなかった。彼らはみな同じ言語を話すわけでも、同じ神を崇拝していたわけでもなかった。そして、ほかのあらゆる場所の人々と同じように彼らは、新たにやってきた見ず知らずの他人よりも、近隣の国家のことをより恐れていた。合衆国はみるみるその勢力を広げ、イギリスを破り、フランスを追放し、メキシコをはるか南へと追いやり、インディアン諸国と帝国を打ちのめした。一致団結したアメリカ人たちは、互いに一致団結できない敵と闘った。その結果は、起こるべくして起きたものだった。

## 偉大なる盆地

東海岸のアパラチア山脈と西海岸のロッキー山脈のあいだに広がる土地はすべて、ひとつの巨大な正方形の盆地の一部だと私は考えている。東西、南北それぞれの一辺は一六〇〇キロ強で、面積はおよそ二六〇万平方キロメートル。一部には少しばかり起伏があるものの、ひたすら平らな場所が多い。そのほぼすべてが、耕作に適した土地だ。

この盆地でアメリカ人が望むことを達成するには、水が必須となる。水についていえば盆地はふたつの部分に分かれており、ふたつの非常に異なる地域が存在する。東側では、雨によって水

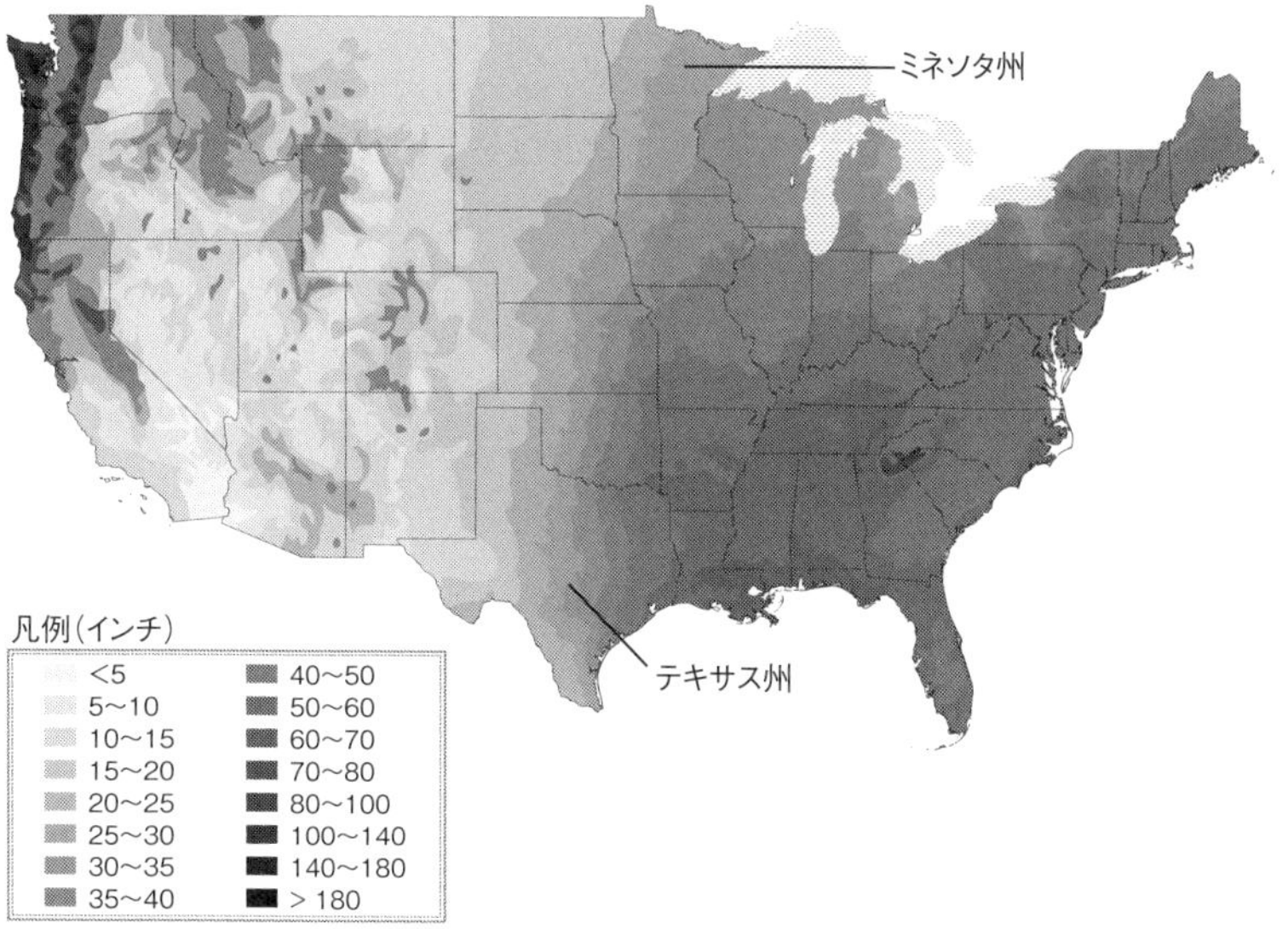


図 10　年間平均降水量（1961 年〜 1990 年）

がもたらされる。一方の西側では、帯水層にある地下水が利用される。

図10を見てわかるとおり、ミネソタ州からテキサス州中部までの直線を境に降水量が激変する。この西経一〇〇度線によって、大陸ははっきりとふたつに分かれている。

境より東側にはかつて、深い森が広がっていた。この土地にやってきた入植者たちは、耕作地を確保するために木々を伐採し、その木を使って丸太小屋を建てた。アパラチア山脈を横断した世代について思いを馳せるとき、丸太小屋はとりわけ象徴的なシンボルとなる。エイブラハム・リンカーンがケンタッキー州の丸太小屋で生まれ育った、というエピソードを思いだすアメリカ人は多いはずだ。雨と森に恵まれた東側の人口密度はより高くなり、その傾向は今日まで続いてい

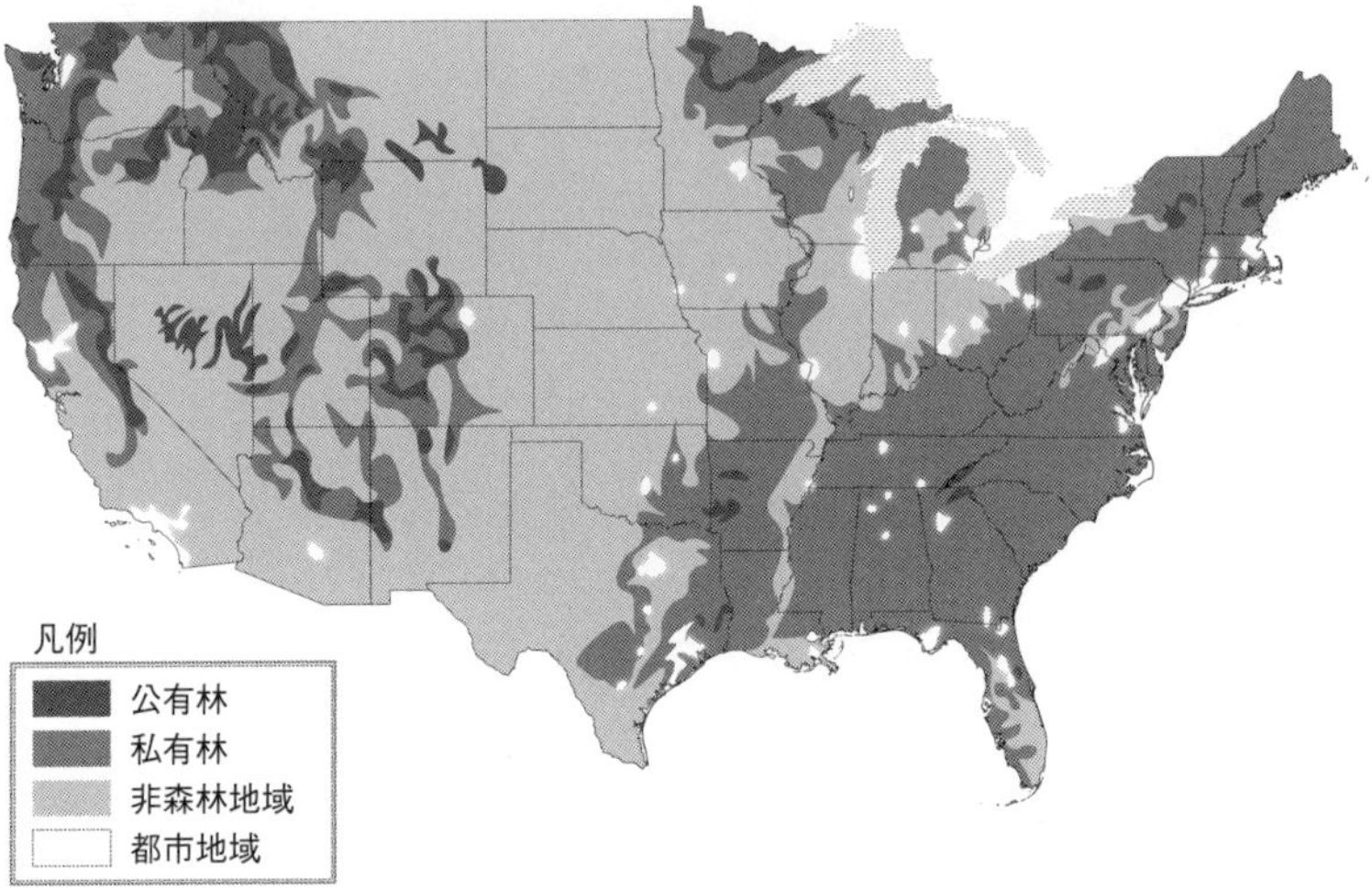


図11　アメリカ合衆国の森林地帯

る。合衆国を南北に走るこの線の西側では、降水量が減り、木々がまばらになり、人口も少なくなる。

この境界線の西側でもまったく雨が降らないというわけではなく、ほとんどの地域で年間およそ三八〇ミリ～五〇〇ミリの降水量がある。しかし、その降水量では森林は育たない。この人気《ひとけ》のない西側の大草原は、男らしさが重要であるというカウボーイ神話が染みついた場所だ。この地にたどり着いた入植者たちは、木ではなく芝土を使って家を建てた。何世紀にもわたって放置されて固くなった芝の根が、地域全体の土を覆っていた。そんな土地で農業を営めたのは――初期の探検家たちがひどく驚いたことに――地下に広大な水の供給源があり、井戸で汲み上げることができたからだった。

木材が不足がちなうえに、井戸掘りとい

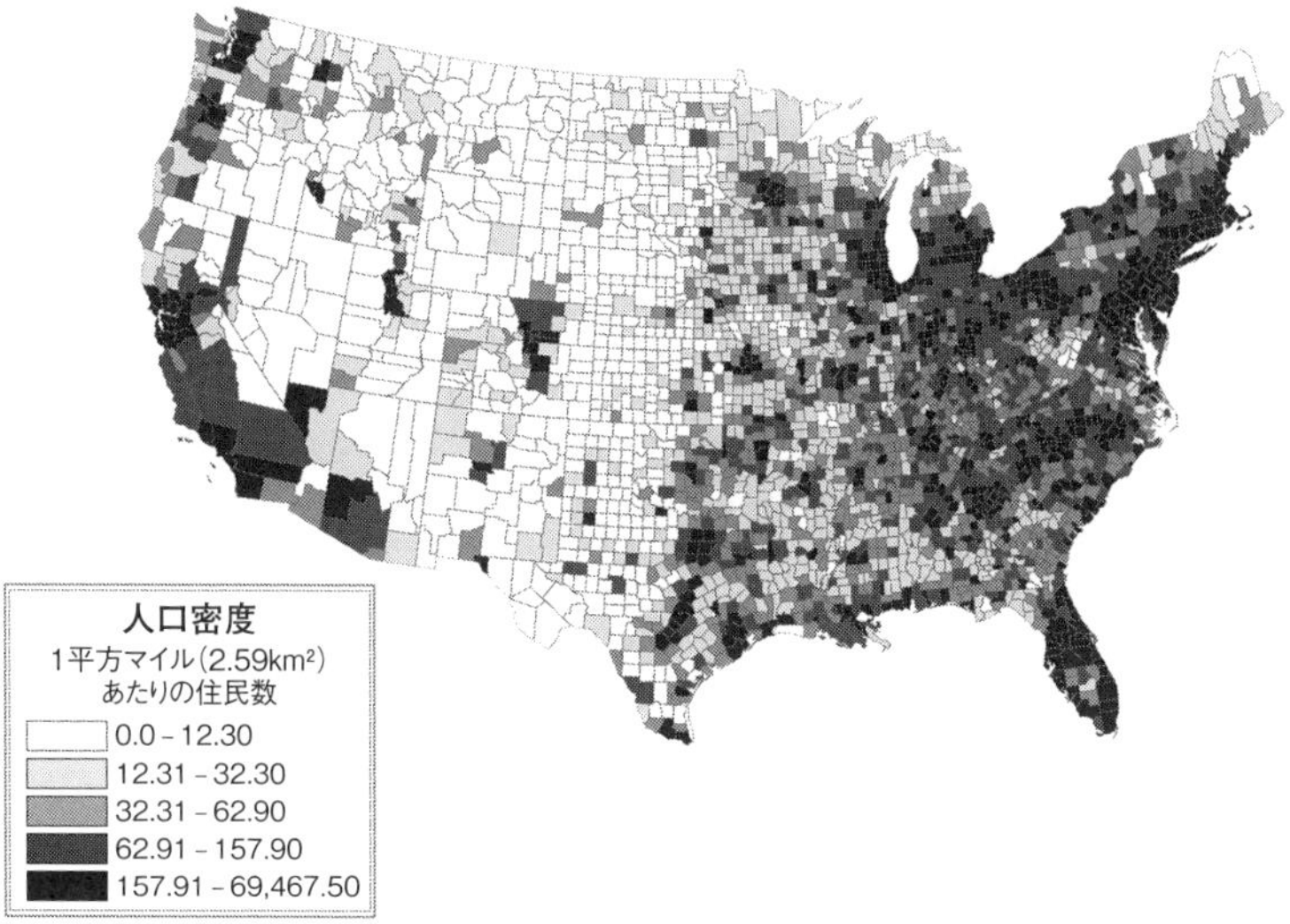


図12　アメリカの人口密度（2010年）

う重労働がくわわったせいで、この地域の人口はぜんぜん増えなかった（現在も少ない）。結果として、二種類の生活スタイルが生まれることになった。東部では、人口の多い農業共同体が築かれ、田舎町単位でのアメリカの記憶が形成された。西部では、人々は広い範囲に散らばって生活しなければならなかった。ひとつの地域で帯水層の水を過度に利用すると、井戸をさらに深く掘るという面倒な作業が必要になるからだ。西に行けば行くほど農場は少なくなり、草原を牧草地として使う牧場が増えた。西部の共同体はより小さく分散しており、移住者たちは隣人に頼るのではなく、より自立して生活した。こうして、ふたつのきわめて異なる倫理観が生まれた。東部には、共同体があった。西部には、より孤立した生活様式があった。その差が異なる政治的感覚へとつながった。東部では、生きていくためには協力が欠かせなかった。西部では、協力は不必要な複雑さを招く種だった。

## ニューオーリンズを守る

合衆国の繁栄の礎《いしずえ》には川がある。ルイジアナ州のニューオーリンズという街は、川をより実用的なものに変えてくれる。ニューオーリンズがなければ、アメリカの中央部に広がる偉大なる盆地も役に立たなくなる。

ジェファーソンは、アメリカの生き残りにとってニューオーリンズが中心的な役割を果たすことを理解していた。

この地球上には替えのきかない場所があり、その所有者はわれわれにとってつねに天敵となる。それはニューオーリンズで、国全体の三八パーセントの生産物はこの街を通過しなければ市場に出まわることはない。その肥沃な大地から、すべての生産物の半分以上が将来的に生みだされることになる。さらに、国の半分の人口がここに集中するようになるだろう。フランスがニューオーリンズを手中に収めた日、フランスを永遠に抑え込まなければいけないという運命が定まる。それは、協力して大海の独占を維持できるふたつの国が同盟を結ぶことを意味する。その瞬間からアメリカは、イギリスの艦隊や国家と結婚する定めになる。

ニューオーリンズがフランスに奪われたとき、あるいはスペインやイギリスなどのほかの強国に奪われた場合、アメリカ独立という夢が潰《つい》えることをジェファーソンは理解していた。誰であれニューオーリンズを支配した者が、盆地全体を支配することになる。誰であれ盆地を支配する者は、アメリカの運命を支配することになる。合衆国はニューオーリンズを支配するために、イギリスと闘った。一八一二年に起きた米英戦争の終わりごろ、イギリスはニューオーリンズを奪おうとした。もしニューオーリンズが占領されれば、アメリカはアパラチア山脈の東に後退せざるをえなくなる。その場合、遅かれ早かれ独立戦争の結果そのものがくつがえされるおそれがあった。しかし、アンドリュー・ジャクソン将軍が指揮するアメリカ軍が、ニューオーリンズでイギリス軍を撃破した。のちにジャクソンは、アパラチア山脈の西側から選ばれたはじめてのアメリカ大統領になった。ミシシッピ水系の一部であるカンバーランド川が故郷の近くにあったため、彼は川の重要性を理解していた。何が危機に瀕しているのか、自身の勝利が何を意味するのかをジャクソンはしっかり心得ていた。

少なくともアンドリュー・ジャクソンの頭のなかでは、イギリスの敗北によってニューオーリンズが脆弱であるという事実が消え去るわけではなかった。メキシコの東側の国境が接するサビーン川は、ミシシッピ川からおよそ一六〇キロ、ニューオーリンズから三二〇キロ離れた場所にあった。メキシコ軍がサビーン川（現在のテキサスとルイジアナの州境）に集結し、東へと進んでミシシッピ川を越え、ニューオーリンズを占領しようとする危険性があった。当時のメキシコは、テキサス（テキサスは一九世紀はじめまでメキシコの領土だった）での人口を増やしつつあり、アングロサクソン系のアメリカ人入植者がメキシコ市民となるケースも少なくなかった。

アンドリュー・ジャクソンは一八二八年に大統領に選ばれたあとも、ニューオーリンズに執着しつづけた。彼が望んだのは、メキシコとのあいだに緩衝地帯となる州を作ることだった。彼は

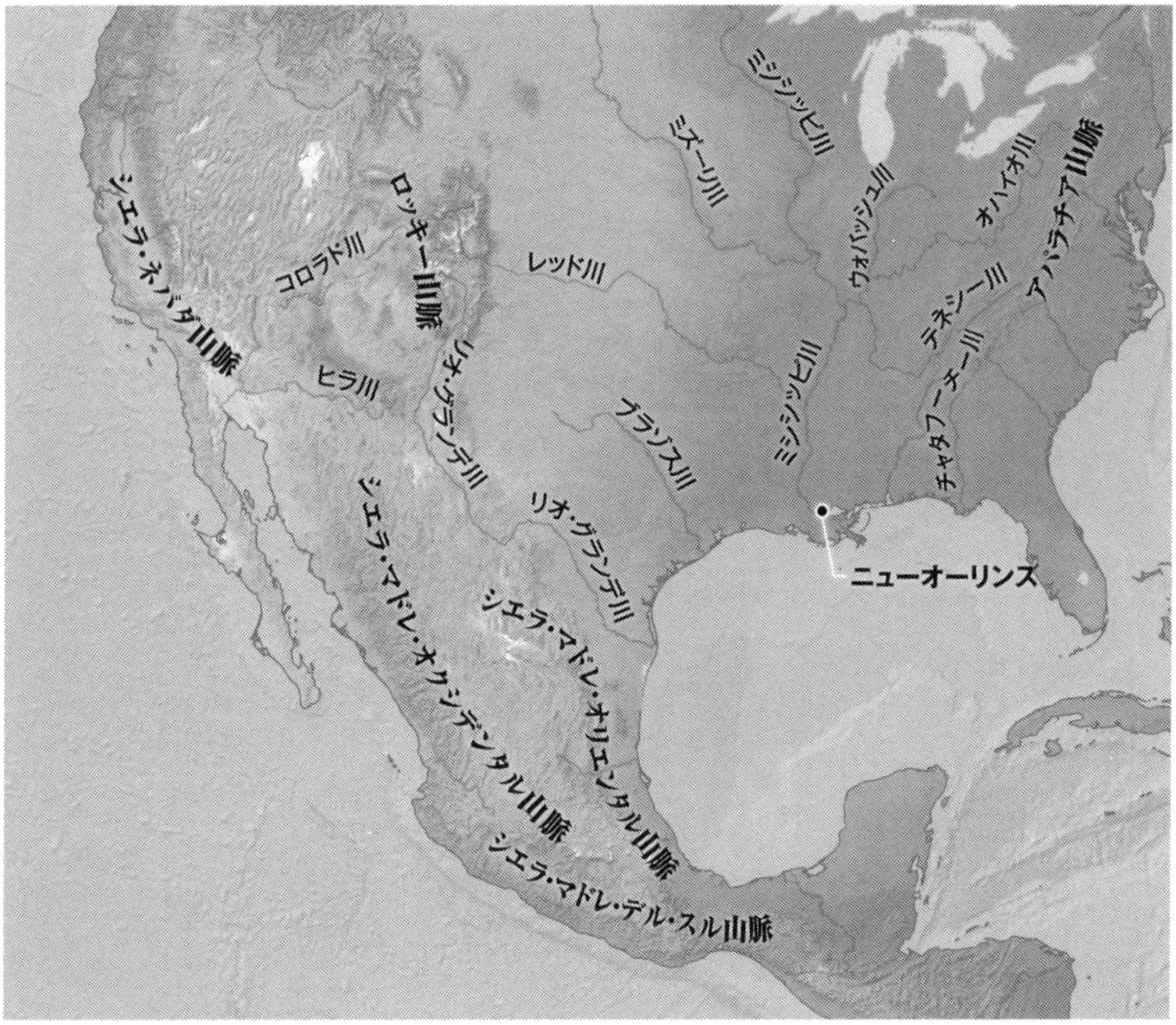


図13　山と川

粛々とその計画を進めた。結果としてメキシコは、分離派の反乱を抑え込むために大量の軍隊を送り込むことを決めた。それは、ジャクソンの理想とは正反対の流れだった。大きな兵力がテキサスに集まってしまえば、サビーン川を渡河してアメリカを襲ってくる可能性があった。メキシコとの戦争の準備ができていなかった合衆国は、軍事的な介入を避けた。代わりにサビーン川の東側に阻止部隊を置き、テキサス内の反乱軍にメキシコの撃退を任せた。

ニューオリンズからテキサスへとつながる道は、アラモ要塞があるサン・アントニオに通じていた。メキシコ軍を率いるサンタ・アナ将軍は、一八三六年にアラモ要塞でテキサス反乱軍を破り、サビーン川に向けて東へと動きだした（川を渡る意図があったのかはいまだ定かではない）。その後、テキサス軍を指揮するサミュエル・ヒューストンは、現在のヒューストン西部を流れるサン・ジャシント川でメキシコ軍の進軍を阻止した。テキサス軍はメキシコ軍を打ち負かし、テキサスは晴れて独立国となった。その七年後にテキサスは、対等なふたつの国家間の条約をとおして合衆国に仲間入りした最初で最後の州になった。この文化的な遺産が今日でも、テキサスに唯一無二の〝独立の感覚〟を与えている。このように一八四五年にテキサスが正式にアメリカの州になったことによって、ニューオーリンズにたいする脅威も消滅したかに思われた。

アメリカのメキシコへの執着は一八四〇年代後半まで続き、ついに一八四六年にジェームズ・ポーク大統領はメキシコにたいして戦争を起こした。結局メキシコは、現在のアメリカ南西部地域を放棄せざるをえない状況に陥った。この米墨戦争によって、北アメリカ大陸における合衆国の建設が完了した。建国者たちが理想に描いたピラミッドは、地理的な完成を遂げようとしていた。歴史的にはポーク大統領の印象はなぜか薄いものの、合衆国を最大規模にまで広げ、今日まで続くアメリカ・メキシコ関係の基礎を築くうえで重要な役割を果たしたのが彼だった。

メキシコの敗北によって、コロラド州のデンバーの西から太平洋に広がる南西部がアメリカに統合された。これでロッキー山脈の支配が終わり、山脈の西側の狭い地域もアメリカが掌握することになった。ここにはサンディエゴ港とサンフランシスコ港があり、合衆国が太平洋の強国となるための扉が開かれたのだった。

この時点までに、アメリカ合衆国の最初のスケッチは完成した。アパラチア山脈の東側の地域

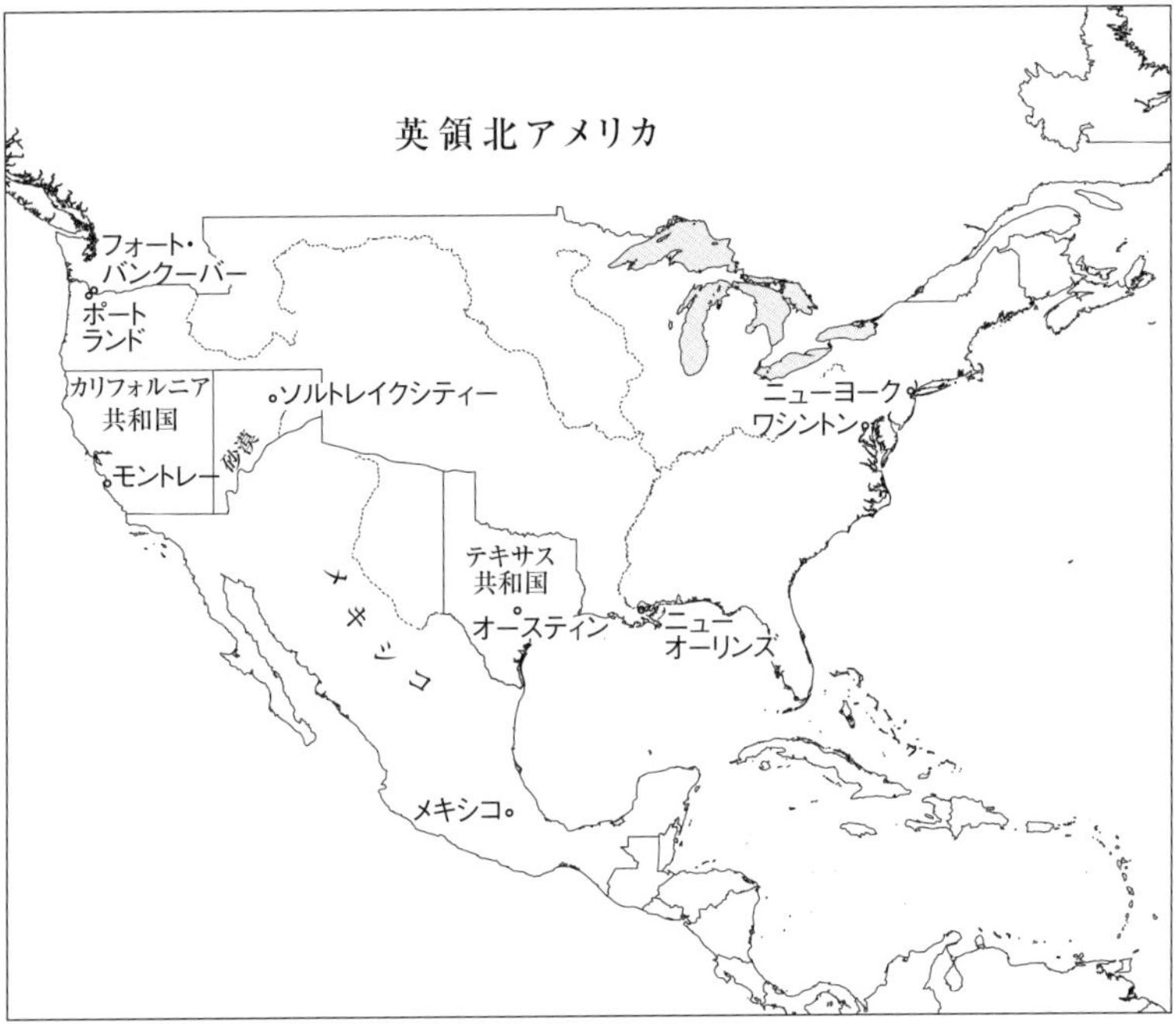


図14　1836年以降のアメリカ合衆国

は、メリーランド州とペンシルベニア州の境界で南北に分かれていた。アパラチア山脈とロッキー山脈のあいだに広がる盆地の地勢は、南北に走る森林限界線に沿って分かれていた。メキシコから奪った南西部は、太平洋沿岸と砂漠に分かれていた。それぞれの地域が異なる文化を築き上げていった。草原地帯の文化は、北東の沿岸地域とはちがう。メキシコ国境地域の文化は、森林の多い東部とは異なる。各地域は別々の生活様式を続けていたが、たった一度だけ――南北戦争のあいだだけ――そのちがいが流血へとつながった。

アメリカ人が国の発展のために利用したのは、知恵、独創性、野蛮さ、そして建国時からアメリカ人らしさを定義してきたあらゆる特性だった。驚くべきは、彼らがけっして努力を惜しまなかったという事実だ。一七七六年の独立宣言によって始められたことは、七〇年ほどあとになってほぼ完成形に近づいた。つまり、大西洋から太平洋まで広がる大陸を支配する、生産力のある強国が誕生したのだ。

北米のいかなる過去の勢力も、これを達成したことはなかった。インディアン諸国は、地理にたいして異なる感覚を持っていた。彼らは互いに恐れ合っていたものの、世界的な勢力に恐れることを学ぶのがあまりに遅すぎた。スペインの征服者たちは、耕作に適した肥沃な土地を探そうとはしなかった。彼らの地図に記されていたのは、金山、銀山、そして伝説上の黄金の都市だけだった。フランス人は、猟師がもたらす毛皮以外の富がこの大陸にあるとは考えていなかった。イギリス人は、綿とタバコが手に入れば満足だった。

多くのアメリカ人は、こんな未来が待っているとは夢にも思っていなかった。しかし、トーマス・ジェファーソンやアンドリュー・ジャクソンはちがった。大陸国家の建設によって合衆国が、並外れた繁栄と安定した民主的秩序を見いだすことになるとふたりは理解していた。さらに彼らは、大陸全土に広がるそのような力がなければ、かつて北米に点在していた多くの国家や入植地と同じ轍《てつ》を踏み、アメリカは崩壊すると信じていた。もし占領範囲が大陸のわずかな地域、あるいは一部だけにとどまっていたら、合衆国は生き残ることができなかったにちがいない。ヨーロッパのように複数の独立国家に満ちた大陸は、ヨーロッパのようにかならず分裂する。

だからこそジェファーソンとジャクソンは、ひとつにまとまった大陸勢力を築くために尽力した。彼らはアメリカの地理を理解し、七〇年後に世界を支配する地理を作り上げた。

## 全体について熟慮する

初代大統領のジョージ・ワシントンは、合衆国を分裂させるおそれのある力について理解し、一七九六年の退任あいさつでこう述べた。

共通政府による平等な法律によって保護を受ける南部との自由な交流のなかで、北部は、南部の生産からおおいに恩恵を受け、海洋・商業事業における大規模な追加資源、および製造業における貴重な原材料を得ている。一方の南部では、同じ交流をとおして北部の機関から恩恵を受けつつ、農業の成長と商業の拡大が実現しようとしている。北部の船員たちを南部の水路へと導くことによって、特定の航路が活気づくことになった。結果としてさまざまな面において、国の航海の全体量の増加と質の向上へとつながった。また南部は、不平等な状態にある海洋力の保護にも期待を寄せている。東部は、西部との似たような交流のなかで、陸路と水路の両方を利用した国内の輸送能力に関して進歩的な改善を成し遂げ、外国から輸入された商品や国内で生産された商品にたいする貴重な流通経路を見つけた。その流通網は今後もさらに発展していくだろう。西部は、成長と快適な暮らしのための必需品を東部からの供給に頼っている。しかし、より重要なのはおそらく次の点だ——地域で作られた生産物を売りさばくのに必須となる販路を安定的に確保するために、西部は、この連合の大西洋側の重要性、影響力、将来的な海洋力に頼らざるをえない。その合衆国を導くものこそ、ひとつの国家として利益を上げることを目指す一蓮托生の共同体である。西部がこの根本的な優位をいつまで保つことができるのかは――それを後押しするのが独自の強さに由来するものであれ、外国勢力との不自然で背徳的な関係に由来するものであれ――本質的に未知数である……この意味において連合こそが、人々の自由のための主たる支柱であるととらえられるべきだ。くわえて一方の愛が、他方の保護のために役立っていると考えられるべきだ。

ワシントンはアメリカを北部、南部、東部、西部の四つの地域に分けた（今日であれば、ここに極西部がくわわることになるかもしれない）。彼はこれらの地域を、ふたつの要素で結びつけようとした。第一に、それぞれの地域の発展を互いに補い合う経済利益があることを示そうとした。第二に、東半球のほかの勢力にたいして効果的に国防力を発揮するためには、全地域が一致団結することが唯一の道だと主張した。そのような防衛のためには強力な海軍が必要だった。地域ごとに分裂してしまうと、一部の地域が外国勢力の支配下に置かれ、国そのものが崩壊する。ワシントンにとって、国をひとつにまとめていた経済的な結びつきは、お互いの防衛のために必要な挙国一致を保証するものでもあった。

ワシントンは、国を分断するほどの差が各地にあることを理解し、その差を恐れていた。南部と北部には、異なる経済と道徳的原則があった。西部には多くの移住入植者がいた。スコットランド系アイルランド人やドイツ人などの移民は、自分たちを見下す東部のイギリス人にたいして大きな敵意を抱いていた。国の地理が再発明されるあいだに、国を崩壊させるおそれのある緊張も再発明された。

問題は、ふたつのことに根差していた。制度のうえでは、アメリカはひとつの国家として定義されている。しかし地域による住民の感覚の差は大きく、それが絶えず不和を引き起こしてきた。たとえば、今日のテクノロジーと金融の中心地である沿岸地域の都会の住人たちの多くは、意見の異なる人々にたいして自尊心、正義感、軽蔑が入り混じった感覚を抱いている。かつてアメリカ経済の中心地として栄えた工業地帯が集まる中西部の人々は、自分たちが置かれた状況についてはもちろん、みずからの価値観が尊重されないことに怒りを感じている。この国にはつねに政治的分断があり、言うまでもなくその分断が南北戦争へとつながった。しかし現在のような平穏な時代でさえ、ドナルド・トランプにたいする見方は地域によって異なる。北東部や太平洋岸の地域には反トランプ派が多く、西部の内陸部や南部の地域には親トランプ派が多い。一九六〇年代にも似たような分断があった。サイクルの移り変わりとともに社会が緊張感に包まれる時期に差しかかると、ジョージ・ワシントンが不安視した地理的な問題が再び浮かび上がってくる。

アメリカには揺るぎない結束がある。同時に大きな隔たりもあり、社会が緊張感に満ちているときにはその隔たりが互いへの軽蔑につながる。じつのところ、この緊張のなかには美徳も隠れている。国内での緊張、つまり将来の見通しや文化についての根本的なちがいは、国を前へと突き動かす一方で、一部の人々を置き去りにしてしまう。南北戦争から三五年後、敗戦による貧困に南部がまだ苦しんでいたさなか、合衆国は世界の工業製品の半分を生産するまでに成長した。南北戦争はもっとも極端な例ではあったものの、アメリカにはいつも勝者と敗者がいた。デトロイトは廃れ、アトランタは繁栄した。地理が変わり、人々が移動するあいだも、アメリカは前に進みつづけた。退任あいさつのなかでジョージ・ワシントンは、アメリカ合衆国の脆弱さについて指摘するだけでなく、根本的な結束と臨機応変さがこの国を導くことについても言及した。

# 第3章　アメリカ人

世界の多くの国は、共有された歴史、文化、価値観という観点から国籍を定義する。アメリカ人は、どれひとつ持っていなかった。彼らは言語さえ共有していなかった。むしろ人々は、なんの共通点もない異邦人としてこの地にやってきた。しかしながら奇妙な進化が起き、移民たちはふたつの文化を持つようになった。ひとつは、過去から続く自分の家族の文化。もうひとつは、彼らが絶えず溶け込もうとした国家の文化。アメリカ文化はこの分裂によって定義されている。よって「アメリカ人」はたしかに存在するものの、それは人工的な構築物だといっていい。「アメリカ人」を発明したのは移民だけではなかった。アメリカ人はみずからを発明した。彼らは母国では見つからなかったものを求めてこの地に降り立ち、やがて前代未聞の政治体制と並はずれた土地を手に入れた。到着したあとは、自分の手でゼロから生活基盤を築き上げなければいけなかった。それは、数多くの可能性のなかからひとつを選ぶという単純な作業ではなかった。まだ見ぬ可能性を作りだす必要があった。ベンジャミン・フランクリンからスティーブ・ジョブズまで、アメリカ人が発明者であるという考えは、アメリカの生活が具体的にどんなものなのかを指し示す喩《たと》えだ。発明された人々はあらゆるものを発明し、みずからを発明した。それを実現するためにアメリカ人は自立心を身につけ、この地に来たときに示した勇気をさらに強める必要があった。すべての人々と同じように、アメリカ人にも多くの欠点があった。しかし、その欠点こそがアメリカ人の美徳であり、それらが組み合わさって独特の国民が生まれた。

　ある国民について完全に解明することなど不可能だが、数世紀前まで存在しなかった国民について解明するのはもっとむずかしい。アメリカ国民とは、移住と変化によって短い時間のあいだに築き上げられた人々だ。移民はアメリカ国民の力学を変えた。同時に、地理、テクノロジー、戦争を次々にシフトさせていくことによって日常生活が絶え間なく変化し、そのプロセスがアメリカ人であることの意味を絶え間なく変えていった。すべてのアメリカ人に共通することがひとつあった——彼らは生まれたときに持っていたものを捨て、アメリカに来ることを望んだ。それぞれの世代でさまざまな出来事が起こり、どの世代でも自分の家族の過去の記憶は薄れていった。にもかかわらず、記憶が無になって消えることはめったになかった。イギリスに縁があった人々、あるいはアイルランドやポーランドから来た移民たちは、ある意味それらのルーツに自分がまだ強く影響を受けていることを知っていた。アフリカから来た人々でさえ、かつて自分たちが何者だったのかを記憶していた。みずからの意思に反してこの地に連れてこられ、悲惨な生活を送っていた彼らは、ほかの誰よりも自分の過去により強くしがみつこうとしたのかもしれない。

　この二重性は、イギリス人入植時代から引きつがれた合衆国の本質的な性質だった。彼らの過去は、みずからの家系とともにあった。彼らの未来は、合衆国とともにあった。時がたつにつれ、家族と国家の区分けはぼやけて一緒くたになった。そのプロセスのすべてが地政学的な要素に起因するものだった。はじめに東海岸を占領したイギリス移民の人数は、大陸全土を支配するには充分ではなかった。アフリカ系アメリカ人の奴隷を含めても、まったく人口が足りなかった。移民に関する言及が含まれる合衆国憲法第一条第八節では、帰化の原則が規定されている。建国者たちはこの問題について充分に理解しており、それに備えた体制を整えていた。スコットランド系アイルランド人の到来とともに、移民の最初の波がやってきた。かつてアイルランドに移り住んだスコットランド系プロテスタントの長老派である彼らは、支配階級からの解放と新しい土地を渇望していた。伝統を重んじるイギリス人の多くは、スコットランド系アイルランド人は乱暴者だと考え、相容れない集団だとみなした。そのようなレッテルを貼られたのは、彼らが最初で最後ではなかった。

アメリカ文化の第一の核となったのは、はじめにやってきたイギリス人入植者の文化だった。アメリカ文化とは当初、イギリス人とプロテスタントによる文化を意味するものだった。白人アングロサクソン系プロテスタント（ＷＡＳＰ）は、第二次世界大戦のあとまでアメリカ文化の核となるものを定義しつづけた。戦争中、さまざまな国籍と宗教を持つ膨大な数の人々が軍隊に入り、ＷＡＳＰと肩を並べて活動するようになった。その流れのなかで、ＷＡＳＰがアメリカ文化そのものであるという考えは衰えていった。が、ひとつだけ例外があった――英語だ。英語はいつも、アメリカ人の生活の中心にあった。英語を学ぶことは強制ではないものの、英語を話せない人はアメリカの経済・社会生活から締めだされた。社会的・経済的利益を求めてアメリカにやってきた移民にとって、英語習得を拒むのは自滅的な行為だった。

「アメリカ人」であるという感覚を多くの人々に与える三つのシンボルがある。ひとつ目は、義務、悪事、女性と複雑な関係を持つ「カウボーイ」。ふたつ目は、アメリカを前進させるために必要な驚くべきものを想像し、実際に作りだしてきた「発明家」。そして、三つ目は「戦士」。まさに、合衆国は矛盾だらけの国だといっていい。幸福をひたすら追い求めつづけたアメリカは、闘いのなかで生まれ、以降も多くの戦争を闘ってきた。幸福の追求ではなく義務にしたがって生きる戦士もまた、アメリカの文化には不可欠な存在だ。カウボーイ、発明家、戦士はみな、合衆国を嵐へと追い込み、そこから進歩を生みだすプロセスの原動力となってきた。

これらの固定観念を超えた、もうひとつのアメリカ人像がある。アメリカ人のことを考えるとき、私はその〝繊細さ〟について思い浮かべずにはいられない。私としても、繊細さとアメリカ人がふつうは結びつかないことを知っている。一般的にアメリカ人は、粗野で無教養だとみなされがちだ。それは一理あるとしても、見知らぬ土地にやってきて生活する能力、絶えず変化するテクノロジーや習慣とともに生きる能力、再定義されつづける土地で方向感覚を保つ能力を発揮するには、大いなる繊細さと複雑さが必要になる。アメリカの回復力は、その繊細さと複雑さから生まれた。そして、カウボーイの神話ほど回復力に満ちた物語はない。

## カウボーイ

まずは、典型的なカウボーイ像——アメリカの典型的な芸術形式である映画のなかで描かれるカウボーイの姿——について考えてみよう。ヨーロッパ人はたびたび、アメリカ人をカウボーイ的だと非難する。アメリカ人の男女にとって、カウボーイは男らしさを定義するものだ。カウボーイは強く、寡黙で、恐れを知らず、正しいことをするという揺るぎない信念を持って行動する。

カウボーイの美徳はその複雑さではなく、行動のなかにある。

　カウボーイたちの現実は、映画のなかで描かれたものとはちがった。アメリカ社会で彼らが重要な役割を果たしたのは、鉄道網が全国に広がるまでの約二〇年のあいだだけだった。カウボーイの多くはアフリカ系アメリカ人、メキシコ人、インディアンだった。貧しい白人がカウボーイの仲間入りをすることもあったが、その多くはアメリカに来たばかりの移民だった。にもかかわらず、ほとんどの映画ではカウボーイが白人として描かれる（料理人はきまってメキシコ人）。そして大多数の映画にはガンマンと保安官だけが登場し、牛《カウ》は一頭も出てこない。これらの映画のほとんどはたんなる娯楽作品だった。しかしながら、とりわけすぐれた作品のなかでは、神話に出てくるようなカウボーイのより複雑な繊細さがしっかりと描かれていた。そのような映画のなかのカウボーイの存在感や生き方は、娯楽作品のものとは根本的に異なっていた。

　このジャンルの映画のなかでもっとも秀逸な作品のひとつと称される『真昼の決闘』（原題 *High Noon*）では、ある拳銃の名手の人生の驚くべき繊細さが描かれている。ゲイリー・クーパー演じるウィル・ケインはニューメキシコ州の田舎町の連邦保安官で、グレース・ケリー演じるエイミーと結婚したばかりだ。新婚旅行に出かける直前、ケインの命を奪おうとする四人の無法者が町にやってくる。

　父と兄を銃で殺された過去を持つ妻のエイミーは、平和主義のクエーカー教徒として暮らしていた。そんな彼女は、いっしょに逃げて闘いと死を避けてほしいと夫ケインを説得しようとする。夫のケインは、「新婦の願い」と「無法者から町を守るという任務」のあいだで板挟みになる。しかし多くの観客は、それが「妻」対「町」以上の問題であることに気づく。その葛藤は、アメリカ人の性格を構成するふたつの要素の狭間にあるものだった。ひとつは、蔓延《はびこ》る悪に立ち向かうという男性的な勇気を持つべきであるという理想。もうひとつは、英国プロテスタントの入植者としての伝統。男性は勇気の伝統を象徴し、女性はキリスト教徒の穏やかさを象徴する存在だった。

ケインは保安官としての義務にしたがい、町を守ろうとする。しかし彼は、町の住民たちが自分に同情的ではないことに気がつく。突然の事態に恐れおののく住人もいれば、無法者に同情する人もいれば、ケインに恨みを抱く者もいた。無法者との闘いが差し迫るなかでさえ、住民たちがケインを支持しない理由は山ほどあった。そのため彼は、たったひとりで悪に立ち向かうことになる。

ケインは町に仕えているのではなく、自分の義務を果たしているだけだった。映画の劇中歌のなかには、「意気地なしの臆病者」として死ぬことは愚かだと示唆する歌詞も出てくる。ケインにとってみずからの行動は、保安官としての誓いや町を守ることにまつわるものではなかった。それは自身に課せられた義務にまつわるものだった。新婚旅行に行く代わりに、彼は徽章《きしよう》とガンベルトを身につける。死の危険があっても男でありつづける覚悟だった。ケインがそのような行動をとったとき、彼と妻のあいだに、つまり戦士の伝統とキリスト教のあいだに大きな隔たりが生まれる。

ところが、物語は意外な展開を迎える。四人の無法者がやってきて激しい銃撃戦が始まり、ケインはふたりを撃ち殺す。別のひとりがケインを殺そうと待ち伏せしていると、妻のエイミーが散弾銃を手に取り、背後からその無法者を撃つ。彼女は夫を見捨てることができなかった。そして自身の道徳的原則を捨てて無慈悲に人を殺し、夫を救った。しかし四人目の無法者がエイミーの身体をつかんで人質にとり、銃を捨てるようケインに命じる。ケインが銃を手放そうとしたそのとき、エイミーが手を伸ばして無法者の眼を引っ掻こうとする。彼女がなんとか身体を離すと、その隙にケインが無法者を撃ち殺す。それからケインはエイミーを抱きかかえ、徽章を地面に放り投げ、妻とともに町を離れる。

『真昼の決闘』では、ケインは断固とした冷静沈着な人物として描かれている。しかし、映画の主人公はケインではなく、むしろ妻エイミーのほうだ。彼女は自身の信仰と誓いを捨て、夫の命を救おうとする。警告なしに相手を背後から撃つのをよしとしないケインとはちがい、エイミーがそのような良心の呵責《かしゃく》を感じることはない。男性が「卑怯な闘い方」と呼ぶやり方もおかまいなしで、彼女は四人目の無法者の眼を引っ掻き、ケインが銃を撃つための隙を作る。彼女の義務感は愛するものに向けられており、それ以外のことはすべて二の次だ。エイミーが夫と同じように自身の道徳的立場を守っていたら、ケインは死んでいたにちがいない。夫は妥協できなかったが、妻は妥協することができた。彼女の夫への愛は、戦争のルールや信仰を凌駕するものだった。ケインの行動を後押ししたのは、臆病者になるという恐れだった。未来を決めたのはエイミーのほうだった。ケインの倫理観はじつに単純だった。一方、ニューイングランドの町で生まれ育ったエイミーは、キリスト教の複雑さを知っていた。道徳的なあいまいさの重荷を背負うのは男性ではなく女性のほうであり、その慣習にしたがう彼女の強い意志がケインの命を救った。

この映画はさらに、アメリカ人の性格につきまとう恐怖感も描きだしている。ケインを殺そうとするガンマンたちは自信満々で威嚇的だ。彼らはどこまでも恐ろしい存在であり、いかなる人間的感情も持ち合わせていない。目標はケインを殺すことのみで、それをしっかり達成できると自負している。四人の無法者のひとりは元囚人であり、謎に包まれた不穏な理由によって釈放されたのだと観客は知ることになる。この男たちはいったい何者なのか？　どこから来たのか？　ケイン殺し以外に何か目的があるのか？　彼らに家族はいるのか？　男たちのなかに哀れみや恐怖の痕跡はいっさい見当たらない。ほかの誰かと四人を結びつけるものは何もなく、男たちは邪悪な意志だけで結びついている。この無法者たちは、果てしない大草原から田舎町にやってくる恐ろしい〝力〟なのだ。

当時のほとんどの田舎町と同じように、この町は孤立しており、たまに来る列車のみによって外の世界とつながっている。住民たちは、町の外の大草原に何がひそんでいるのかを知らない。彼らが知っているのは、広大な土地のなかに自分たちだけが住んでいるという事実だけだ。なんと恐ろしい考えだろう。しかしながら、大都市にいてもたいして変わりはない。実際、人でごった返す都市のなかでひとりきりだと感じる住民は多く、その孤独感は非常にやっかいなものだ。悪者が危険をもたらすという恐怖は、都市にいても西部の田舎町にいても同じくらい現実的なものだといっていい。

アメリカの社会には不安定さ、、、、があり、それが強さの一部となっている。アメリカの人々は、家族や伝統といった制約なしに自由に動きまわることができる。ケインの住む田舎町に移り住んできた人々は、何世代にもわたって続く共同体を頼りにすることはできなかった。それは、シカゴにやってきた入植者も同じだった。このようなアメリカの不安定さは、人々に解放感を与える。同時に、暗闇にひそむ未知の悪への恐怖から逃げることはできないため、不安定さは人々に恐ろしさも与える。警察ははるか遠い場所におり、自分も隣人たちも同じくらい恐れを感じているのだ。

『真昼の決闘』は、西部の保安官であるケインを〝お決まりの存在〟としてじつに巧妙に描きだしている。彼は頑固で、正しいことについて自分の意見を曲げず、乗り越えられそうもない障壁にも果敢に立ち向かう。ただしそれだけの話であれば、彼は映画のなかで死んでいるはずだ。見過ごされがちなのは、ケインの妻エイミーこそが決め手となる重要人物であり、自分の倫理的価値観に反して行動を起こすという点だ。倫理観はごく単純な概念として生まれるが、いつのまにか複雑になる。男女の関係も単純な概念として始まるが、いつのまにか非常に複雑になる。

この映画は典型的な西部劇であると同時に、アメリカ社会の複雑な進化について描いた作品でもある。『真昼の決闘』が撮影されたのは、第二次世界大戦の終結から七年後の一九五二年のことだった。第二次世界大戦では、死よりも臆病さを恐れるケインのように振る舞うことが男性の理想だとされた。『真昼の決闘』の舞台は西部だったが、それは第二次世界大戦についての映画でもあり、正気を保つために男性がどう行動すべきかを描く映画でもあった。男性は戦争を闘ったが、勝利したのは女性たちだった。

きわめて伝統的な意味合いにおいて、女性は戦争に勝利してきた。男性たちは、自身の信念、祖国、家族のために戦争に参加する。戦争には太古から続く力学があり、それに関連した多くの固定観念がある。弱さ以外のものなら女性はなんでも許してくれる、と男性は考える。戦争は強さの究極的な試金石であり、兵士たちは、戦争に参加することを強さの証《あかし》として女性に示そうとする。女性たちは、一時的に弱った戦争帰りの男性を慰め、強さを取り戻す後押しをする。これらはどれも典型的な固定観念ではあるものの、古代からの真実でもある。男性と女性のあいだにある共感が、戦争の苦痛に耐える力を与えてくれるのだ。

さらに女性たちは、まったく新しい意味合いで第二次世界大戦に勝利した。この闘いは産業戦争であり、合衆国の成功は生産力のたまものだった。当時、アメリカの航空機産業で働く労働者の六五パーセントが女性だった。既婚女性の四人にひとりが家庭の外で働き、戦時中の全労働力の三七パーセントが女性によるものだった。合わせて三五万人の女性が兵役に就いた。工場から戦地の飛行場まで爆撃機を操縦したパイロットはみな女性だった。女性なくして、アメリカがドイツと日本を打ち負かすことはできなかった。ソ連とイギリスがドイツに抗って勝利できたのは、アメリカが武器を提供したからにほかならない。ドイツ国防軍を弱らせ、フランスの解放をもたらしたのはソ連軍だった。ソ連とイギリスがドイツ国防軍を弱らせることができたのは、アメリカ人女性たちが製造した武器や装備があったからにほかならない。

すべての文化の核には男女の関係がある。人類史の大部分において、その関係は生物学的および人口統計学的な現実によって定義・抑制されてきた。人口を安定させるためには、かつて女性は死ぬまでにできるだけ多くの子どもを産む必要があったが、分娩時に亡くなることも珍しくはなかった。男性たちは労働に従事し、しばしば同時または順番に複数の妻を娶《めと》った。結婚とは、（生物学的ではなく）社会的および個人的な必要性に対応するための制度だった。女性は不可欠な存在だったが、ヒトの繁殖において中心的な役割を果たしていたせいで、深刻な危険にさらされた。そして、近代医学と公衆衛生の発展がそのすべての流れを変えた。女性の寿命は四〇歳から八〇歳へと延び、出産する子どもの人数は八人程度から一～二人に減った。結果として女性たちは、家庭の外で充実した生活を送ることができるようになった。

一九六三年、ジャーナリストのベティ・フリーダンが『新しい女性の創造』（原題 *The Feminine Mystique*、邦訳は三浦冨美子訳、大和書房、一九六五年）を出版した。一般的には、これが現代フェミニズムの出発点だと考えられている。二〇世紀の終わりまでに、合衆国における女性の役割は変わった。やがてアメリカの周期的なプロセスに新たな次元が生まれ、私たちはそれを理解する必要に迫られた。フェミニズムには多くの次元があった。知的な意味でのフェミニズムは、女性の人生における生物学的な現実の変化を正式に社会に受け容れさせるものだった。さらに、この生物学的な変化によってもたらされた大きな可能性を社会に受け容れさせるものでもあった。この流れのなかで男性と女性の義務的な区別はなくなり、男女間の関係が変わった。まず、繁殖のための死に物狂いの闘争をする必要がなくなった。つぎに、恋愛と自由選択にもとづく結婚の制度が生まれた。そして、求婚のために必要だった儀式は事実上消滅した。

ここでより眼を向けるべきなのは、古くからの規範が合衆国のなかで変化した〝スピード〟だ。社会や経済の流動性についてはよく注目されるものの、アメリカの根底にあるのは文化的な流動性のほうだ。アメリカ社会には驚くべきことがたくさんあるが、「女性の役割が変化した前代未聞のスピード」「性的関係が変化したスピード」以上に驚くべきものはないだろう。その変化は、大きな不確実性を生みだした。

『真昼の決闘』のなかでケインの妻エイミーがどれほど勇敢だとしても、すべてが終わったあと、彼女は夫とともに家に戻って子作りに励むにちがいない。キリスト教という絶対的な基盤を持つ彼女は、一〇〇年後の社会の変わりようにびっくり仰天するだろう。かつて女性の役割を定義するために用いられたのは、結婚生活における性と繁殖活動の〝一体化〟だった。『真昼の決闘』でエイミーを演じるグレース・ケリー、そしてリベット打ちのロージーたち（第二次世界大戦のあいだに造船所や工場などで働いた女性全般の呼び名）は、知らず知らずのうちに将来の女性像をみずから示していた——伝統的に演じられ、道徳的に必要だとみなされてきた女性の役割は、突如として、幸せを追求するための多くの選択肢のひとつになった。

## 発明家

『真昼の決闘』は映画であり、映画は撮影用カメラがなければ作ることができない。映画撮影用カメラを発明したのはトーマス・エジソンだった。エジソンは、電気を応用した発明によって財を成した。彼自身が電気を発見したわけでも、はじめに電気の重要性に気づいたわけでもなかった。ベンジャミン・フランクリンは一八世紀の時点ですでに、電気の複雑さを理解していた。一九世紀に活躍したエジソンが行なったのは、電気の応用方法を見つけるための組織を築き、その方法を富に変えるビジネスを作りだすことだった。エジソン自身が実際に製品を作って販売することもあったが、製品のマーケティングと販売業務を請け負うほかの企業に応用方法を売って稼ぐことのほうがはるかに多かった。

オーストリア出身の発明家ニコラ・テスラのように、電気の分野でたくさんの偉業を成し遂げたものの、大成功のビジネスへとつなげられなかった発明家が世界には数多《あまた》いた。エジソンがしたのは、発明の技術とビジネスの理解を結びつけることだった。彼は、ほかの人々が何を見落としたのかを把握していた。テクノロジーが目指すのは製品を作ることであり、製品は販売されなければ意味がない。エジソンは発明の繊細さを理解していたが、重要なのは科学を極めることでも製品を作ることでもなかった。発明の繊細さは、社会が何を必要とし、顧客が何を買うかを理解することに隠れていた。それを理解するためには科学者や技術者であるだけでは不充分で、同時に社会学者である必要があった。トーマス・エジソンは、ヘンリー・フォード、ビル・ゲイツ、イーロン・マスクなどのお手本になった。彼らはみな、発明家には利用者が必要であり、ビジネスが両者の架け橋になるのだと理解していた。

エジソンはオハイオ州で生まれ、ミシガン州で育った。学校になじめなかった彼は、自宅で母親から教育を受けた。自然に関する本に興味を示したことをのぞけば、子ども時代に将来の大成功を予感させるものは何もなかった。エジソンみずからが発した言葉のなかに、彼の核となる考え方を読み解くヒントが隠れている――「ほとんどの人がチャンスを逃してしまうのは、チャンスが作業着を着ており、つまらない作業のように見えるからだ」「天才とは一パーセントのひらめきと九九パーセントの努力である」。彼の言葉はシンプルだが、その意味は果てしなく深い。

エジソンが残したもっとも大きな功績は、ものを発明するための構造を作りだしたことだった。彼はニュージャージー州メンロパークに最初の工業研究所を起ち上げ、チームによる発明のための方法論を確立しようとした。さらに、「市場が求めるものによって発明は生みだされるべき」というモットーのもと、発明をうながす法則を築き上げていった。史上初の〝テクノロジーのためのマーケティング担当者〟となった彼は、自身の名前を常套句に変え、自身を有名人に変えた。エジソンは発明というプロセスを複数チームによる取り組みに変え、自身でそれを管理し、市場機会に沿って方針を定め、自分の性格に合うようにマーケティング戦略を立てた。

ヘンリー・フォード（エジソンの親友）からスティーブ・ジョブズまで、消費者向け製品を販売するほかの技術者について考えてみると、同じようなパターンがたびたび出てくることに気づくはずだ。孤独な発明家はチームに取って代わられる。最終的な目標は、基礎的な科学の発見ではなく、科学を製品に応用することにある。このような取り組みは市場と密接に関連しており、その市場は広ければ広いほどいい。ある人物は、夜を昼に変えることを夢見た。別の人物は、安価な交通機関を提供することを夢見た。さらに別の人物は、コンピューターを改良し、無限のアプリケーションを備えた家電製品にすることを夢見た。この三人全員にとっての目的は、巨額の金を稼ぎだすことだった。しかし同時に、幸福度を高めて民主的な生活を充実させるという意図せぬ政治的な目的もあった。そして彼ら三人は、映画撮影用カメラ、自動車、コンピューターがその両方の目的を果たすという鋭い考えを共有していた。テクノロジーが進化するにつれ、ビジネスモデルも変わる。しかし核となるビジネスの考え方は一定のままであり、実業家として活動する発明家はアメリカ社会に欠かせない存在でありつづけている。

企業はいわば、国家にたいする釣り合いおもり《カウンターバランス》だった。建国者たちは国家を信用していなかったが、国家には軍事力の貯蔵庫としての役割があった。一方、細かな集団に分かれた企業世界は、富の貯蔵庫だった。それぞれの集団は別の集団による絶対的支配を阻み、共通の利益を追い求めるために協力し合った。建国者たちは、どれほど国が分断したとしても、権力を持たない〝私的領域〟である民間企業によって国家が支配されることはないと理解していた。しかし建国の父たちはまた、企業を運営する民間の実業家でもあった。さらに彼らは、ビジネス上の利益の追求が国家を堕落・弱体化させる可能性があることを知っていた。同時に、国家が企業活動を弱めるおそれがあることも知っていた。

国璽の制作によって、建国以来ずっと存在していた暗黙の取引――政治的権力と経済的権力のあいだの取引――が成立した。この取引は共和国が生まれた初期段階から非難されつづけてきたが、けっして消えることのない取引でもあった。結局のところ誰かが、建国者が望んだピラミッドの建設を請け負わなくてはいけなかった。合衆国ははじめから、「金」「政治」「その両方を戦争に応用すること」の対立と協力によって成り立っていた。

## 戦士

アメリカには戦士の文化が根づいている。これは、トーマス・エジソンについてのここまでの議論と矛盾するようにも思える。なぜなら、彼が平和主義者だったからではなく、技術者であり実業家だったからだ。テクノロジーと企業が目指すのは、顧客を喜ばせ、金を稼ぎ、幸せを追い求めることだ。一方の戦争とは、犠牲と義務にまつわる行動である。アメリカがビジネスによって成り立っていることはまちがいない。同じように、アメリカは戦争という行為によって成り立っているともいえる。この矛盾はアメリカに実在するものであり、折り合いをつけるのは容易ではない。しかしアメリカ人の持つ繊細さについて考慮すれば、当初から戦争とテクノロジーが共存してきたのだと私は主張したい。

すでに説明したとおり、合衆国は闘いのなかで生まれた。八年にわたる残酷な独立戦争のあいだに、二万五〇〇〇人のアメリカ人兵士の命が奪われた。当時のアメリカにおよそ二五〇万人の住民がいたことを考えると、人口の一パーセントが死亡した計算になる。これは、ほかのいかなる戦争よりも高い割合だ。事実上、すべての世代のアメリカ人が戦争を経験してきた。参加した戦士の数が少ない小規模な戦争のほうが多かったが、なかには巨大な戦争もあった。

次の数字について考えてみてほしい。現在、米軍に所属する兵士、および存命の退役軍人の数は男女合わせて二五〇〇万人ほど。驚くべき数ではあるものの、これは全体像をとらえた数字ではない。兵士は、ひとりきりで戦争に参加するわけではない。両親、配偶者、子ども、そのほかの親族もみな、兵士を介して戦争を体験する。ときに従軍中に、ときに退役後に、兵士の記憶をとおして家族も戦争を体験する。戦争によって、彼らも戦士と同じくらい深刻な影響を受ける。ひとりの兵士の従軍経験にたいして、人生を変えるような大きな影響を受ける人が平均四人いると仮定すると、およそ一億人のアメリカ人の人生が「戦争」や「戦争のおそれ」によって形作られてきたことになる。人口のほぼ三分の一にあたる数字だ。

独立革命から三〇年後、アメリカは米英戦争（一八一二年戦争）を闘った。その三四年後にメキシコとの米墨戦争が始まり、さらに一三年後に南北戦争が勃発した。これらの戦争によって六〇万人のアメリカ人が命を落とした。その後、インディアン諸国との最後の争いが長く続いた。一八九八年には、スペインと米西戦争が起きた。その一六年後に第一次世界大戦、二三年後に第二次世界大戦が勃発した。さらに朝鮮戦争とベトナム戦争があり、二一世紀に入ってからはイスラム聖戦士《ジハーディスト》との戦争が続いた。

この章で見ていくとおり、戦争の頻度が増えた背景には地政学的な理由がある。しかし、文化的な問題のほうはより謎が深い。戦争という文化は、幸福という文化とどのように共存しているのか？　単純な答えは、戦士はつねに社会のなかで独自の地位を保ってきたというものだ。愛する祖国と悲惨な戦争のあいだに身を置くというのは、もっとも崇高な行為だとみなされてきた。伝統的に戦争は、男らしさ、勇気、義務、強さにたいする試練を意味するものだった。

戦争の魅力はそれほど単純なものなのかもしれない。アメリカ合衆国は国家であり、すべての国家は戦争をする。そして戦争に参加する戦士は、男性たち（と今日は女性たち）が羨《うらや》む特別な地位を得る。しかしほかの国とは異なり米国には、戦士とは別の英雄たちの階級が存在する――まったくのゼロから莫大な富を築き上げた人々だ。いわば兵士と実業家の両者が闘いに挑み、自国のために活動してきたといっていい。アメリカではその両方の闘いに参加する人もおり、彼らは誰よりも尊敬される。

しかし、そこにはさらなる相乗効果がある。私はここまで進歩、テクノロジー、ビジネスについて論じてきた。私たちはこのプロセスを分解し、すべてがどのように組み合わさっているのかを把握し、そこから生じる文化的な連携と緊張について理解しなければならない。このプロセスは三つの構成要素によって成り立っている。ひとつ目は、根底となる自然の本質を理解するための基礎科学。ふたつ目は、基礎科学を「自然を利用するためのツール」に変えるテクノロジー。三つ目は、特定の目的を達成するために利用できる製品。

『真昼の決闘』の闘いの舞台となったニューメキシコ州は、史上最大の科学的闘いの舞台でもあった――原子爆弾の製造だ。人気《ひとけ》のないニューメキシコの砂漠と町のなかで、原子爆弾は設計され、組み立てられ、実験が行なわれた。そこは、大学が軍隊と出会った場所だった。保安官のケインと同じように科学者たちは、地球に忍び寄る悪に立ち向かって破壊することにすべてを捧げた。マンハッタン計画によってニューメキシコで原子爆弾が製造されて以来、米軍は基礎科学と科学者を集団の中心に据えてきた。科学者たちの研究は、敵を打ち負かすための土台となり、想像以上に大きくなった米国の力を保つための土台となった。アメリカ西部のニューメキシコは広大で孤立しており、木々や水も乏しく、ほとんど人も来ないような場所だった。言い換えれば、さまざまなものを隠せる拓けた場所だった。

原子爆弾は、アメリカに道徳的なジレンマをもたらした。『真昼の決闘』のグレース・ケリー演じるエイミーのように、アメリカ人は道徳的な正しさよりも勝利と生存を選んだ。建国者たちによって、アメリカは道徳的な事業として設計された。しかしその設計は、国家にとって必要なものとは相容れなかった。このような論争は、建国のときにすでに始まっていた。そして結論は、ほとんど人が住んでいない荒涼とした場所で決められた。

45コルト弾であれ、広島に投下された原子爆弾「リトルボーイ」であれ、アメリカの文化ではつねに道徳と武器が深く結びついている。第二次世界大戦のあと、道徳的プロジェクトとしての戦争とテクノロジーの関係が密接に交わり合い、米国社会の新たな基礎が築かれることになった。たとえば国防総省では、ミニットマン大陸間弾道ミサイルの誘導システムのために超軽量コンピューターが必要になった。国防総省は民間の科学者やエンジニアとタッグを組み、制作を推し進めた。そして一九五八年、テキサス・インスツルメンツの研究者だったジャック・キルビーが集積回路（マイクロチップ）を発明した。一九六二年、その集積回路がミニットマン・ミサイルに搭載された。さらにミサイルを誘導するために、マイクロチップ・ベースのコンピューターの試作品が作られた。一九七〇年代までにこの技術は、スティーブ・ジョブズとビル・ゲイツが作ったシステムに統合され、家庭用コンピューターの誕生へとつながった。

一九七三年には、国防総省によってナブスター・システムが導入された。このシステムの目的は、米軍に正確なナビゲーション情報を提供することだった。ナブスターに使われる技術を開発したのは、アインシュタインの相対性理論を研究する物理学者たちだった。国防総省は、物理学者たちの研究にもとづいて通信衛星群を構築し、兵器のための精密なナビゲーションと誘導を可能にした。のちにグローバル・ポジショニング・システム（ＧＰＳ）と一般的に呼ばれるようになったこのシステムは、日常生活の一部として定着した。

一九六〇年代、米国の極秘研究機関は、データを迅速に共有するための安全な方法を必要としていた。国防総省の高等研究計画局（ＡＲＰＡ）は、電話回線上のデータ移行に関する既知の理論をはじめて応用し、データ共有のためのシステムを作った。それをもとに開発されたＡＲＰＡＮＥＴが、今日のインターネットへと発展した。国防総省は人々の日常生活を別の形へと変えたが、なぜかきちんとした評価を受けることはあまりない。

マンハッタン計画はこのようにアメリカ人の性格を変えた。道徳と暴力のあいだには、つねに葛藤がつきまとっていた。原子爆弾は、その問題をより極端なレベルにまで広げただけにすぎない。しかし、勇気、武器、正義、道徳のあいだにある緊張は以前と変わらないままだった。変わったのは、武器の性能が劇的に向上したことにくわえ、テクノロジーが社会全体を大きく転換させたことだった。平和と戦争の区別、戦士、民間人、科学者、実業家のあいだの区別はますます見えにくくなった。エジソンは、自身が武器を作ったことがないという経歴を誇りにしていた。が、それは当時の時点でも真実かどうか疑わしかったし、今日ではもはや真実ではなくなった。

テクノロジーがあり、ビジネスがあり、戦争がある。それらは異なったものに見えるが、アメリカ社会では科学者、カウボーイ、戦士、さらには実業家がひとつの文化の一部として存在している。文化は矛盾の象徴であり、和解の象徴でもある。科学者、カウボーイ、戦士は大きく異なる種類の人々であり、互いにほとんど無関係かのように思われる。個人的なレベルでは、そのとおりかもしれない。しかし彼らこそが、アメリカ社会のひとつの構造を形成している。当然ながらアメリカには、ほかにも無数の種類の人々がいる。しかし科学者、カウボーイ、戦士は、アメリカの複雑さと繊細さという感覚を生みだす象徴的存在である。結果としてアメリカは、緊張感に満ちた住みにくい場所となる。アメリカ人であることは容易ではない。ヨーロッパ人は、アメリカ人の象徴であるカウボーイをどこまでも単純な人間だとみなしている。しかし実際のところアメリカ人は、複雑で摩擦だらけの社会で暮らしているのだ。

アメリカ国民のあいだにあるこの矛盾が、急展開する歴史のサイクルを突き動かしている。カウボーイ、科学者、発明家／実業家、戦士といった多種多様な人々による団結が、絶え間ない興亡のサイクルのなかでアメリカを再発明しつづけてきた。私が言及したのはほんの一部の人々にすぎないが、さまざまな種類のアメリカ人のあいだに緊張があるからこそ、アメリカ人の性格をはっきりと突き止めることはむずかしくなる。そのような性格は、ほかの国々よりもはるかに大きな矛盾のうえに成り立っている。アメリカ以外の多くの国々は、最近になって自国を発明したわけでも、いま再発明のプロセスのさなかにあるわけでもない。ヨーロッパ人とアジア人には、振り返ることのできる何千年もの悠久の歴史と文化がある。一方、アメリカ人が頼りにできるのは未来だけであり、未来は何度も何度も発明されなくてはいけない。政治体制が発明され、大陸の利用法が発明され、国家が発明された。その発明はいまも続いているだけでなく、過去の姿を捨て、未来の理想の姿を追い求めるようアメリカに圧力をかけつづけている。それぞれの世代が過去を捨てるというのが、孤独なプロセスであることは言うに及ばない。そのプロセスこそが、アメリカ社会の絶え間ないサイクルを動かし、避けることのできない嵐から立ち直るための回復力を生みだしているのだ。

## 国家の犯罪――奴隷とインディアン

合衆国という国家の発明について議論するとき、この国が犯した紛れもない道徳的犯罪について触れないことは許されない。フランスの小説家バルザックは「すべての大いなる富の背後には大いなる罪がある」とかつて言ったが、アメリカの大いなる富の背後には大いなるふたつの罪がある。ひとつはアフリカ人の奴隷化で、もうひとつはインディアンにたいする大虐殺だ。これらふたつの罪は、米国になんらかの道徳的な権威があるというあらゆる主張の土台を壊すものだと訴える人もいる。前述のとおりアメリカ合衆国という国そのものが道徳的プロジェクトだと考えるとすれば、これらの罪はきちんと解明される必要があり、過小評価することなど許されない。どちらの蛮行にたいしても、アメリカは巨大な国家的罪を背負っている。しかし、ほとんどの道徳的および歴史的な問題と同じように、これらの物語は見かけよりも実際は複雑であり、全体像をとらえるのはきわめてむずかしい。もちろん、その罪を消し去ることはできない。同時に、正当化こそ絶対にできないものの、その行為へとつながった理由がかならずあるものだ。

奴隷制度が西半球に持ち込まれたのは、アメリカという国家どころか、北米に植民地が誕生する何世紀もまえのことだった。ポルトガルとスペインは南米のインディアンを奴隷にし、ポルトガルはアフリカ人をブラジルに送り込んだ。とくにブラジルでは、数多くのアフリカ人が奴隷として拘束されていた。スペイン、オランダ、イギリスが北米に奴隷制度を導入したのは一七世紀はじめのことで、当時はまだ〝アメリカ人〟はおらず、住んでいたのはヨーロッパの入植者だけだった。

その意味では、奴隷制は各国が共有する犯罪だった。しかしアメリカは、私が「ひどく残酷」だと考えることを行なった。アメリカは建国後も奴隷制度を維持しただけでなく、アフリカ人を正式かつ法的に人間以下の存在だと定義した。独立宣言では、すべての人間は生まれながらにして平等だと謳《うた》われている。建国の父たちはたしかにそう信じていたものの、アフリカ人の奴隷化という習慣を続けることを望んだ。奴隷制の継続を認めないかぎり、南部が合衆国に参加することはなく、建国そのものが立ち消えになると彼らは知っていた。そこで建国者たちは、道徳的犯罪としか考えられない方法で問題を解決した。すべての人間は生まれながらにして平等だと定義されたため、アフリカ人は人間以下の存在だと位置づけられることになった。かくして合衆国憲法には「五分の三条項」が書き込まれ、アフリカ人には白人の五分の三の道徳的価値しかないと正式に定められた。

それは、アメリカ合衆国が犯した許しがたい罪だった。トーマス・ジェファーソンやジョン・アダムズといった建国の父たちは、アフリカ系アメリカ人も同じ人間であり平等だとはっきり認識していた。ところが、経済的・政治的な利便性を優先し、黒人と白人は平等ではないという主義を受け容れることに同意した。

独立宣言は、世界の将来への指針となるべきものだった。奴隷制度は、合衆国が発見されるずっとまえに始まり、大々的に行なわれ、一八六五年にアメリカで正式に禁止されたあとも世界各地で続けられてきた。しかし、独立宣言の内容を歪めることによって建国の父たちは、アフリカ系アメリカ人に永続的な不公平をもたらした。この文書では、アメリカ文化においてアフリカ系アメリカ人が人間以下の存在であることが正式に明記された。結果として、黒人を貶《おとし》め、敵意に満ちた文化が生まれた。それがいまでもアメリカ社会を堕落させ、〝解放されたはずの犠牲者〟を苦しめつづけている。法律は文化を形作るが、法律を廃止しただけでその文化を変えることはできない。

合衆国が向き合わなくてはいけない第二の犯罪は、インディアンにたいする大虐殺だ。これはじつに複雑な問題である。西半球の先住民の大量死についての最近の研究によると、暴力行為ではなく病気こそが、北米のインディアンのみならず、西半球全土のインディアンの多くの死因だったことがわかった。麻疹（はしか）や天然痘をはじめとするさまざまな疫病によって、インディアン諸国では最大で人口の九割もの人々が死んだ。ヨーロッパ人は、気づかぬうちに病気を大陸に持ち込んでいた。病気の原因も理解できていなかったヨーロッパ人たちは、それらの病気にたいする自然免疫を持たない集団を死へと追いやった。ジャーナリストのチャールズ・Ｃ・マンが二〇〇五年に出版した『１４９１　先コロンブス期アメリカ大陸をめぐる新発見』（布施由紀子訳、日本放送出版協会、二〇〇七年）のなかで、この人口減少の流れがくわしく解説されている。

アメリカ人が西部に進出したときに遭遇したインディアン諸国の多くは、かつては大国だったものの、すでに破壊されてばらばらになっていた。アメリカ人は、その残滓《ざんし》にもとづいてインディアンたちを判断した。しかし、すべてのインディアン諸国が破滅的な状況になっていたわけではなかった。なかでもコマンチ族は、ロッキー山脈からテキサスとカンザス一帯に及ぶ広大な帝国を築き上げていた。一八世紀以降に彼らは、平原《プレーンズ》インディアンをはじめとする周囲の人々を恐怖に陥れた。これらのインディアン諸国と部族は、三つの攻撃にさらされた。ひとつ目は、ヨーロッパ人が持ち込んだ疫病による攻撃。ふたつ目は、ヨーロッパ人入植者も恐れおののいたコマンチ帝国による攻撃。そして三つ目は、ヨーロッパ人による攻撃。ヨーロッパから来た入植者は平原インディアンたちの紛争を利用し、残った住民を殺したり、オクラホマの一角のようなインディアン居留地に強制移住させたりしようとした。

インディアン諸国の崩壊の物語は、たしかに合衆国の誕生と深く関係している。ところが、合衆国の行動のみによって崩壊が起きたわけではなく、真の物語ははるかに入り組んだものだ。疫病の蔓延やコマンチ族の戦争がなかったとしたら、アメリカ人ははたして西部に住み着くことができただろうか？　伝染病が蔓延する以前にはもっと多くのインディアンがおり、彼らは知的かつ好戦的だった。入植者は銃を持っていたが、インディアンたちが駆使する弓矢の威力はすさまじいものだった。

なにより忘れてはいけないのは、それぞれのインディアン諸国と部族が、まわりを外国だとみなしていたことだ。彼らは自分たちをひとつの大陸に住む一民族としてではなく、異なる言語と信念を持つ別々の国として見ていた。世界のほかの国々と同じように、彼らは互いに戦争と同盟を繰り返した。多くの場合においてインディアン諸国は、進出してくるアメリカ人を「既存の敵と闘うための同盟者」だとみなした。西方へと入植したアメリカ人たちが出会ったのは、病気やコマンチ族によって散り散りになって破壊された国々だけではなかった。一部の国は、やってきたアメリカ人入植者を歓迎して同盟を結び、いっしょになって敵と闘った。ある意味で彼らは、アメリカ人を〝外国人の部族〟のひとつだと考えた。したがって、アメリカ人を評価するときには、次のような道徳的基準が用いられるべきだ――「アメリカ人はインディアン国家をどれほど力ずくで破壊しようとしたのか」「インディアンとの協力と疫病が崩壊にどれくらい深く関与していたのか」。どの大陸の歴史でもそうであるように、北米における戦争の歴史はきわめて古く複雑であり、たんにひとつの国がほかのすべての国を衰退に追いやったというわけではない。もし道徳的犯罪が実際にあったとすれば、それは見かけよりもはるかに複雑なものだったはずだ。

しかし、疫病の蔓延によってインディアンの人口は劇的に減った。入植者たちが西へと勢力を広げるあいだ、多くのインディアンはほかの部族のほうをより恐れ、まずヨーロッパ人と同盟を結び、つぎにアメリカ人と同盟を結んだ。アメリカ人たちはこれらの状況をうまく利用し、多くのインディアンを殺し、彼らの土地を奪い、ほかの諸外国に対処するときと同じようにインディアン主権国家と条約を結んだ。ところが合衆国は、それらの条約のほぼすべてを反故《ほご》にした。これこそが、アメリカの犯罪の核となる部分だった。アメリカ人は、インディアン諸国がほかのインディアン諸国にたいして行なった政治的攻撃や戦争にたいして責任があるわけではない。自分たちが大陸にもたらした病気について責任があるわけでもなかった。むしろアメリカが犯した罪は、インディアン諸国と対立して戦争を仕掛け、あらゆる手段を使って組織的に和平条約を破って相手を裏切ったことだ。そうやって合衆国は、「インディアン側のちょっとした敗北」を「インディアンの完全なる追放」に変えた。

# 第2部　アメリカのサイクル

# 第４章　アメリカの変化

私はこの本を *The Storm Before the Calm*（静けさの前の嵐）と名づけた。これはアメリカ全般について当てはまる表現だが、この国の特異な発展のプロセスを言い表わすのにとくにぴったりのフレーズでもある。アメリカ合衆国は定期的に、自国そのものと戦争状態にあるかのような危機的な状況に陥る。しかしその後しばらくすると、建国の精神を守りつつも、過去とは根本的に異なる形でみずからを再構築する。第１部で私は、アメリカ合衆国は発明された国家であり、政治体制、国民、さらには土地さえもが絶えず再構築されつづけていることを説明した。そのプロセスによって、深刻な緊張に満ちた期間が生みだされてきた。この第２部では、危機、秩序、再発明のサイクルについて説明したい。それらの要素は、アメリカという国を形作ってきただけでなく、二〇二〇年代と以降の出来事の前兆となるものだ。

多くの人は、日々のニュースや眼のまえの流行や感情にもとづいてアメリカを評価しようとする。ところが、この国の車輪を動かす大きな原動力となっているのは、ふたつの非常に規則正しいサイクルだ――制度的サイクルと社会経済的サイクル。制度的サイクルは、連邦政府と残りの米国社会のあいだの関係を制御しており、およそ八〇年ごとに次の周期に移り変わる。社会経済的サイクルは約五〇年ごとにひとまわりし、アメリカの経済と社会の力学を変える。それぞれのサイクルは同じプロセスを経て進んでいく。現在のサイクルが持つ特性の効果が薄れると、そのモデルが壊れはじめる。そして政治的な緊張が高まる時期に突入し、最終的に物事のやり方を変えざるをえない状況になる。新たに生まれたモデルが問題を解決し、国は新たなサイクルのなかで動きはじめ、また問題が起きるまでそのサイクルが続く。それぞれのサイクルの周期が八〇年と五〇年である理由については、さまざまな複雑な要素を挙げながらこのあと解説する。

合衆国はそのようなサイクルに沿って進化するべく設計された。本格的な入植から二五〇年のあいだにアメリカは劇的に変わり、大西洋の端にしがみつく第三世界の弱小国から、支配的な世界大国へと成長した。おそらくもっとも驚くべきは、急激な変化による圧力にさらされたアメリカが分裂しなかったという事実だろう。南北戦争でさえ、結果として平和かつ劇的な発展のための土台を作ることになった。ここで考えなければいけない初歩的な問いは次の三つだ。なぜアメリカはこれほど劇的に進化したのか？　なぜ分裂しなかったのか？　これからどこに向かうのか？

画期的な発明が起きるかどうかは別として、三億人を超える人口を抱える国が規則正しく予測可能なサイクルを生みだすという事実自体は、それほど驚くべきことではない。そもそも、人間の一生はサイクルで成り立っている。私たちは生まれ、成長し、幼年期・成年期・老年期を経て死を迎える。人間のすべての特性がサイクルのうえに成り立っているとすれば、人間社会もサイクルに沿って発展すると考えるのが妥当だろう。人間のサイクルは、その人物が住む場所、隣人、国の成り立ちによって変化する。場所によってサイクルがはるかに長くなったり短くなったりすることもあれば、予測どおりに進むか否かの度合いも変わる。アメリカのサイクルは、アメリカの特性と調和するように生まれたものだ。アメリカという国の動きは、はじめにやってきた移民による「生計を立てる切迫感」から始まった。結果としてアメリカ人は生まれつきせっかちになり、せっかちさが行動力へとつながり、行動力がサイクルへとつながった。そのサイクルは規則的であり、歴史的観点から見ると進み方が速いものだった。

私たちは、選択次第で人生はがらりと変わると考えがちだ。しかし、それは正しい考え方ではない。どんな法則にも例外はあるし、もちろん並外れた天才もいる。でも一般的にいって、アフリカのブルンジ共和国で生まれた人は、アメリカのカンザス州で生まれた人とは異なる生活を送ることになる。生まれた場所、両親、両親の経済力、賢さ、才能など、さまざまな不確定要素によってその人物の行動は制約を受ける。私たちはみんな制約だらけの世界に生きており、そもそもはじめから達成が不可能なことも少なくない。人は選択をするが、その選択肢は狭い範囲の内側にある。歳を重ねるにつれて、制約はより厳しくなる。こうした制約があるからこそ、私たちは人生のおおよその道筋を予測することができる。人間がみずから下す選択には当然ながら限界があるものの、アダム・スミスが指摘したように、個人によるこれらの選択のすべてが予測可能な国家の形成につながる（スミスは『国富論』のなかで「見えざる手」理論を提唱し、個人の利己的な行動が積み重なって社会全体の利益につながると説いた）。アメリカのサイクルの規則正しさの背景には、つねにこのような予測可能性が隠れている。

政治指導者は何年もかけて権力への道を進む。頂上にたどり着くための闘いをとおして彼らは、抑え込まなければいけない〝力〟があることを痛感する。これらの力が、頂点にいるあいだも政治的指導者の行動を形作りつづける。リーダーシップの頂点に立つ者たちは、ひどく厳しい闘いを勝ち抜いた人々だ。アメリカ人は往々にして、リーダー（とくに個人的に好きではないリーダー）は運によってその地位にたどり着いたと考えがちだ。が、話はそれほど単純ではない。

アメリカの大統領の行動計画を左右するのは、本人の意図ではなく、むしろ権力の制限のほうだ。くわえて、国内の社会的・経済的状況、外国勢力との利害関係によって生じる圧力が行動計画に影響を与える。大統領はそれらすべての要素に眼を向けなければいけない。大統領たちはみな、活動にたいする制約がみずからの職務を定義することを知っている。あるいは、すぐに知ることになる。就任したときのジョージ・W・ブッシュは、9・11とその余波によって自身が定義されるとは想像だにしていなかった。バラク・オバマは、米国とイスラム世界の関係を変えることができると信じて大統領に就任した。ドナルド・トランプは、アメリカ産業の再建を目指して就任した。大きな権力を握ることになるという彼らの小さな幻想は、すぐさま消え去った。政治的な権力は気まぐれで手にできるものではない。大切なのは現実を理解することだ。

出来事によって大統領は生みだされるのであり、大統領が出来事を作りだすわけではない——。この主張は、特定の大統領を支持して（あるいは嫌って）私たちが抱く激しい感情に反するものだ。しかしながら、非人間的な力がわれわれを支配し、それらの力にしたがう度合いによって社会が繁栄するという考えは、ごく平凡なものでしかない。それこそ、私たちの市場にたいする考え方である。市場は、何百万もの人々が下した何十億もの決断によって成り立っている。あらゆる人々の行動を全体的にとらえたとき、そこにはかなり予測可能な見通しが生まれるはずだ。大統領が市場に介入したり、市場を自由に操作して不況を終わらせたりすることはできない。大統領や連邦政府に何かできるとしても、すべては問題と解決策を見きわめることから始まる。

　歴史に規則性があり、それらの制約を認識して受け容れなければ大統領が生き残れないのだとすれば、私たちはアメリカの現在地を見きわめ、この国がどこに向かっているかを予測することができるはずだ。また、サイクルのどの時点にいるのかを突き止めることも可能になる。未解決の問題によって引き起こされた危機が限界に達するタイミングが大まかにわかれば、私たちはふたつのことを予測できるようになる。まず、必要となる答えを特定することによって、問題の解決方法を予測できる。つぎに、政治システムがいつ痙攣《けいれん》を起こし、ある一定の特徴を持った大統領――古いサイクルを拒み、解決策を模索する大統領――を生みだすかを予測することができる。その大統領が歴史を作るわけではない。歴史がその大統領を作るのだ。

　くわえて、より深刻な世界的な流れというものが存在し、それが各国の行動や支配力に影響を与える。ソ連が崩壊したあと、その流れはヨーロッパから離れ、世界の重心であるアメリカへと方向を変えた。合衆国がこのような強い立場にあるという事実は、その制度的、経済的、文化的、技術的な力が世界のほかの国々に甚大な影響を与えていることを意味する。アメリカの景気後退やマイクロチップ開発が、世界じゅうの企業、仕事、人々の生活にもたらす影響について考えてみてほしい。そのむかし大英帝国とローマ帝国が権力の絶頂期に世界を動かしたのと同じように、アメリカも世界を動かすことになる。アメリカのサイクルが国内に及ぼす圧力は、かならずや世界的な圧力へと変換される。かつて、こうした国内のサイクルが世界的な流れと組み合わさったとき、合衆国にとってきわめて不快な瞬間が生みだされてきた。

# 第5章　地政学が形作る二〇二〇年代の姿

本書のはじめに私は、二〇二〇年代の危機について触れた。これから一〇年のあいだに、ふたつの大きなサイクルの移行が重なることによって国家が不安定な状態になり、アメリカ社会における新たな局面の土台が築かれる。二〇二〇年代の危機は、これまでにない異常なものになる。なぜなら、ふたつの危機がひとつに合わさるからだけではなく、合衆国が歴史上かつてない地点にたどり着くことになるからだ。アメリカは世界でも傑出した大国になった。しかし、そのような立場をほんとうに望むのか、どうやってその立場を管理すべきなのかをアメリカは理解できていない。それが二〇二〇年代の来たるべき危機を形作り、よりやっかいなものに変えてしまう。

ふたつの主要なサイクルは、二〇二〇年代のあいだに次の周期へと移り変わっていく。両者が同じ一〇年のうちに移行した例はいままで一度もなく、よって状況はより不安定になる。そのうえ、別の力によって不安定さはさらに増すことになる。大陸の東海岸にしがみつく辺境の国として建国されたアメリカは、大国の脅威にさらされながらも、突出した世界大国へと成長した。その成長がアメリカ社会への圧力を生みつづけ、制度的、経済的、社会的なプロセスの前進をうながしてきた。この新たな地位の副産物として、一八年以上にわたる中東での闘い、テロリズムの脅威、世界的な利害と摩擦がもたらされた。二〇二〇年代のあいだ、この地政学的な新たな現実が引き起こす緊張によって、共和国アメリカへの圧力はさらに強まることになる。

八〇年周期の制度的サイクルは、歴史的に戦争によって突き動かされてきた——独立戦争、南北戦争、第二次世界大戦。次の制度的サイクルもまた、戦争から生まれようとしている。表面的に見れば、その戦争とは、アメリカが二〇〇一年から続けてきたジハーディストとの闘いだ。しかし、この戦争が引き起こされた背景にはより深刻な変化がある。それは、世界のシステムにおけるアメリカの立場の劇的な変化だ。その変化が一因となり、砂漠の嵐作戦のあとにイスラム教徒のあいだで合衆国にたいする敵意が広がった。湾岸戦争の始まりを告げた砂漠の嵐作戦の引き金となったのは、イラクによるクウェート侵攻だけではなかった。唯一の世界的大国として君臨するアメリカ合衆国が、多国籍軍を結成して率いなければ戦争を闘えないという状況もまた、作戦を決行する引き金になった。二〇二〇年代に移行すると考えられる新たな制度的サイクルを形作る国際紛争は、これまでのほかの紛争ほど血なまぐさいものではないにしろ、ひどく深刻なものになることはまちがいない。

## アメリカ帝国の誕生

一九九一年にソ連が崩壊すると、五〇〇年ぶりに世界の大国リストからヨーロッパの国の名前が消えた。五〇〇年にわたって続いてきたこの地政学的サイクルが終わると、米国は支配的かつ唯一の世界大国になった。それは合衆国の立場を変えただけでなく、制度的、社会的、経済的な構造にも新たな課題をもたらした。アメリカの政治システムは、これほどの規模で大国としての役割を果たすことを想定しておらず、それに対処するための機構の組み立て方を知らなかった。二〇二〇年代～二〇三〇年代の危機もまた、米国史を支配してきたサイクルの継続的なプロセスの一部であることはまちがいない。しかし同時に、現下のプロセスはまったく新しい状況のなかで起きており、アメリカ史につきものの緊張感はよりいっそう高まっている。

合衆国は帝国になった。それは力と世界的な展開によって成り立つ帝国であり、言うまでもなく正式な意味での帝国ではない。帝国の力は経済の規模、軍事力、文化的な魅力に由来し、それらの要素は政治体制、土地、人々に由来する。正式な構造が存在しない点を踏まえると、帝国として君臨するという事実はじつに驚くべきことだ。良きにつけ悪しきにつけ、アメリカはたんに世界でもっとも強力な国家となった。くわえてアメリカは、帝国であることをひどく心地悪く感じている国家でもある。一七七六年に合衆国は、既存の帝国にたいして史上はじめて近代的な反乱を起こした。国家としてのアメリカは、世界的責任の危険性と複雑さを嬉々として受け容れるわけではない。アメリカはみずから進んで帝国になったわけでもない。だとしても、その立場の現実を無視することはできない。アメリカは若い国であり、帝国としてはさらに若い。ときとして無能さをさらし、世界的な非難を浴びてきたものの、巨大な力はずっと保たれつづけてきた。帝国になる方法を学んでいく過程のなかでアメリカは、世界はもとより、自国の制度や国民にたいしても甚大な圧力を生みだしつづけている。そのもっとも如実な例が、一八年にわたるジハーディストとの闘いへのお粗末な対応だろう。

帝国が生まれるのは、その力が他国に比べて圧倒的に強く、存在そのものが国同士の関係や他国の行動に大きな影響を与えるときだ。ヒトラーのナチス・ドイツのように、意図的に築かれた帝国もある。一方、なんの意図もなく生まれる帝国もある。たとえば古代ローマは、帝国になる腹づもりなどなかった。自分たちの暴力的な傾向を封じ込めることができなかったヨーロッパは、各地にあった正式な帝国を失い、アメリカとソ連が引き寄せられる空間を作りだした。ソ連が崩壊したあとも地域大国は残ったものの、世界大国として君臨するのはアメリカだけになった。

## 右派と左派の論争

アメリカは、特定の場所に特定の人々が住む国家として成り立ってきた。しかしほかの多くの国家とは異なり、道徳的なプロジェクト――豊かな人権と国益が共存する場所――として建国された。アメリカは建国以来、このふたつの原則の板挟みになりつづけてきた。巨大な権力と世界的な影響力を持つようになった現在のアメリカでは、人権と国益の区別が、道徳と国家にまつわる価値観の対立を強める原因となっている。このような社会の緊張にくわえて、別の火種もある。一部の人々は、建国の父たちの望み（だと自身が考えるもの）を手本とし、外国との紛争を避けるべきだと訴える。別の人々は、世界との深く継続的な関与によってのみ米国のニーズは満たされると主張する。けっして切り離すことのできないこのふたつの議論は、建国以来ずっと燻《くすぶ》ってきたものだった。しかし今日の当然の流れとして、議論はいっそう激しさを増している。すべての北大西洋条約機構（ＮＡＴＯ）の会議で、あるいは中国とのすべての国際協議において、こうした緊張状態が生じているのだ。

一方には、合衆国の主たる使命は道徳的美徳の手本となることであり、アメリカの力はアメリカの原則を守り広めるために使われるべきだという議論がある。この姿勢の根底にあるのは、建国の土台となった道徳的原則を支持・擁護しなければいけないという合衆国の義務は、自国だけでなく世界にたいしても負っているという考えだ。さらに、他国と同じように振る舞って自国だけの経済的・戦略的利益を守るのは、アメリカの使命に反するものだという考えもある。このような見方の問題点は、多くの国がアメリカの道徳的規準を支持しているわけでもなければ、合衆国の力もひどく限定的であるということだ。このようなお決まりの流れが、果てしない戦争を生みだしつづけてきた。

他方には、合衆国の主たる目標はアメリカという土地と国民を守ることだと主張する人々がいる。それを実現するためには、ほかの国と同じようにアメリカは世界に関与しなければいけない。この議論は次のように展開する。原則というものは、力なくして生き残ることはできない。合衆国が生き残らなければ、アメリカの価値観も生き残ることはできない。くわえて、それらの価値観がもたらす利益はアメリカの力を通じてもっとも効率的に広めることができる。これが意味するのは、合衆国がときに、アメリカの原則に反するような行動をとらなければいけないということだ。しかし合衆国が弱体化あるいは消滅してしまったら、どんな原則を守ることもできなくなる。アメリカの価値観を広めるには、場合によってそれを放棄する必要があるのだ。第二次世界大戦のあいだに合衆国は、ヨシフ・スターリン率いるソビエト連邦と手を組んだ。恐ろしい選択肢ではあったが、必要不可欠な手段だった。

これは、イデオロギー間の論争ではない。今日、左派と右派の両方の人々が、アメリカの価値観を広めることが大切だと主張している。左派の人権運動家たちは、合衆国は力と影響力を利用し、人権を侵害する国を罰するべきだと訴える。それこそが、合衆国の建国の礎となった自由民主主義の原則なのだと彼らは言う。右派の新保守主義者たちは、合衆国の力を使い、アメリカの原則にしたがって世界を形作るべきだと主張する。両者とも、軍事力、経済的圧力、あるいは政治団体への資金提供を利用して目的を果たすという姿勢に変わりはない。新保守主義者たちは、道徳的な目的を達成するためには合衆国の力と軍事力が必要だと明言する。一方の左派は、武力行使の安易な利用に関しては慎重な姿勢をとりつつも、政権が国民に危害を加えているルワンダやリビアのような事例については武力行使も致し方ないという考えを保っている。左派と右派は自分たちを互いに対立する存在だととらえているが、微妙な差はあれど「米国が持つ力はアメリカの原則を広めるために使うべき」という考えは両者に共通するものだ。

このような侃々諤々《かんかんがくがく》の議論は、建国当時から続いている。合衆国建国の直後に起きたフランス革命は、アメリカの原則の多くを手本とするものだった。当時、アメリカは貿易においてイギリスに依存していたが、そのイギリスはフランス革命に批判的だった。一方には道徳的な原則があり、もう一方には国益があった。ジョージ・ワシントンは国益を優先したが、原則を重んじるトーマス・ジェファーソンもあえて反対はしなかった。

## 平和な時代への憧れ

道徳と国家安全保障のあいだの論争は、これまでのひとつ目の議論とは若干異なる第二の議論にも関連している。外国との紛争を避けるべきという考えと、世界との絶え間ない関与をとおして国益が生まれるという考えのあいだの論争だ。外国との紛争が途絶えた時代はなかったものの、現在の多くの国民が憧れを抱いているのは、自分たちが生まれるまえの合衆国、つまりアメリカが自国だけに眼を向けていたころの状況だ。当時、ふたつの巨大な海によって世界と隔てられたアメリカは、外国に助けを求めることも、外国を助けることもしなかった。

しかし実際のところ、そんな時代などなかった。アメリカ合衆国は、ヨーロッパの戦争――イギリスとフランスのあいだの争い――から生まれた。このふたつの世界的大国が互いに敵対していなければ、米国は誕生していなかったにちがいない。イギリスを倒すには、合衆国はあまりにも弱く無秩序だった。ところがイギリスの陸軍と海軍は、北米の植民地での反乱から注意を逸らし、より差し迫った敵であるフランスに対処せざるをえない状況に追い込まれた。建国者たちは、この戦争を利用しなければ勝利を手にすることはできないとわかっていた。彼らは、植民地の代表者としてベンジャミン・フランクリンをパリに派遣し、北米への介入をフランス側に求めた。フランスはすでにイギリスとの戦争に手いっぱいだったが、最低限の支援をすることを決め、ラファイエットなどの軍事顧問を送り込んでアメリカ軍の組織化を手助けした。

フランスは多くのことを約束したが、実現したのはわずかだった。外交手腕に長《た》けた建国者たちはフランスと歩調を合わせ、フランスはアメリカ入植者たちと歩調を合わせた。フランスはさまざまな約束をとおして信頼を保ち、アメリカに闘いを続けさせ、英国軍を倒す後押しをした。フランクリンをはじめとするアメリカ陣営は、フランス側には支援部隊を送り込む余裕がないとわかっていた。しかし彼らは、アメリカ陣営がフランス式の戦略にしたがい、フランス陣営がアメリカ式の戦略にしたがうことを徹底した。最終的にフランスは、海軍の一部をアメリカのために派遣した。フランス艦隊がイギリス軍を攻撃するさなか、ヨークタウンではワシントン率いるアメリカ軍が、コーンウォリス率いるイギリス軍を打ちのめした。この世に誕生したときからアメリカ合衆国は、外交、武力政治《パワー・ポリティクス》、戦争、ありとあらゆる外国との紛争にかかわりつづけてきた。それは避けられない流れだった。外国がもたらす脅威や機会を察知することができなければ、国家は長続きしない。しかし前述のとおり、現実とは裏腹にアメリカ文化のなかには、存在したこともない時代――外国とのかかわりがなかった時代――への憧れを抱く人が大勢いる。

武力政治とアメリカ的思想にまつわる議論、アメリカが孤立するべきか世界に深く関与すべきかという議論は、古くからこの国の外交政策を形作ってきた。繰り返し登場するこの問題のさきには、きまって一連の答えがあり、その答えはアメリカ合衆国を不安定にした。そういった不安定さが社会に広がったのは、合衆国が平凡な一国家から卓越した世界的大国――つまり帝国――へと移り変わったときだった。この繰り返される歴史のあいだに、アメリカの世界観は劇的に変化していった。

## 真珠湾攻撃がもたらした変化

真珠湾攻撃はすべてを変えた。アメリカ合衆国は日本との戦争を予期していたものの、日本が真の脅威になるはずはないと高《たか》をくくっていた。真珠湾攻撃が起きたときにアメリカは、日本のみならず世界全体の危険をまるっきり誤解していたことに気がついた。アメリカ軍の艦隊が真珠湾に沈み、日本軍がフィリピンを占領して西太平洋を席巻するあいだ、アメリカはただ手をこまねいて見ているしかなかった。アメリカは、自信過剰になるあまりひどい計算ちがいをしていたことを悟った。真珠湾の衝撃によって合衆国は、みずからの力を過信することをやめ、ほかの国から海で隔てられているという安心感を捨て去った。こうしてアメリカは、つねに警戒して次の敵を探し、真珠湾での失敗をけっして繰り返さないことを誓った。

この考え方の変化によって、ソ連がたんなる敵以上の相手になった。ソ連はアメリカにとって、永続的かつ現実的な脅威だった。かならずしも誤った見方とは断言できないものの、現実にたいする冷静な分析からその見方が生じたわけではなかった。当時の合衆国は衝動に駆られたかのように、最悪の事態を想定し、敵は賢く危険だと信じ、国の総力をあげて取り組まなければ勝利できないと考えるようになった。スターリン率いるソ連にたいして米国がこのように対処するのは正しいことだった。しかしながら、真珠湾攻撃のあとのアメリカは、どの敵にも同じように対処した。

真珠湾攻撃は、危険はどこにひそんでいるかわからないという恐怖感を作りだした。その恐怖感によって、つねに最悪の事態を想定してあらゆる努力をすることを是とする流れができあがった。アメリカは諸外国との紛争に巻き込まれていったが、第二次世界大戦がその状況を作ったわけではなかった。戦争が生みだしたのは、外国とのかかわりをいっときでも失うことへの恐怖だった。絶えず関与していなければ、危険をいち早く見つけて芽を摘むことはできなくなる。戦争の影響によって一部のアメリカ人の心のなかには、政府そのものにたいする恐怖心だけでなく、政府を操っていると噂される陰謀論や集団にたいする恐怖心も生まれた。真珠湾攻撃のあと、こんな陰謀論が広まった――フランクリン・ルーズベルトは日本の攻撃をまえもって知っていたどころか、第二次世界大戦への参戦を正当化するためにあえて阻止しようとしなかった。こういった恐怖感と陰謀論への恐れは、同じような変化の流れから生まれたものだった。

第二次世界大戦のあとから、核ミサイルの発射指令装置を持った将校がつねに大統領に同行するようになった。この装置を使えば、大統領はみずからの意思によっていつでも核攻撃の指令を下すことができる。それは、ある変化を象徴するものだった。アメリカ憲法では、宣言あるいは明確な決議によって連邦議会が承認しなければ戦争を始めることはできないと定められていた。ところが核戦争の性質上、複雑な承認プロセスを経ることは現実的ではなかった。戦争が破滅的な状況になるにつれ、議会はますます軽視された。連邦政府は三つの部門（司法、立法、行政）で構成されているが、いつしか大統領は三分の一以上の役割を担うようになった。

この変化によって、第二次世界大戦後に常設の諜報機関が設置されることになった。諜報機関の仕事は、たんに情報を収集・分析するだけではなかった。大統領指揮のもと、秘密工作を行なうという任務もあった。大統領自身にも、非常に強力な役割が与えられた。冷戦のさなかの一九七〇年ごろまでアメリカでは、徴兵制にもとづく大規模な軍隊が展開されていた。まさに、アメリカ史上はじめての状況だった。ドワイト・アイゼンハワーがその脅威について告発した軍産複合体（兵器産業と国の軍隊が癒着した相互依存体制）の産業的な側面もみるみる巨大化し、事実上、すべての動きが連邦政府の管理下に置かれた。朝鮮半島での緊張が高まっていた一九五〇年、ハリー・トルーマンは連邦議会の承認なしに戦争を始めた。一九六二年のキューバ・ミサイル危機への対応も、一九九八年のコソボ介入も、大統領の独断的な決定によって進められた。戦争を承認するという連邦議会の役割はないがしろにされ、ときには省略されることもあった。

一九四一年一二月七日から一九九一年一二月三一日までのほぼぴったり五〇年のあいだずっと、アメリカ合衆国は戦争状態、または戦争に近い状態に置かれていた。およそ一四年は、実際の戦争のために費やされた（第二次世界大戦、朝鮮戦争、ベトナム戦争）。残りの三六年は、ソ連との核戦争に備えた一触即発の警戒のために費やされた。絶え間ない対立・警戒状態にさらされた人間は、ストレスが発するアドレナリンの影響をおおいに受けることになる。とめどない不安感に包まれていたアメリカでは、秘密主義を求める声が高まっていった。人々は、巨大な軍事・防衛産業機構を管理するための大規模な機関を創設することを望み、日常生活の一部として兵役を制度化することを求めた。しかしアドレナリンは、人間に刺激だけでなく疲労も与える。

この期間にアメリカは、大規模な諜報・治安組織、巨大な常備軍、さらに両者を支える大きな産業システムを築き上げた。その頂点に立つ大統領は、建国者たちの想像を超えるほど大きな権力を持つようになった。アメリカ社会における連邦政府の存在感は、第二次世界大戦中よりは小さいものの、戦前よりも大きくなった。私としては、それが悪いとか不運だったと議論したいわけではない。第二次世界大戦の性質について考えると、この展開は避けられないものだった。冷戦の性質について考えると、第二次世界大戦式のモデルをなんらかの形で維持しなければいけなかった。アメリカは戦争にいつでも突入できる準備を進めておく必要があったが、それがふたつの点において大統領に並外れた力を与えた。まず大統領は事実上、以前にはなかった〝権限〟を持つようになった。つぎに大統領は、以前にはなかった〝資源〟を自由に使えるようになった。

すると合衆国は、世界のさまざまな地域に影響を及ぼすようになった。結果として、米国と同盟を組みたいという願望と敵意の両方を生みだした。しかしアメリカには、帝国を築く意図もなければ、世界を支配する計画もなかった。それどころかアメリカがもっとも重要視したのは、必要以上の関与を避けることだった。関与する場合にも、搾取のシステムを確立するのではなく、アメリカ的価値観を広めることに重点を置こうとした。

## 帝国を築く動機

アメリカには、経済や貿易のために帝国を築くべき理由がほとんどない。アメリカの国内総生産（ＧＤＰ）のうち、海外への輸出が占める割合はわずか一三パーセント。一方、ドイツはＧＤＰの五〇パーセント近く、中国は二〇パーセント以上を輸出に頼っている。同時に、合衆国は世界最大の輸入国だが、輸入の対ＧＤＰ比率は一五パーセントにすぎない。つまり、外国との貿易は合衆国にとって有益ではあるものの、貿易を維持するために帝国の立場を死守する価値はないということだ。大量の輸入はかならずしも必要ではなく、輸出量が変動してもさほど大きな影響は受けない。事実としてアメリカは、固定的な貿易協定を結ぶことよりも、それらの協定からの離脱や再交渉を望む傾向がある。カナダとメキシコとの北米自由貿易協定（ＮＡＦＴＡ）や中国との貿易交渉がその好例だ。

つまり、帝国を築く経済的な動機は存在しない。しかし意図的ではないにしろ、アメリカ経済は非常に大きく動的なため、世界のほかの国々に絶えず影響を与えている。アメリカの消費者製品において技術的な進化が起きると、世界じゅうの生産者が工場の設備を入れ替えなければいけなくなる。アメリカ人の食生活の変化は、広範囲に計り知れない影響をもたらす。たとえば今後の流れによっては、サトウキビやトウモロコシ農家の多くが栽培を取りやめ、キヌア栽培に鞍替えしたほうが儲かると考えるようになるかもしれない。

その意味において合衆国はつねに世界に影響を与え、苛つかせている。さらに、その文化によっても世界に影響を与え、苛つかせている。アメリカ文化は破壊的で図々しく、前例や伝統を重んじようとしない。にもかかわらず、その文化は多くの人を魅了する。よって、国内を含む世界じゅうの伝統主義者たちはアメリカ文化を嫌う。世界のほとんどの伝統は宗教と家族を中心に築かれているが、米国の文化はその両方をぶち壊そうとする。イスラム世界だけでなくほかの多くの場所でも、アメリカ文化は伝統や家族、ひいては社会全体を弱体化させるものだととらえられている。

合衆国はそのような事態を認識しながらも、ある意味で称賛さえしている。独裁政治の抑圧のもとで暮らす世界じゅうの多くの若者たちが、iPhoneでアメリカのラップ音楽を聴いていると合衆国は知っている。アメリカが予測するのは、自由な民主主義が独裁政治に取って代わるという未来だ。テクノロジーと音楽の普及は文化を破壊し、それと同時にさまざまなアメリカ的価値観が浸透していく――。実際のところ、そんなことはめったに実現しないとしても、世界がアメリカ的価値観を変換して受け容れることが望ましいという信念が米国にいまだ強く残っていることは明らかだろう。合衆国がたびたび批判されるのはなんら驚くことではない。同時に、さまざまな国の市民に「自国を離れるとしたらどの国に住みたいか?」と尋ねる世論調査ではつねに「アメリカ合衆国」という答えが圧倒的に多いこともまた、なんら驚きではない。

帝国は嫌われ、憎まれる。一方で称賛され、羨望の的になる。帝国は世界の文化を定義する。その意味でいえば、アメリカ合衆国が帝国であることはまちがいない。企業や政府組織では英語が国際語となり、世界じゅうの専門家が英語を話すのは当然のことのようになった。私自身、会議の席でアメリカが厳しく非難されるのをたびたび目の当たりにしてきたが、そのときに外国の専門家や政治家が話していたのは英語だった。英語を国際語として使うことの道を切り拓いたのはイギリスだったが、アメリカはそれをさらにさきに推し進めた。アメリカの世界的な権力が正式な構造を持たずに保たれているという事実は、歴史上の多くの帝国よりも合衆国が強力であることを示している。アメリカという帝国はグローバルなだけでなく、ある意味で無計画だ。明確な計画や体系的な意図さえも持たずに、アメリカは無計画に力を手に入れ、無計画に力を使って世界をコントロールする。

やがて、アメリカ合衆国は矛盾の時代へと突入した。第二次世界大戦と冷戦のあいだに作られた基礎的な制度は、いくらか縮小されたものの、いまでも残ったままだ。軍は大規模な常備軍を維持しつづけ、諜報機関や国家安全保障会議（ＮＳＣ）も活動を続けている。核ミサイル発射コードは、いまも大統領の影を追いつづけている。コロラドスプリングスにあるシャイアン・マウンテン空軍基地では、二四時間体制での空の監視が続けられている。職員たちはつねに〝何か〟を探しているが、それが具体的になんなのかは定かではない。政府はこの空軍基地をいつでも閉鎖できたが、そうしなかった。延々と攻撃を監視することは、アメリカの制度の一部になった。

核となる問題は避けられないものだった。冷戦の終結を予期していなかった合衆国は、そのための計画も立てていなかった。非常に強い立場に長いあいだ置かれ、どう対処するべきかもわからなかった。一九八〇年代であれば、大きな問題はなかったかもしれない。しかし、冷戦が終わった一九九二年の状況はまったくちがった。制度が変わらないまま、ひたすら同じ生活が続くと想像するほうがずっと楽だった。アメリカという国、その経済モデル、軍事力、テクノロジー、文化を世界がこのままもろ手を挙げて歓迎してくれるはずだと空想にふけっているほうがずっと楽だった。

たしかに、そのような将来が訪れる兆候があった。ソ連が崩壊へと突き進むさなか、サダム・フセインはクウェートに侵攻し、サウジアラビアの油田を攻撃する構えをみせた。アメリカはサウジアラビアを守るために軍隊を投入し、つぎに驚くべき行動に出た。合衆国は、三九カ国からなる多国籍軍を結成した。うち二八カ国が軍隊を送り込んで湾岸戦争を始め、イラクをクウェートから撤退させた。あたかも、国際連合や国際連盟による行動であるかのようだった。合衆国はほぼ一夜にして多国籍軍を築き上げた。アメリカは世界のリーダーとして行動し、実際にリーダーになった。

## 同時多発テロ後の世界

二〇〇一年九月一一日、その幻想は崩れ去った。アメリカ政府はまったく気づいていなかったものの、9・11同時多発テロのきっかけを作ったのは、湾岸戦争のときのアメリカによるサウジアラビア駐留だった。イスラム原理主義者たちは、聖地であるメッカとメディナがある国にアメリカ軍がとどまることを冒瀆とみなした。湾岸戦争の始まりを告げた砂漠の嵐作戦は、ジハーディストたちのアメリカへの怒りを掻き立てた〝力〟のひとつだった。時代は世界平和へと進むのではなく、また戦争へと押し戻されてしまった。

心理的には、9・11は真珠湾攻撃に似たものだった。ほとんどのアメリカ人が聞いたこともない勢力によって計画され、攻撃はだしぬけに行なわれ、『真昼の決闘』のような恐怖をよみがえらせた。アメリカがとった対応は、攻撃が計画されたアフガニスタンに複数の師団からなる部隊を送り込むというものだった。その後、複数の師団がイラクに侵攻し、ほかの国々でも小規模な攻撃が行なわれた。言い換えれば、ベトナムで教訓を学んだはずのアメリカが、また標準的な軍隊を送り込んでゲリラ戦を闘ったのだ。

帝国を維持するためには、武力の使用を最小限にとどめる必要がある。なぜなら、自国の軍事力に頼るという初期対応をとりつづけると、世界的な帝国は絶えず戦争状態に置かれてしまう可能性が高いからだ。帝国がとるべき戦略は、外交をとおして解決を目指すか、自国ではなく他国の軍事力を利用することだ。自国以外の軍隊を配し、彼らに政治的または経済的な動機を与えておけば、少なくとも帝国軍を巻き込まずに問題を抑え込むことができる。イギリスはこの手法を使い、小規模の英国軍だけでインドを支配した。一世紀にわたる植民地支配のあいだ、イギリスは大々的な軍事力をほとんど使わなかった。アメリカにたいして軍事力を行使したとき、イギリスは見事に失敗した。のちに南アフリカでのボーア戦争で軍事力を行使したときには、ひどい苦戦を強いられた。しかし多くの場合、イギリスは軍隊を最後の手段として温存した。が、そもそも軍隊を使うような事態にはほとんどならなかった。イギリスは、地元の軍隊を使って帝国を維持した。地元の軍隊には彼らなりの思惑があり、みずから進んで英国の利益のために闘った。

アメリカは、敵対的な攻撃を受けることをつねに予想しておく必要がある。アメリカの力は憎しみを生みだすばかりであり、同情や感謝を受けることを期待してはいけない。世界的な大国に同情や感謝など与えられない。第一次世界大戦後のように合衆国が愛されるという期待は、未熟な国が抱く期待でしかない。いまだ世界からの称賛を望む人々は、もはや後戻り不可能になったアメリカの現在の立場を理解することができていないだけだ。

アルカイダのような組織に対処するために自国の軍事力を使うというアメリカの傾向は、じつに不合理なものだといっていい。アルカイダと戦争を始めることが不合理なわけではない。世界の特定の地域だけに集中して一八年ものあいだ戦争を続け、アメリカにとって同じくらい（あるいは、もっと）重要なほかの地域を無視することが不合理なのだ。

帝国にとって、長く続く戦争は大きな脅威になる。世界じゅうで利害関係は複雑に絡み合い、争いはいつもどこかで起きている。主たる対応策として戦争を選ぶ場合、帝国はつねに戦争状態に置かれることになる。そして、つねに戦争状態にある場合、帝国の忙しさの隙をつこうとする人間がかならず出てくるものだ。さらに重要なことに、帝国が市民に恩恵を与えず、戦争によって国民を疲弊させ、人々の生活を混乱させつづければ、帝国にたいする政治的な支持はすぐさま消えてなくなる。ローマ帝国や大英帝国が長く続いたのは、直接的な武力行使を最小限に抑え、ほかの手段で帝国を運営できたからだった。

問題は、真珠湾攻撃後のアメリカは感情的にも制度的にも、大規模な兵力をとおして攻撃に対応するよう設定されているという点だ（どんなに不適切でも、あるいはどんなに準備不足でもその方針は変わらない）。それどころか、広範囲に注意を分散させるのではなく、特定の脅威への対応に集中するよう組織が編成されている。第二次世界大戦では、その脅威とはドイツと日本だった。冷戦時代はソ連と中国だった。どちらのケースにおいてもアメリカは、主要な脅威というレンズをとおして残りの世界を見た。そのため、たとえアフリカで問題が起きたとしても、ソ連が関与していなければ合衆国は反応しなかった。しかしソ連が関与していれば、合衆国は取り憑かれたように対応した。ここでアメリカはきまって不必要に道徳的原則を破り、自国にとって重要でもない不快な相手と手を組んだ。とにもかくにも、ひとつの敵に全神経を集中させることが大切だと考えられた。戦略的であれ道徳的であれ、ほかのあらゆる要素は二の次になってしまった。

イスラム世界との戦争は、合衆国が帝国としてはじめて挑んだ戦争だった。が、その闘いぶりは帝国然としたものではなく、むしろたんなる大国の闘い方だった。執拗なほど一点に焦点を合わせ、おもに自国の軍隊を使い、世界的な利害関係を無視し、次善の代替案を見つけるという繊細さを持ち合わせていなかった。アメリカはいまだ、第二次世界大戦や冷戦に対処した国から、自覚のある帝国へと移行していなかった。限られた利害関係を重視する大国から、史上最大の帝国への移行を果たしてはいなかった。

アメリカ合衆国は、戦闘を回避するための制度的な方法を知らない。軍の能力を超える問題を解決するために、あまりにも頻繁に軍事力が使われてしまっている。政府の意思決定の構造は複雑で、範囲が広く、それ自体に矛盾をはらんでいる。スリム化は進められてきたものの、それは日常的な決定のためではなく、おもに危機対応のためだった。したがって、対処すべきことはなんでも「危機レベル」にまで引き上げられる必要があり、さもなければシステムは止まってしまう。危機レベル以下のところで効率的な意思決定が行なわれることはまれだ。しかし帝国にとって、すべての挑戦が戦争を意味するわけではないし、危機レベル以下のすべての問題が効率的な意思決定を妨げるわけでもない。

この一連の流れが連邦政府にもたらす圧力は甚大であり、現時点で生じている問題に一定の影響が及ぶことは避けられない。さらに二〇二〇年代のあいだ、圧力はますます強まっていく。いま、予算とスタッフ管理の全体的な在り方が、アメリカが本来は望まない〝帝国型管理〟へと移行しつつある。その圧力は政府の効率を低下させ、社会的・経済的な力学に影響を与える。戦争に費やされた二〇年近い期間にくわえ、その対処を担わされつづけた連邦政府の時代遅れの形態が、二〇二〇年代から三〇年代に私たちが直面することになるサイクル危機の要因を作りだしてしまった。それは驚くべき展開ではないだろう。

# 第6章　制度的サイクルと戦争

アメリカ合衆国は戦闘のなかから生まれ、その制度は戦争によって築き上げられてきた。アメリカはおよそ八〇年ごとに、政治制度の仕組みを変える。憲法の大きな枠組みは保たれるものの、連邦と州の制度の相互関係は変わり、それぞれの機能自体も変わる。これまで、そのような変化が三度起きた。変化が必要とされたのは、既存の取り決めがもはや機能しなくなったからだった。戦争が引き起こす極端な状況がきっかけとなり、制度的な構造の弱点があらわになり、古いものに代わる新しい制度的システムが必要になった。このあと説明するように、新しい制度的システムへの移行のタイミングがいま近づきつつある。新たな現実に対処できなくなった古いシステムが引き起こすその変化は、唯一無二の世界大国となったアメリカ合衆国の立場がもたらす対立や不確実性によって形作られる。

これまでの三つのサイクルは、それぞれが特徴的なものだった。独立戦争とその余波のなかから誕生した第一のサイクルは、憲法が制定された一七八七年に始まった。この最初の制度的サイクルは、一八六五年の南北戦争の終結と憲法修正まで七八年にわたって続いた。このサイクルのなかで連邦政府が作られたが、政府と州との関係は不安定なままだった。第二の制度的サイクルは、南北戦争が終わった一八六五年に始まり、州にたいする連邦政府の権限を確立したのち、第二次世界大戦終結まで続いた。第三の制度的サイクルは第二次世界大戦が終わる一九四五年に始まり、州のみならず経済・社会全体にたいする連邦政府の権限を劇的に拡大していった。

このパターンが同じように続けば、次の制度的サイクルは二〇二五年ごろから始まる。来たるべき第四のサイクルは、連邦政府による政府自体への関係を再定義することになる。次のサイクルが具体的にどのようなものか——実際にどんなことが起こり、次の八〇年をどう定義するのか——を理解するためには、過去のサイクルについて把握し、アメリカの発明と再発明がこの枠組みのなかでどう機能してきたのかを学ぶ必要がある。

じつのところ八〇年というのは、国家の歴史にとっては非常に短い期間にすぎない。ほかの多くの国々の変化はもっと遅く、はるかに不規則かつ予測不可能なものだった。すでに説明してきたとおり、合衆国は他国とは異なる。その差の核となるのが、アメリカが人の手によって発明された国であるという事実だ。テクノロジーから社会に至るまで、発明はアメリカ文化のあらゆる部分に埋め込まれている。ロシアやベトナムといったほかの国は発明されたわけではなかった。もしくは発明されていたとしてもずっと以前のことであり、アメリカとは異なる核が築かれた。従来の運営方式が機能不全の状況に達すると、これらの国はもがき、麻痺し、あるいは大混乱に陥り、国の核となる部分の柔軟性が失われる。一方のアメリカは、異なる方法で変化を代謝させてきた。全国の各都市では、数十年のあいだに巨大な建物が建設され、取り壊されてきた。アメリカでは、伝統ではなく発明のほうが重要視された。アメリカ独立戦争から南北戦争までの期間、南北戦争から第二次世界大戦までの期間がどちらもおよそ八〇年だったのは、たんなる偶然の一致かもしれない。だとしても、この数字に嘘偽りはなく、ただの偶然にしてはあまりに奇妙だ。そのような周期になった理由のひとつは、アメリカ社会の発展のために設定された〝スピード〟にあった。もうひとつの理由は、連邦政府が戦争と密接に関係していたという事実に隠れていた。

憲法上、連邦政府の主たる機能は国家の安全保障を守ることだと定められている。アメリカの大統領は、軍の最高司令官でもある。建国当初から、権限の多くは州に与えられていた。連邦政府に残されたのは、外国との戦争を闘う権限だった。戦争を始める政治勢力と戦争の闘い方が時代とともに変わったため、連邦政府の制度にも変化が必要になった。さまざまな要因が国の制度に影響を与えて発展を推し進めてきたが、その中心にはいつも戦争があった。

ここ数世紀のあいだに戦争に費やされた期間について比較してみよう。第一次世界大戦、第二次世界大戦、ベトナム戦争などの大戦争が起きた二〇世紀のあいだ、アメリカは一七年分の時間を戦争のために費やしてきた。一九世紀に眼を向けると、その割合はもっと高くなる。米英戦争、米墨戦争、南北戦争、米西戦争などのむかしながらの戦争のために、一〇〇年のうち二一年分の時間が費やされた。インディアン諸国との争いを含めると、一〇〇パーセント近い期間にわたって戦争が起きていたことになる。さらに現時点まで二一世紀のほぼ全期間、アメリカは戦争状態にある。すべての戦争が同じわけではない。南北戦争と第二次世界大戦は、国家にたいして異なる圧力を生みだした。アメリカの新たな世界的役割やテロリズムと密接に結びついた中東での長い戦争もまた、これまでとは異なる圧力を国に与えている。

すべての戦争は国家の制度にたいする圧力を生みだすが、制度自体を壊してしまうこともある。

なぜなら南北戦争のように、ある制度と別の制度の関係そのものについて争われる戦争もあるからだ。あるいは第二次世界大戦のように、国家の制度を変えなければ戦争を闘うことができず、その変化によって制度が壊される場合もある。そう考えれば、アメリカがたびたび戦争状態に陥るのも驚きではない。そもそもこの国の誕生自体が、大英帝国やヨーロッパの制度全般に挑戦するものだった。さらに、北米のインディアン諸国とヨーロッパ植民地に立ち向かう挑戦でもあった。すべての戦争が制度を変えたわけではない。が、社会的・経済的な圧力が戦争の圧力と衝突したとき、それは制度の失敗へとつながる。そして最終的に、国の機能の再発明が必要になる。

しかし、さらに重要な国際的な流れもあった。それは戦争ではなく、アメリカ人であることの意味が再定義され、世界的な影響力を維持するのが慣例化されたことだった。アメリカの力が意味するのは、世界じゅうの問題に絶えず深く関与することであり、その関与のどれもが戦争に発展する危険性がある。唯一の世界大国たるアメリカの力は、世界じゅうに遍在しなければいけない。アメリカが望むからではなく、現実問題として、たんに米国の経済と軍事の規模がそのような状態を作りだしているのだ。この流れによってアメリカは、世界のほとんどの国とつねにかかわりを持ち、一部の国と対立することを余儀なくされる。冷戦時代の合衆国は、ソ連が潜在的な敵であることを知っていた。近年になって潜在的な敵が増えているのは、アメリカの行動のせいではなく、「アメリカが何者なのか」のせいだといっていい。

この流れは外交政策だけでなく、アメリカの制度的な構造も変える。世界全体が潜在的な敵になりうるとすれば、絶え間ない管理が必須となる。くわえてアメリカの制度だけでなく、アメリカ人であることの意味にたいする国民の認識にも調整が必要になる。これはどちらも、長期にわたるむずかしいプロセスだ。しかし、過去のサイクルでも起きたとおり、「戦争」と「戦争の絶え間ない圧力」はかならずや制度的な変化へとつながる。いま起きるべきなのは、アメリカと世界の国々の関係において抑制的で成熟した行動パターンが生みだされることだ。

すでに述べたとおり、現在の制度的サイクルの終わりと第四サイクルの始まりが近づきつつあると私は信じている。より理解を深めるために、第二サイクルが終わって現在の第三サイクルが生じた背景について細かく見てみよう。

## 第二の制度的サイクルの崩壊

一八六五年に終わった南北戦争のあと、州を統括するための最終的な権限を連邦政府が持つという仕組みができあがった。それは限られた権限ではあったものの、分割できないひとつの共和国を築き上げるためには充分な権限だった。しかし生まれたのは、広大な土地にまたがる多様性に富んだ共和国だった。たとえば、南西部のニューメキシコ州と北東部のメイン州はまったく異なる場所だった。連邦政府が使えるリソースは限られており、両州を直接的に統治することなどできるはずはなかった。連邦政府の権限は、憲法を施行し、その枠組みのなかで州の統治権を地方自治の範囲に抑え込む能力に集約されていた。独立宣言後の一七八一年に各植民地と結ばれた連合規約、一七八八年に発行された憲法のあいまいな定義などをとおして、新しい制度的サイクルが生みだされ、分割できないひとつの国が存在するようになった。しかし長いあいだ、連邦政府は個人の私生活には関与しなかった。さらに、企業活動をはじめとする私有財産の機構にも概して関与しなかった。一八六五年に始まった第二のサイクルが進むにつれて、制度を支える壁は崩れはじめたが、最終的にふたつの理由で制度は瓦解した。

まず、一九二九年に起きた世界大恐慌によって、第二サイクルの制度的枠組みを脅かすプロセスが始まった。世界大恐慌は社会に深刻な問題をもたらした。政府がうまく対処できなければ、世のなかに不安が広がることは言わずもがな、反乱が起きるおそれもあった。多くの人が絶望的な状況に追い込まれたが、絶望は制度にとって脅威となる。連邦政府がこの問題に対処するための唯一の方法は、既存の制度的枠組みを取っ払って経済に介入することだった。

一九三二年の選挙で大統領に当選したフランクリン・ルーズベルトは、この問題の解決を公約に掲げていたものの、具体的な政策は示さなかった。彼には、明確な考えも計画もないように見えた。深刻な状況のなかで身動きがとれなくなったルーズベルトは、政府と社会の関係を変えはじめた。世界大恐慌は経済的な失敗を生みだし、それが社会的・政治的な危機に変わった。工場に製品を製造する能力があったとしても、多くの労働者は失業したため、消費者は製品を買うことができなかった。結果として多くの工場が閉鎖され、負のスパイラルに陥った。それまでにも何度か恐慌は起きたものの、連邦政府はつねに一定の距離を保って対応してきた。しかし、この危機はふたつの点において過去の恐慌とは異なるものだった。

ひとつ目は、その規模の大きさと期間の長さ。一九三三年にルーズベルトが大統領に就任した時点で、大恐慌はすでに三年以上も続いており、終息の兆しも見えなかった。ふたつ目の問題は、社会がむかしよりずっと複雑になったことだ。小規模な農家所有者によって成り立つ農耕社会は、往々にして単純だ。景気の低迷によって社会は混乱するが、農家は食糧を生産し、その食糧でなんとか生活することができる。しかし、一九三〇年代の産業社会は都市に依存していた。膨大な数の労働者が生活し、多くの工場が集まる都市によってサプライチェーンが形成されていた。不景気は都市に大打撃を与える。たくさんの人が飢え死にするおそれさえあった。労働者を仕事に復帰させること、少なくとも彼らに安心を与えることは、政治的に避けられない急務となった。

連邦政府は問題に直面した。一八六五年から続く第二の制度的サイクルの信奉者たちは、政府が減税を行ない、経済や社会への関与を避けることによって世界大恐慌を解決できると主張した。この考え方は、第二サイクルの基礎となるものだった。しかし、そのような政策が長期的には機能したとしても、眼のまえの経済への圧力は増していくばかりだった。くわえて、たとえ政策そのものはうまく機能したとしても、政策のタイミングと政治的時計のタイミングがずれていた。労働者階級と工場の両方が強い圧力にさらされていることを踏まえると、自然な成り行きにただ任せるのは現実的な選択肢ではなかった。民主党のヒューイ・ロング上院議員が提唱した「富の共有運動」や共産主義といった過激な政治運動はそれほど注目されていなかったものの、時間がたつにつれて社会への痛みが増せば、そのような急進的な動きへの支持が広がってもおかしくはなかった。

経済的・政治的な懸念には解決策が必要であり、考えられる唯一の手段は社会と経済への介入だった。失業者の少なくとも一部に手当を給付する方法を模索したルーズベルトは、所得税の最高税率を七五パーセントに引き上げる法案を提出した。理論上、この施策はうまく機能するはずだった。問題は、アメリカの工場の生産が製品需要を上まわっていたことだった。税率の引き上げによって投資可能な収入が減ると、工場は生産能力を増やせなくなり、現金は消費へとまわるはずだった。しかし、そもそも工場に投資する人など皆無で、増えた税収が失業者の手に渡ることなどほとんどなかった。ルーズベルトが行なったこのニューディール政策は、世界大恐慌を終わらせることはできなかった。が、連邦政府が経済にたいして一定の責任を持ち、経済と社会に合法的に介入することができるという原則を築き上げた。

問題を解決し、世界大恐慌を終わらせ、最終的に第二サイクルの制度をぶち壊したのは戦争だった。第二次世界大戦におけるアメリカの戦略の肝となったのは工業生産だった。三〇〇万機の航空機、六〇〇〇隻の船舶、二〇万台の戦車を製造することができれば、戦争の勝利はまちがいなかった。合衆国は一二〇〇万人の男女を軍に動員したが、彼らには食事、衣服、寝泊まりする場所が必要だった。さまざまな軍需物資の製造が急務となり、有刺鉄線などの軍用品はもちろん、あらゆる種類の医療機器も必要になった。それらすべてを生みだすために、多くの企業が戦争のための努力を請け負うことになった。なかでも石油、鉄鋼、銅のような原材料は一般市民だけでなく、各地の工場に配給されなければならなかった。連邦政府は優先順位を決め、その優先順位にもとづいて原材料を割り当てた。

このような大量かつ速いペースでの工業生産が、失業問題を解決してくれた。さらに戦争は、公的な領域と私生活のあいだに立ちはだかる多くの障壁を取りのぞいた。女性とアフリカ系アメリカ人もそれまで禁じられた役割を担うことが許されるようになり、アメリカ人の私生活は大きく変わった。取りのぞかれた障壁のなかでももっとも大きかったのは、連邦政府と企業のあいだの壁だった。連邦政府からの業務請負によって企業は成長したものの、代わりに連邦政府によって厳しく管理されるようになった。

戦争を闘い抜き、経済を軍のニーズに合わせるのはじつに複雑な仕事だった。そのため必要になったのが、幅広く込み入った経済を動かすのに充分な規模の管理システムと、それを監督する政府だった。管理者の多くは、軍に属する将校たちだった。それら将校の多くは民間企業から採用され、プロセスのさまざまな側面を監督した。しかし同時に、連邦政府の規模も大きくなった。戦争のための必需品の生産に後押しされ、連邦政府と経済・社会との連携が急ピッチで進んだ。振り返ってみると、この期間は比較的うまく管理されていた。なぜなら、管理者たちは臨時に雇われているだけだと考え、柔軟な姿勢で解決策を次々と生みだしたからだ。

第二次世界大戦が終わると、連邦政府はまたもとの姿へと戻っていった。戦争時に必要な配給制などの制度は廃止され、軍隊の規模も小さくなった。政府からの請負委託が経済を支配する状況も終わった。ところが、政府による個人生活への関与はなくならず、当初は軍がその関与の大部分を担っていた。つまり戦時のシステムの一部は、平時の現実に変わった。その一例が、軍事的な必要性がテクノロジーを形作るという流れだった。科学者と企業が協力して新しい技術を生みだし、軍だけでなく消費者向け製品を生産するようになった。

世界大恐慌は、第二の制度的サイクルを時代遅れなものに変えた。既存の制度上のルールでは問題を解決できなかった。が、なんとしてでも解決する必要があった。第二次世界大戦はニューディール政策をもっとも極端な結論へと導き、連邦政府は経済と社会の両方と密接に絡み合うことになった。第二次世界大戦のあいだは経済と社会は国有化されたも同然であり、古いモデルは使われなくなった。そして新たな制度的サイクルの基盤が築かれ、戦後から八〇年にわたって維持されることになった。

連邦政府の権力に関してよりくわしく理解するために、第二次世界大戦のあいだの政府と科学の協力関係の変遷について見てみよう。この協力関係のなかでもとりわけ重要な例が、マンハッタン計画だった。科学者たちは大学での研究のなかで、核分裂の基本的な原理を発見した。戦争の勃発とともに彼らは、原子爆弾を製造できる見込みについて軍に知らせた。軍は科学者たちを集めて組織化し、爆弾を製造するために必要となるさまざまな産業能力や専門知識を持つ企業と結びつけた。マンハッタン計画は成功し、一般市民、軍、連邦政府のなかで科学者の地位が一気に上がった。この戦争のアメリカ勝利の土台を築いたのは、彼ら科学者たちだった。

第二次世界大戦のあいだにアメリカは数多くの計画を成功させたが、マンハッタン計画の成功はとくに国民から注目を浴びた。この驚愕すべき一大プロジェクトは、次のサイクルのモデルとなった。連邦政府による資金、組織力、強制力がなければ、マンハッタン計画が成功することなどありえなかった。これは超極秘計画であり、連邦政府はかかわった労働者を見張り、計画が進んでいることを市民から隠した。すべては必要なプロセスだったものの、それがアメリカの仕組みを変えた。連邦政府は社会に説明責任を負わないまま、産業に大きな影響を与えることができるようになった。極秘裏に開発されたテクノロジーが、人々の日常生活を変えたのだ。

こうして軍は、冷戦を闘うために必要なテクノロジーを手に入れた。科学者などの学者たちは、ほかの状況下ではできなかった研究を続ける機会を得た。企業は政府と契約を結び、一般の人々のためにテクノロジーを転用する機会を得た。しかし結局のところ、そのような科学技術の発展を推し進めたのは連邦政府だった。

過去のふたつの制度的サイクルでは、科学技術は大学や企業に属するものだと慣例的にみなされていた。トーマス・エジソンは企業による科学の利用を実現した先駆者であり、前述のとおり大きな成功を収めた。彼は熱心な平和主義者でもあり、軍が自身の発明品を使うことに反対した。エジソンの考え方は第二次世界大戦では通用しなかった。第二次世界大戦は、規模があまりに大きく予測不可能だった。戦争では、集中と予測可能性が不可欠だった。そのため連邦政府の各部門は、大学と大学所属の科学者、企業と企業所属の技術者を総動員し、政府が資金提供する企業のなかで働かせた。彼らはけっして平和主義者などではなかった。

ある意味で建国者たちは、連邦政府が科学に関与することを思い描いていた。一七八七年にトーマス・ジェファーソンによって起草され、アメリカの州の在り方を定義した北西部条例では、すべての新しい州で大学設立のための土地を確保することが義務づけられた。このような原則ははじめからあったものの、のちに予期せぬ形で進化を遂げることになった。ここまで説明してきたとおり、第二の制度的サイクルの終わりにかけて大学、連邦政府、民間企業は一体となり、個人の生活を一変させていった。

このようなモデルは現在も広く利用されている。たとえば、スマートフォンについて考えてみてほしい。携帯電話は、一九八五年に米陸軍ではじめて使われるようになった。その後、国家偵察局（NRO）が携帯電話にカメラを取りつけ、偵察衛星経由で画像を送信できるようにした。携帯電話のGPS機能は米空軍によってはじめに考案・実用化され、リチウムイオン電池はエネルギー省によって開発され、インターネットは国防総省・高等研究計画局によって生みだされた。スマートフォンに搭載されているのは数々の軍用ハードウェアであり、その多くは大学で研究され、企業によって武器や製品として開発された。連邦政府による発明品では特許を取得することができないため、アップルのような企業がその技術を使ってスマートフォンを開発した。科学、産業、連邦政府（とくに軍）がひとつにまとまり、アメリカ経済を前に推し進めた。システムが勝利するか失敗するかの鍵は、制度の再定義と連邦政府のあいだの関係のなかにひそんでいた。

このモデルが第二次世界大戦の勝利へとつながり、合衆国を世界の二大超大国のひとつへと押し上げた。さらに世界大恐慌を終息へと導き、長く続く劇的な成長を国にもたらした。第二次世界大戦のあいだに、連邦政府と市民の個人生活との関係は変わった。それが戦争の勝利の核となるものだった。なぜなら第二次世界大戦の勝敗は、産業基盤をうまく利用できるかどうかにかかっていたからだ。産業社会のさまざまな要素を、統合的に管理された〝全体〟に結びつけることが肝だった。事実上、連邦政府が経済を支配し、原材料を各所に割り当て、生産するべきものと生産するべきではないものを取り決め、その分配方法を定めた。

第二次世界大戦後のアメリカの制度や社会は、戦争が始まったころとは大きく異なっていた。終戦とともに第二の制度的サイクルが終わり、アメリカはみずからを再形成していった。

## 第三の制度的サイクル

ニューディール政策と第二次世界大戦の両方から、次のような考え方が生まれた――イデオロギーにとらわれない解決策を追い求める専門家によって運営される国家は、戦争のために行なったことを国家運営のためにも行なう。それこそが成功の秘訣だと政府は考えた。しかし当然の流れとして、その考え方が原則となり、原則は信念となり、信念はイデオロギーとなり、イデオロギーは新たな階級を生みだした。その階級に属するのは、国を統治する資格があると自負し、統治するのにふさわしいと一般的に認められた人々だった。

新たな階級の誕生は科学者に一定の力を与えるものだったが、この階級に含まれるのは政府の専門家だけではなかった。企業の専門家、大学の専門家、ジャーナリスト養成学校、ビジネススクール、ロースクールの卒業生らも同じ階級に属していた。以前は、ロースクールに通ったことがなくても、最高裁判所の判事になることができた。しかしいまでは、たんなる知識人ではなく、法律の専門家のなかから最高裁判事が選ばれるようになった。金融界もまた、専門家によって支配されていた。二〇世紀はじめに生まれたテクノクラシーという概念は、イデオロギーや政治に無関心な専門家の手に政府の運営は委ねられるべきであり、彼らの権力はみずからの知識から生まれるというものだった。テクノクラシーは富だけに関するものではなかった。大切なのは報酬ではなく、価値があるかどうかだった。したがってハイテク企業の億万長者も大学の助教授も、専門知識や価値については同じ確たる信念を持っていた。彼らがとりわけ重視したのは、知識や価値を証明する資格、つまり正しい学校の学位を有しているかどうかだった。このあと見ていくように、テクノクラシーは、アメリカ社会の現在および将来のサイクルにおいてきわめて重要な役割を果たしている。

テクノクラシーは社会工学に焦点を当て、市民の生活を向上させるために経済・社会制度の仕組みを再構築した。これは前例のないことではなかった。第一の制度的サイクルのあいだに生まれた西部領土の土地分配システムも、たしかに社会を再構築した。しかし、それはテクノクラシーの政策とは似て非なるものだった。テクノクラシーが目指したのは、経済や社会全体と相互的に作用する、しっかり組織化されたシステムを築き上げることだった。入植者に土地を与えることと、住宅を所有するための金融システムを作ることには大きな差があり、その差がアメリカという国の景色を変えた。

## 帰還兵と下位中産階級のための住宅ローン

第二次世界大戦から戻ってきた帰還兵たちは、特権階級者として社会に迎えられた。多くは既婚者で、自宅を所有することを望んでいたものの、頭金を払う余裕がなかった。そこで連邦政府が介入して融資を保証し、頭金なしの低金利住宅ローン制度が作られた。退役軍人たちに当然の報酬を与えることによって、経済は刺激された。一見すると単純な計画だったが、それまで貸し手と借り手のあいだの私的領域で管理されていた事柄に介入するという点においては前例のないものだった。しかし、この計画は新しいサイクルの原則に沿ったものであり、戦後の中産階級を形成するうえで非常に大きな効果があった。経過をたどってみると、どのように二〇〇八年の経済危機へとつながったのかもおのずと見えてくる。

住宅ローンを手にした退役軍人たちは、当然ながら家を建てようとしたが、家の建設のためには土地が必要だった。すでに人口が密集する都市部には適した空き地がなく、家を建てることはできなかった。また、労働者たちは都市部にある職場に毎日通勤しなければいけなかったので、都市から遠く離れた場所に家を建てるわけにもいかなかった。結果、都市を取り囲むように〝郊外〟が形成された。言うまでもなく郊外を建設するためには、都市と郊外および郊外同士を結ぶ道路が必要になった。さらに、住民たちのために生活必需品を売る店、車を停めるための駐車場も必要になった。新たな学校にくわえ、教会や病院といったさまざまなサービス施設の建設も急ピッチで進められた。

帰還兵に家を提供することを望んだ連邦政府は、アメリカ社会を根本から変えた。それが社会の改善につながったのかどうかは議論の余地があるとしても、実際に大きな変化が起きたということは否定できない。テクノクラシーの管理者であるテクノクラートたちは、退役軍人に家を与えるために綿密かつ見事な計画を立てた。ところが彼らの努力のさきにあったのは、意図せぬ結果だった。これこそ、テクノクラートの専門知識と社会工学につきものの特徴だった。プロジェクトが失敗に終わると、費やされたリソースは無駄になった。一方で成功したときには、映画『ファンタジア』の「魔法使いの弟子」に出てくるミッキーマウスの神業《かみわざ》のごとく、意図しないところであらゆる種類の力が解き放たれた。専門家が持つイデオロギーは、ある点を考慮に入れることを忘れていた。専門家の視野はあまりに狭かったため、専門家本人だけでなく周囲の人々も、自分たちがどれほど重要な扉を開くことになるのか事前に予測できなかった。

アメリカ社会のほかの現実的な問題に関する似たような計画とともに、郊外の成長はどんどん推し進められていった。退役軍人を対象とした「ＶＡローン」のアイデアは、ほかの低所得者向けの住宅ローンにも転用された。連邦住宅局が作った新たなローン制度によって、下位中産階級の多くの人々も家を購入できるようになった。このプログラムは大きな成功を収めた。ローンを取り扱う各銀行は、政府によって保証された住宅ローンを投資家に売却し、融資資金を増やすことができるようになった。結果として余剰資金が増え、建設業界、住宅購入者、銀行のあいだでウィンウィンの関係が生まれた。

この計画のために利用されたのが、連邦住宅抵当公庫〈ファニー・メイ〉だった。そもそも政府がこの組織を創設したのは、世界大恐慌のあいだに破綻した住宅ローンを管理し、銀行業界を安定させるためだった。ファニー・メイ（とのちに設立された兄弟組織〈フレディ・マック〉）は住宅ローン用の資金を維持するために、銀行から住宅ローンを買い上げた。各銀行は基本的に、住宅ローンを処理するだけで利益を得ることができた。住宅ローンは売却されたが、半官半民の複雑な組織であるファニー・メイとフレディ・マックが売却にともなうリスクを代わりに請け負った。ファニー・メイの本来の仕事は、問題のある住宅ローンに対処することだった。親組織である連邦住宅局は、通常であれば住宅ローンを受ける資格のない買い手に融資を保証し、その住宅ローンがファニー・メイに売却された。こうした政府主導の流れがあったため、不動産業者も、開発業者も、住宅購入者も、銀行も誰もが安心して取引を行なった。

一九五〇年代から一九七〇年代へと時代が移り変わり、さらに二〇〇八年になると、大きな問題が浮き彫りになった。完璧だったはずのアイデアが、別のすぐれたアイデアへと形を変え、住宅以外の分野へと飛びだし、最後には制御不能の混沌へと行き着いた。二〇〇八年になるまで、ファニー・メイやフレディ・マックの経営陣はもとより、住宅都市開発省の役人も含め、誰ひとり自分たちの制度が脆弱であることに気づいていなかった。きちんと調べれば問題が発覚しただろうが、そのためにはとてつもなく複雑なプロセスを経る必要があった。「政府による保証は無敵」という幻想が根強く残っており、質の高い管理システムが構築されることはなかった。これらの機関を作ったのは連邦政府だったが、選出議員は誰ひとり監督する能力を持ち合わせていなかった。この時点までに、問題はみるみる複雑になっていた。民間の金融機関も住宅ローンを購入し、その住宅ローンを組み込んだデリバティブ商品を売っていた。ところが、ローンの借り主

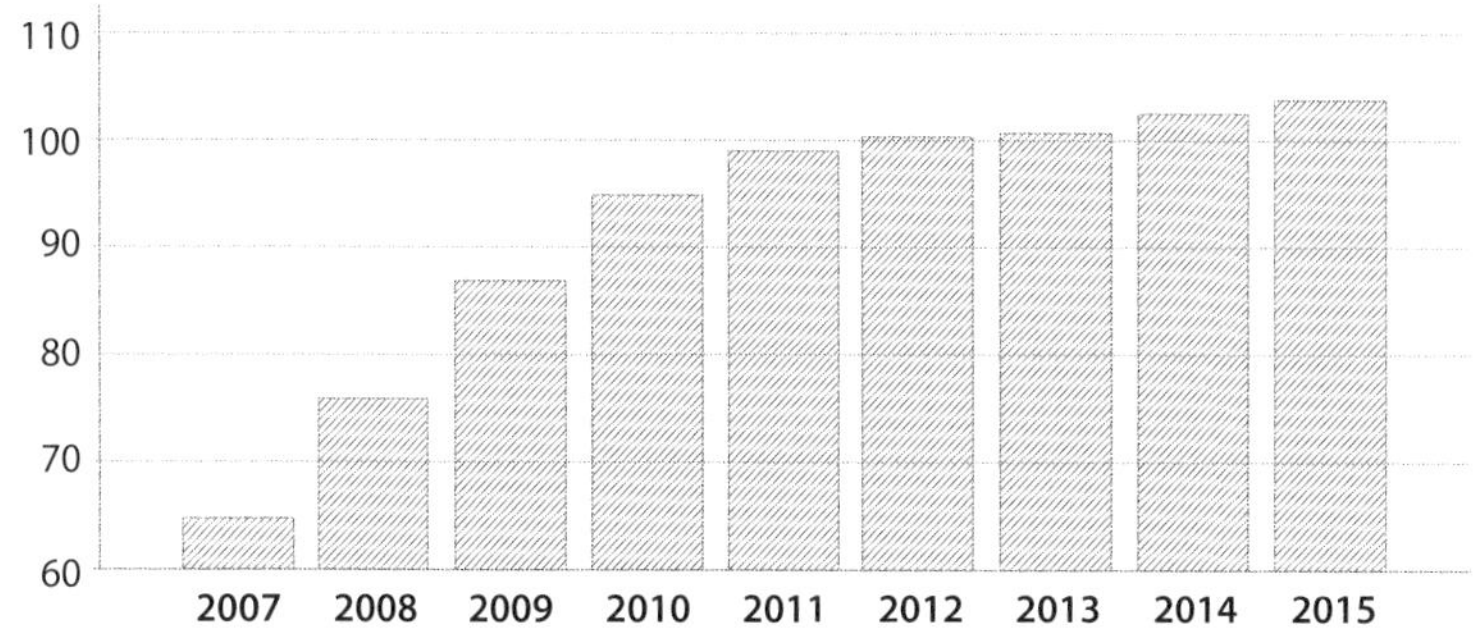


図 15　アメリカ合衆国の政府債務（対 GDP 比）

に実際に返済できる能力があるかどうかは誰も把握していなかった。

## アメリカの債務と資産

ここで検証するべきは、二〇〇八年に起きたサブプライム危機の細かな経緯ではない。強調したいのは、退役軍人を助けるためのしごくまっとうなプログラムからすべてが始まったという事実だ。つぎにそれは、企業を支援しながら下位中産階級層を助けるプログラムに変わった。その後、銀行が住宅ローンを転売できるようになると、数十年にわたって民間組織が住宅ローンを買いつづけ、貸し手は借り手の信用度にほとんど関心を払わなくなった。やがて、悲劇的な結末を迎えた。現在の状況を見てもわかるとおり、これらの悲劇を社会が乗り越えるためには十数年の時間が必要だった。

制度における問題は、政府が大きくなりすぎたという点ではなかった。実際のところ、人口増加に比例して政府が拡大したわけではなかった。一九四〇年から現在までに公務員の人数は二倍に増えたが、人口の増加率はは

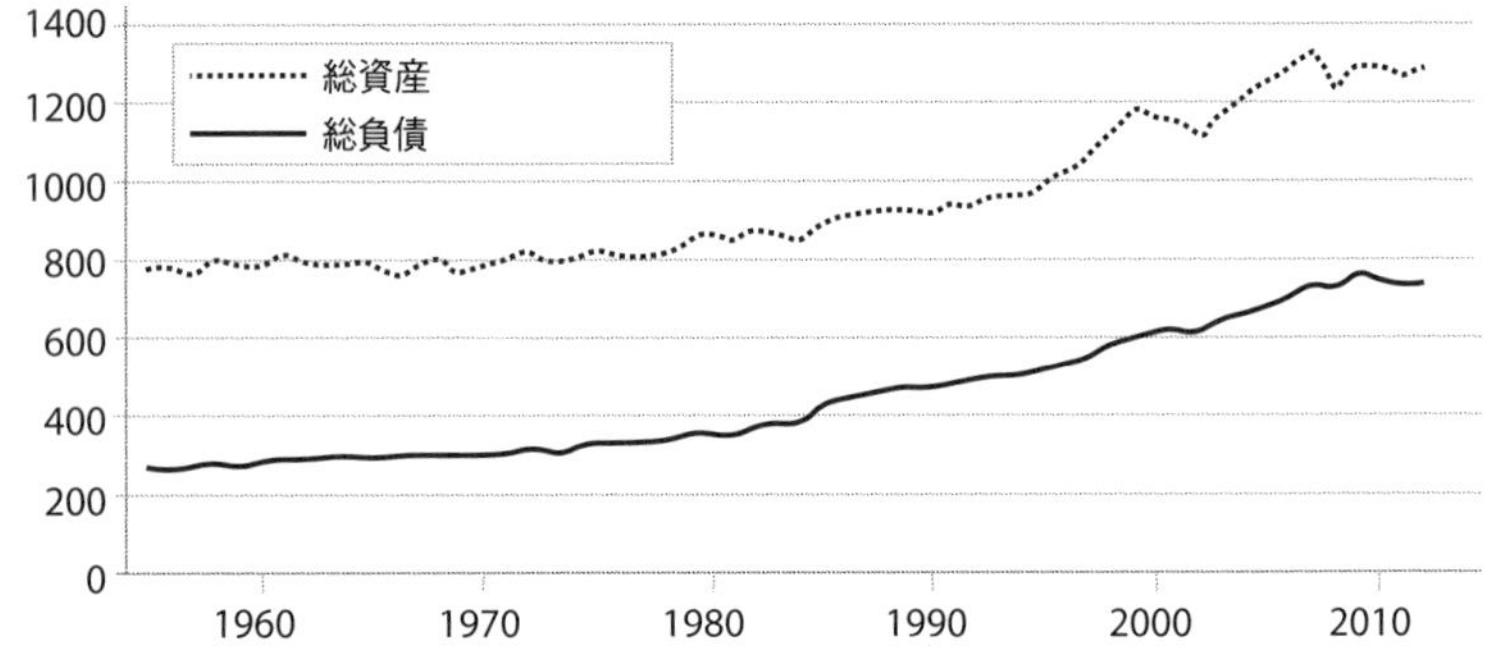


図16　アメリカ合衆国の総資産と総負債（対GDP比）

るかに二倍を超えている——一億三九〇〇万人から三億二〇〇〇万人。くわえて職員数がより増えたのは、連邦政府ではなく、地方および州政府のほうだ。この同じ期間、軍隊以外の政府職員の数にはそれほど大きな変化はなかった。連邦政府の職員数が最後に急増したのはレーガン政権時代だった。

　また、連邦政府の負債（と消費者の負債）の規模が将来的に経済にたいして深刻な影響を与えるという強い懸念もある。借金が返済できないレベルに達するという考えは、まったく的外れなものだとは言い切れない。この種の恐怖感は、一般市民があらゆる制度や機関の無責任さを恐れるようになった世界大恐慌の時期からずっと続いている。しかし実際のところ、第二次世界大戦後、さらに一九八〇年代以降も負債は増えつづけてきたものの、崩壊やハイパーインフレーションなどといった恐怖はまだ現実のものにはなっていない。多くの専門家は「いつかはかならず崩壊する」と訴えるが、図15と図16を見ると、これまで大惨事が起きなかった理由がよりはっきりとしてくる。

個人や企業の信用度を調べるときには、負債、年収（年間収益）、総資産の三つの要素が考慮される。しかし不思議なことに、国の信用度が評価されるときには、一年間の収入（ＧＤＰ）のみが負債総額と比較される。いわば、住宅ローン、自動車ローン、学生ローンなど個人的な借金の総額を、一年分の収入のみと比較するようなものだ。このような計算方法はどう考えても不合理だ。

たとえば、ある年の年収が五〇〇〇万ドルで、借金の総額が一億ドルある億万長者について考えてみよう。億万長者であるという事実を無視すれば、この人物はまちがいなく絶望的な財政状況にある。しかし全体の資産を考慮すれば、彼がとても裕福であることがわかってくる。図16を見ると、かなり控えめに計算したとしても、アメリカの資産が負債を大幅に上まわっていることは一目瞭然だ。つまり合衆国は億万長者のようなものであり、負債がその年の収入を上まわっているものの、資力の範囲内で充分に裕福な暮らしを送っているのだ。当然ながら、たとえＧＤＰと負債の比率がアメリカと同じだとしても、国によっては大きく異なる結果へとつながる。限られた資産しか持たない一部の国では、このレベルの負債でも窮地に立たされることがある。たとえば二〇〇八年にアイスランドでは、国の三大銀行であるグリトニル銀行、ランズバンキ銀行、カウプシング銀行が相次いで経営に行き詰まり、数年にわたって深刻な不況が続いた。

アメリカ連邦政府の問題は、債務やその規模ではない。長年言われつづけてきた経済破綻にまつわる不安がひとつも的中していない事実からも、それは明らかだろう。むしろ問題は、連邦政府による社会への関与のレベルが劇的に上がり、それが制度的な能力を上まわっていることのほうだ。だからこそ国の債務の増加は、一九八〇年代から多くの人々が予想していた結果へとはつながらなかった。アメリカの連邦政府の問題は財政的なものではなく、制度的なものなのだ。

## 制度の拡散

制度的な危機の根っこにはふたつの問題がある。ひとつ目の問題は、支配階級とテクノクラートが権力と富を積み上げ、自分たちの利益を守るために制度の形を変えはじめていること。ふたつ目の問題は、第二次世界大戦を勝利へと導き、戦後社会の基盤となってきた専門技術がいま、非効率性（つまり拡散）という問題に直面していることだ。

ここでいう〝拡散〟とは、複数の部門や機関のあいだで権限が分散されることを意味する。より身近なレベルでいえば、個々の専門家たちのあいだで知識が拡散・断片化されることを意味する。このような状況下では、眼のまえの出来事についての知識はひとつに統合されるのではなく、むしろ拡散される。じつのところこの拡散は、専門技術にひそむ問題と密接に結びついている。たしかに、専門技術は欠かせないものだ。しかし専門家は文字どおり、それぞれの分野における専門家でしかない。特定の専門性を持つ組織が築かれると、同じ問題を扱う組織同士のあいだに壁が生まれる。専門家たちは、問題をひとつの視点でとらえるのではなく、問題のさまざまな側面を多様な視点からとらえようとする。彼らが属する組織は、扱う問題の複雑さに応じた責任も負うことになる。これによってアメリカ連邦政府の内側で拡散が生じ、各組織にたいしてしばしば矛盾する指示が与えられる。第二次世界大戦中に始まった取り組み――戦争に勝つことに重点を置き、厳しく管理された取り組み――の多くが、いまでは理解可能な核を欠いた、ひどく拡散した取り組みへと変わってしまった。これは、連邦政府にかぎった問題ではない。規模の大きな組織はもちろん、すべての組織で起きうることであり、専門技術にはこのような欠陥がつきものである。しかし連邦政府で問題となるのは、その欠陥の大きさだ。

もうひとつの問題は、複数の連邦機関が同じ問題に対処するという〝もつれ〟だ。そのもつれを象徴するのが、さまざまな機関が予算と縄張りをめぐって争い合うという状況だ。合衆国行政会議（ＡＣＵＳ）は、連邦政府を構成する一一五の機関をリストアップし、次のように説明する。

政府機関の正式なリストはない……たとえば、司法省が運営するウェブサイトFOIA.govでは、すべての連邦政府機関に課された情報自由法の要件に準拠する団体として、七八の独立した執行機関と一七四の連邦行政部の構成組織がリストアップされている。これは、政府機関の定義を厳格に適用した場合の数字だと考えられる。『米国政府便覧』には、九六の独立した執行ユニットと二二〇の行政部の構成組織が列挙されている。USA.gov掲載のはるかに包括的なリストには、連邦政府の枠組みのなかに一三七の独立した執行機関と二六八の部門が挙げられている。

組織のなかにいくつも別の組織が組み込まれており、そのすべてを数えることなどできない。さまざまな機関同士のもつれは、社会との巨大なもつれによって構成されている。いまや公私の障壁は取り去られ、連邦政府がまったく関与していない個人生活の領域はほとんどないといっていい。医療、あらゆるレベルにおける教育、農業、交通機関、国際貿易の管理など、私的生活のほぼすべての重要な領域は、なんらかの形で連邦政府と結びついている。政府が規制当局としてかかわる場合もあれば、反対に主要な消費者としてかかわる場合もある。さらにほとんどの分野では、ひとつだけではなく複数の政府機関が関与している。このような機関同士のもつれが、連邦制度の決定的な特徴を形作っているのだ。

社会自体がより複雑になると、複雑化に対処するための連邦政府の規則もその流れに歩調を合わせようとする。つまり管理もより複雑になり、作られる規制は理解しにくくなり、権限の定義はあいまいになる。

第三のサイクルが成熟するにつれ、制度的な危機がみるみる高まっていった。過去のふたつのサイクルと同じように、すばらしいアイデアとして始まった制度は、社会の変化とともに摩耗していった。現在の状況の根っこにあるのは、一九四五年に構想された連邦政府と、今日の経済・社会とのあいだにある隠しようのない矛盾である。一九四五年の風景を埋め尽くしていたのは巨大企業と工業労働者であり、第二次世界大戦で生じた富の余剰分が社会問題の解決のために利用された。次章で論じるように、私たちはいま、その当時とはきわめて異なる社会的・経済的危機に向き合っている。

## 大統領の権限の拡大

第三の制度的サイクルのもうひとつの重要な側面は、連邦国家を構成する三権（司法権・立法権・行政権）のバランスが変化したことだ。おそらくもっとも顕著なのは、行政の長である大統領の権限が劇的に拡大したことだろう。正式な権限が増えたわけではないものの、システム全体における大統領の存在の重みが増した。部分的には、それは国内問題によって生じた傾向だった。

つまり、法律を作って運用するという過程において、法律の意味について大統領の解釈が許される幅が増した結果だった。三権のバランスが変化したもうひとつの要因は、外交政策における大統領の権限が変わったことだった。

核兵器と冷戦は新たに現実的な問題をもたらした。核戦争はすさまじい速さで展開するため、戦争を始めるかどうか大統領が議会に相談している暇《いとま》などない。核戦争が起きた場合、憲法によって定められた宣戦布告や議会の決議なしに、大統領はただちに最高司令官のマントを羽織る必要があった。大統領には、自分の判断で戦争を起こすという暗黙の決定権があった。実際に大統領は、ソ連の攻撃になんらかの措置を講じることもできたし、みずからの判断で戦争を始めることもできた。

その権限が、やがて通常の戦争にも適用されるようになった。第二次世界大戦以来、正式な宣戦布告とともに戦争が起きたことはなく、多くの戦争は議会の決議なしで始まった。一九五〇年に朝鮮戦争が始まったときも、議会の関与はなかった。戦争を始めたトルーマン大統領は、みずからの判断をこう正当化した――国連安全保障理事会が軍事行動をとると宣言しており、合衆国は国連の一員であるため、朝鮮半島で戦争を始めることに議会の承認は不要。朝鮮戦争は、規模の大小にかかわらず、議会の承認を得ずに始まったはじめての戦争だった。一九五五年に始まったベトナム戦争も同じだった。リンドン・ジョンソン大統領は、トンキン湾の攻撃を支持する議会の決議が戦争を承認するものだと主張した（実際のところ議会の承認は、複数の軍部隊が複数年にまたがって闘う戦争を想定したものではなかった）。結局、ジョンソンが始めたこの戦争によって五万人のアメリカ人の命が奪われることになった。一九六二年のキューバ・ミサイル危機のときにも、大統領とその顧問のみによって対応策が決まり、公式にも非公式にも議会の承認が得られることはなかった。

ここ一八年にわたって続くジハーディストとの戦争のあいだに、大統領の権限は極端なほど強化された。たとえば、米国市民の電話の通話記録や通信活動を政府が監視することに問題はない、と大統領は独自に判断を下した。この監視プログラムの大部分は極秘裏に行なわれており、議会にはまったく知らされていなかった。当時の大統領は最高司令官として、議会の承認なくみずからの意思で戦争を始め、米国民を監視する権利があると言い張った。こうして、三権の権限の均衡はますます崩れていった。

一九六〇年代には「大統領職が皇帝化した」とマスコミで揶揄されたが、問題はそれだけではなかった。大統領の権限が増したのは、現代の戦争の現実を反映した結果だった。核攻撃への対処を決めるために与えられるのは、数分の猶予だけだった。韓国は週末のあいだに攻撃を受けたため、戦争に突入する決断はその場でただちに下される必要があった。ジハーディストの工作員たちは、アメリカ国内で攻撃を計画していたので、市民にたいする監視はテロ阻止のための（非効率的だが）有効な手段のひとつだった。キューバ・ミサイル危機やその前後に起きた多くの危機について、議会で話し合ってなどいられなかった。軍事活動の効果を高めるためには、秘密裏に行動を進める必要があった。

結果として、権力の均衡はさらに変わっていった。諜報、防衛、外交組織全体にいる大統領補佐官や専門家たちは、意思決定プロセスにたいして議会よりもはるかに大きな影響力を与えることができた。国家安全保障会議（ＮＳＣ）のトップ、あるいは中央情報局（ＣＩＡ）の作戦担当副長官は、米国の行動と戦略について下院議長より大きな権限を持っていた。連邦議会の下院議長は、今後の動きについて知らされることはあっても、相談されることはめったになかった。優先されるべきは秘密を貫くことであり、大統領の指揮下にある組織は、秘密を守るための専門技術と規律の両方を持ち合わせていた。が、連邦議会はそれを持っていなかった。すると第三の制度的サイクルのあいだに、外交や安全保障政策において大統領にはどんどん大きな権限が与えられるようになった。しかしながら、これがかならずしも成功へとつながるわけではなかった。

現在の私たちが向き合っているのは、専門技術にもとづいて設立された制度がもはや機能していないという危機だ。連邦政府の機構はますます拡散し、複雑にもつれ合い、時宜を得た効率的な運営ができなくなった。大学はますます非効率的になり、授業料は跳ね上がり、学生ローンの貸出額も驚くべきレベルにまで膨れ上がった。大卒資格を得るためにかかるコストは、多くの人々にとってますます手の届かないものになりつつある。インターネットはみるみる無秩序になり、新聞社は優秀な記者を雇いつづけることができなくなった。グーグルやゴールドマン・サックスに属する高度な専門家やテクノクラートたちにとっては、〝蓄積された巨額の富〟こそが社会を形作る決定的な要素になった。そのような巨額の資金を効率的に再投資することはますますむずかしくなった。一方で、第二次世界大戦後にある程度まで緩和されたはずの貧富の差は、再び大きくなりつづけている。

高度な専門家による富の蓄積が、テクノクラシーの効率性の低下と組み合わさり、第三の制度的サイクルの危機へとつながった。しかし危機はまだ初期段階にあるため、危険性をいくらか認識している人々がいるとしても、まだその流れを変えることはできない。トランプ大統領は「どぶ池の水を抜く」という比喩を使ってテクノクラシーを攻撃することを公約に掲げて就任したものの、それを推し進めるための明確な方針も、着手するための政治基盤も持ち合わせていなかった。国はまだ真んなかでふたつに分断されたままであり、テクノクラートたちは首尾よく自分たちの組織を守りつづけている。

いま、第三の制度的サイクルの危機は初期段階にある。その危機の原因を作っているのが、世界におけるアメリカの居心地の悪い新しい立場と、ジハーディストとの長期にわたる戦争だ。アメリカは世界の状況に対応するための新たな枠組みを模索しているが、第三の制度的サイクルの枠組みのなかでそれを実現するのは容易ではない。このサイクルのなかで、連邦政府は国外と国内の両方の問題に対処しつづけてきた。それは管理という名のもとで絶えずもつれ合っている状態であり、この状況を今後も同じように保つことはできない。私たちはここで、もうひとつのサイクルである社会経済的サイクルに眼を向ける必要がある。社会経済的サイクルは、制度的サイクルと同じようにアメリカに大きな影響を与えている。そして近い将来に両方のサイクルがほぼ同時期に終わることによって、混乱はより深刻なものになる。

# 第7章　社会経済的サイクル

アメリカの社会と経済には一定のリズムがあり、およそ五〇年ごとに大きな不安と痛みをともなう危機を経験する。その時期のアメリカは、破綻しつつある経済とともに社会までもが崩壊するかのような雰囲気に包まれる。五〇年にわたって機能してきた政策が機能しなくなり、代わりに大きな害をもたらすようになる。政治的・文化的な危機が生じ、それまで常識とみなされていたものがくつがえされる。政治エリートたちは、以前と同じ方法で解決できない問題などないと主張する。しかし、国民の多くはひどい苦しみのなかにおり、エリートの言葉を信じることができない。かくして古い政治エリートとその世界観は切り捨てられ、新しい価値観、新しい政策、新しい指導者が現われる。新しい政治文化は、古い政治エリートから軽蔑的な扱いを受ける。そんなエリートたちは、一般市民が我に返ったときにまた権力の座に戻ろうと陰でたくらみつづける。しかし根本にある経済的問題を解決できるのは、過激で新しいアプローチだけだ。時間とともに問題は解決され、新しい常識が生まれる。そして次の経済・社会的な危機と次のサイクルの出番が来るまで、アメリカの繁栄は続く。

最後に社会経済的サイクルが移り変わってから、ほぼ四〇年が経過した。一九八一年、ジミー・カーターに代わって大統領に就任したロナルド・レーガンは、ハーバート・フーバーのあとにルーズベルトが大統領になってから五〇年にわたってアメリカを支配してきた経済政策、政治エリート、常識を入れ替えた。建国時から続いてきたサイクルのパターンが繰り返されるとすれば、アメリカは二〇三〇年ごろに次の社会経済的な変化を迎えることになる。しかし移行のずっとまえから、古い時代が廃れていく兆候は現われはじめる。サイクル移行の一〇年以上前から政治が不安定になり、経済問題や社会分裂が深刻化していく。危機がますます深まっていくと、無能な大統領とみなされる人物とともにサイクルが終わる。つぎに新しい大統領が誕生するが、その人物は新しいサイクルをみずから作りだすのではなく、むしろサイクルの移り変わりを後押しする。それから一〇年ほどのあいだに合衆国はその形を変え、新しい時代へと突入する。

忘れてはいけないのは、政治的な争いや騒動は、根深い社会的・経済的混乱の外側を包む要素にすぎないという点だ。政治はシステムを動かす原動力ではない。システムが政治を動かしているのだ。ルーズベルトとレーガンが新たな自分たちの時代を見つけたわけではなかった。時代は危機的状況にあり、その危機は従来の方法では解決できなかった。過去との決別は不可避であり、ルーズベルトとレーガンは必要な行動を取り仕切った。

今日までに、アメリカには五つの社会経済的サイクルがあった。第一サイクルはジョージ・ワシントンから始まり、ジョン・クインシー・アダムズで終わった。第二サイクルはアンドリュー・ジャクソンから始まり、ユリシーズ・S・グラントで終わった。第三サイクルはラザフォード・B・ヘイズから始まり、ハーバート・フーバーで終わった。第四サイクルはフランクリン・ルーズベルトから始まり、ジミー・カーターで終わった。第五サイクルはロナルド・レーガンから始まり、まだ名前のわからない誰か——二〇二八年に選出される大統領——とともに終わる。とはいえ大統領はただの看板にすぎず、サイクルはもっと奥深い暗闇のなかで動いている。

## 社会経済的サイクル第一期——ワシントン周期（一七八三年〜一八二八年）

まず、社会経済的サイクルの歴史に眼を向けてみよう。アメリカ合衆国が建国されたのは、対イギリス独立戦争における一七八三年の勝利から、憲法制定後にジョージ・ワシントン大統領が誕生した一七八九年までのあいだの期間だった。アメリカはもはや、共通の利害関係を持たない複数の国家の集団ではなくなった。独立戦争は、アメリカの統治の構造を変えた。アメリカはまずイギリスを追いだし、つぎに統治の枠組みを作った。しかし、この独立のための革命はある意味で奇妙なものだった。なぜなら、支配階級が革命を主導し、革命が終わったあとも支配階級はそのまま社会を掌握しつづけたからだ。アメリカの制度は大きく変わったものの、社会と経済は改革されずに手つかずのままだった。最初の三人の大統領であるワシントン、アダムズ、ジェファーソンは、南部の貴族と北部の実業家——植民地を支配し、革命を起こし、のちに国を統治した男たち——を代表する人々だった。

革命のあとには、社会の安定が不可欠になる。フランス革命やロシア革命のように革命後に社会不安と不確かな経済が続くと、その国はより大きな混乱へと陥っていく。アメリカの第一サイクルは、社会の安定を保ちながら新しい政治制度を根づかせるための時間を与えてくれた。この第一の社会経済的サイクルのあいだの合衆国は、大西洋とアパラチア山脈の狭間を中心とする地理的な面においても、社会的・民族的な構造の面においてもうまく機能していた。国内経済は商業を核としたもので、国際貿易、造船、金融という基盤産業と農業を軸に構築されていた。そのシステムは革命的かつ安定的だった。伝統をくつがえす画期的なシステムだったにもかかわらず、すぐさま安定的に機能した。「根本的な変化」と「安定的な結果」が並列に置かれていたことこそが、この最初のサイクルの特徴だった。

当時のイギリスでは、繊維産業の変革を軸とする産業革命が順調に進んでいた。新たに誕生したアメリカにとって、イギリスは脅威でありつづけた。独立後もアメリカの経済は、しばらくのあいだイギリスとの貿易に縛られたままだった。経済成長を続けるイギリスは強力な海軍を築き、大西洋を支配した。イギリスとの貿易戦争によって、一八〇七年から一八〇九年にかけてアメリカは大恐慌に陥った。そして一八一二年から始まった米英戦争のあいだに、イギリスはさらにその触手をアメリカに伸ばそうとした。アメリカは全体としての経済状況を以前と同じように保つことはできたものの、その経済状況を基盤とする社会構造を維持することはできなかった。興味深いことに、次のサイクルに移り変わるのはまだ二〇年ほどさきだったにもかかわらず、危機の引き金となる問題はすでに露呈しつつあった。

この時期のアメリカ経済に活力を与えるためには、ふたつの側面における改革が必要だった。ひとつ目は、農業生産を増やすこと。ふたつ目は、経済的・軍事的にイギリスに追いつくために国の工業化を進めること。しかしながら、それにはより大きな資本基盤と人口が不可欠であり、両方が増えなければ工業化など夢のまた夢だった。実現するための唯一の方法は、アパラチア山脈より西側の土地を開発することだった。その一部である北西部領土はすでにアメリカの手中にあった。くわえてアメリカは、一八〇三年にルイジアナを購入した。しかし西部に入植するには、アパラチア山脈を横断する道路や小道を整備し、定住希望者を探さなくてはいけなかった。そのためには移民が必要だった。

独立戦争のあと、新たな移民たちが続々と合衆国にやってきた。そのなかにはドイツ人、スウェーデン人、そしてもっとも重要な役割を果たすことになるスコットランド系アイルランド人がいた。彼らスコットランド人は何世紀もまえから農地を探しつづけていた。そしてアイルランドに入植したのち、一七九〇年代になるとアメリカへの大規模な移動を始め、自作農民になるための努力を続けた。スコットランド系アイルランド人は文化的にイギリス人とは異なり、むしろイギリスに敵意を持っていた。彼らは個人主義を重んじ、闘争的で、大酒飲みで、勤勉だった。イギリス人のほうも、長老派であるスコットランド系アイルランド人たちを見下し、イギリスが作りだした秩序にとって危険分子だとみなした。ペンシルベニア植民地総督のペン一家の秘書官を務めたジェームズ・ローガンは、もっとも初期に移住してきたスコットランド系アイルランド人について次のように描写した。「スコットランド系アイルランド人の五つの家族の入植は、ほかの民族の五〇人の入植よりも私にはずっとやっかいなものだった」。彼らは無学で乱暴な大酒飲みだととらえられていたが、それが新たな移住者にたいするお決まりの見方になった。スコットランド系アイルランド人のすぐあとにドイツ人がやってくると、ベンジャミン・フランクリンは彼らのことを「浅黒い肌の愚か者」と呼んだ。

しかし入植すべき土地はいたるところにあり、アメリカには移民が必要だった。当然ながら、新しい移民は社会の安定性を揺るがし、経済システムに大きな影響を与え、社会秩序を根本から変えた。異質な文化を持つ貧しい移民たちは蔑《さげす》まれ、社会に大きな緊張をもたらした。アメリカという国家は移民を欲していたものの、既存の社会秩序は彼らを受け容れようとしなかった。

アパラチア山脈を越えて西部に住み着くようになったスコットランド系アイルランド人たちはすぐさま、西部の土地の分配・販売方法について怒りをあらわにした。彼らは、スコットランドを牛耳っていたイギリス支配階級の〝不在地主〟に立ち向かったときと同じように、アメリカ西部を牛耳るイギリス支配階級の不在地主の権力に立ち向かった。くわえて、人民による政府を自称する政治体制が、実際には偽物の貴族階級に支配されていることに猛抗議した。アメリカの発展のためには新しい移民が不可欠だった。移民たちは、アメリカの持つ民主主義的で無秩序にも近い要素に惹かれてこの国にやってきた。彼らは、独立一三州の統治者たちを軽蔑の眼で見ていたが、アメリカのエリートたちも同じように移民を軽蔑していた。

土地を手に入れるための入植者たちの闘争は、金融危機とともに始まった。一七九一年、財務長官だったアレクサンダー・ハミルトンによって第一合衆国銀行が設立された。民間の銀行ではあったものの、安定的な通貨管理を目的に作られた機関だった。しかし、独立戦争による戦債を含む建国時の経済的圧迫によって、連邦議会は第一合衆国銀行の事業免許を失効せざるをえない状況に追い込まれた。それでも状況は改善せず、一八一六年には新たな事業免許が発行され、第二合衆国銀行が誕生した。こちらも裕福な投資家が所有する民間銀行であり、ほかの銀行による過剰な融資を抑え込み、通貨供給量を管理することがその任務だった。

営利目的で運営される民間の銀行が、通貨供給量の管理という重責を担う――それは妙案とはいえず、当然ながらうまく機能しなかった。融資を得るのは容易だったものの、そのせいで地価が爆発的に上昇した。初期の入植者の財産は一気に増えたが、新しい入植者たちは土地市場から追いだされた。さらに、銀行に投資した一部の人々が大富豪になった。やがて西部の土地への投機合戦が過熱し、結果として起きたインフレーションの影響が国内のほかの地域にも広がっていった。

銀行が顧客の利益のためではなく金融業界の利益のために運営されている、と入植者たちは不満を抱いていた。その後、一八一九年にヨーロッパで金融恐慌が起きた。ヨーロッパの銀行や企業は、ナポレオン戦争のあおりを受けて多額の借金を抱えていた。債務不履行《デフォルト》や倒産が相次ぎ、不況は一八二一年まで続いた。この危機の影響はアメリカにも及んだ。ニューヨークやボストンなどの東部の銀行家たちがヨーロッパの国債に投資していたため、債務不履行はアメリカの金融界に大打撃を与えた。恐慌によって欧州金融への投資の危険性が明らかになると、米国の金融制度や経済そのものの脆弱性が浮き彫りになった。一八一九年は、建国からずっとアメリカを支配してきた階級の慎重さにたいして大きな疑問が投げかけられた年だった。裕福な階級のほうが慎重に金融政策を進めることができるという考えは、無謀とも思える彼らの融資方針とは合致しないものだった。さらに問題視されたのは、支配階級者たちがアメリカの新たな入植者への融資よりも、ヨーロッパへの多額の投資に重きを置いているという点だった。社会の格差はみるみる広がり、政治的な危機が表面化し、それから一〇年にわたってあらゆるレベルで混乱が起きた。

一八二二年に第二合衆国銀行が通貨供給量を抑えると、二重の危機へとつながった。まず、西部の地価が急落した。入植農民の多くは、インフレ時の財産価値にたいして借金をしていたため、新しい地価よりも多くの借金を抱えることになった。新興入植者たちは、土地、設備、農業用品を買うための銀行融資を得ることができなくなった。融資不足のせいで地価は下がったものの、それでも入植者の多くは市場から締めだされたままだった。この流れは、合衆国の核である地政学的戦略——西部に入植し、戦略的奥行きを手に入れる——にたいする脅威となった。さらに、農業生産が減ったせいで東部の食糧価格が上昇した。当然ながらアメリカ経済は不況に陥り、第二合衆国銀行の役割をめぐる政治的議論が激化していった。

問題は、第二合衆国銀行がほかの銀行との複雑な関係をとおして通貨供給量を制御していたことだった。流通するドルの価値を裏づけるのは、第二合衆国銀行による約束の言葉だけだった。通貨の安定した供給は、銀行システムにおける利益の担保にはおおいに影響があったものの、社会問題の解決にはさほど効果はなかった。そのため、アメリカ合衆国を襲った不況は数年にわたって続いた。とくに、西部の入植者への打撃は大きかった。スコットランド系アイルランド人は以前から、初期のイギリス人入植者や銀行家たちから怠惰で無能だと見られていた。彼らは経済的に不運な状況に置かれていたが、それも自業自得だとみなされてしまった。

合衆国は、第一の時代の終わりに近づきつつあった。この時代のなかで求められたのは、西部への入植と食糧生産の急増だった。融資の管理についてのハミルトンの考えは、入植者にとってはじめこそ有益だったものの、やがて有害になった。それが入植者たちを押しつぶそうとしていた。時代の初期に機能していたことをこれ以上続ければ、危機がさらに深刻化するのはまちがいなかった。状況を打破するためには、金融システムの中核機能を変える必要があった。しかし多くの人々は、過激な変化は避けるべきだと考えた。「過去は時代遅れ」という概念は、時代の終わりにはきまって激しい抵抗に遭うものだ。そして次の選挙では必然的に、「過去を守る」という公約を掲げた大統領が当選する。

一八二四年の大統領選を争ったのは、イギリスの特権階級の一員であるジョン・クインシー・アダムズ（第二代大統領ジョン・アダムズの息子）とスコットランド系アイルランド人の下層階級の一員であるアンドリュー・ジャクソンだった。まさに、当時のアメリカ合衆国の分裂を体現したような選挙だった。サイクルが過渡期に差しかかると、かならず政治不安や選挙の混乱が起きる。一八二四年の選挙は、おそらくアメリカ史上もっとも熾烈な闘いとなった。アダムズの勝利は不正によるものだとジャクソンは訴え、明確な証拠を示した。選挙人団の投票では複数の候補者で票が分かれ、過半数を得た者はいなかった。結局、最終結果は下院に委ねられるというアメリカ史上最初で最後の事態となり、驚くべき取引が成立した。保守派のアダムズが勝ちと判定され、〝ワシントンの時代〟は続くことになった。

ジョン・クインシー・アダムズの政権運営は大失敗に終わった。アダムズが目指したのは、既存の金融システムを維持することだった。彼は、すでに動きだしつつあった新しいサイクルについて何も理解していなかった。ひとつのサイクルの最後の大統領になるというのは、未来に適応できないまま任期を終えることを意味する。アダムズが愛した時代は終わった。独立宣言が採択された一七七六年以来、アメリカは変わった。変化の一部は地政学的なものだった――アパラチア山脈の西側の土地に入植する必要があった。変化の一部は民族的なものだった――新しい移民の波が異文化をもたらした。変化の一部は経済的なものだった――第一サイクルの金融政策にたいする考え方は、新たな経済の実体に見合ったものではなかった。古いモデルは廃れ、もう引き返すことはできなかった。新しい制度が誕生するのか、国家が分裂するのか、どちらかしか道はなかった。

## 社会経済的サイクル第二期——ジャクソン周期（一八二八年〜一八七六年）

アンドリュー・ジャクソンがついに、一八二八年の選挙で勝利した。アパラチア山脈の西部地域の出身者が大統領に選ばれるのははじめてのことだった。これは、新しいサイクルを築くプロセスの始まりであり、闘いの終わりではなく転換点だった。その闘いはいまだ、金融システムを軸としたものだった。

第二合衆国銀行の事業免許は一八三六年分まで発行済みであり、それより以前に銀行を解体するほどの政治的権力をジャクソンは持っていなかった。選挙があった一八二八年が転換点だったとすれば、サイクル移行の危機は一八一九年ごろに始まり、ジャクソンの再選後に第二合衆国銀行が閉鎖された一八三六年まで続いた。しかしそれまでの期間、経済は揺れつづけていた。西部への入植のためには、安定した融資が見込める安定した通貨流通が必要だった。ジャクソンは、金と銀の両方によって裏づけられたドルの導入（金銀複本位制）を支持した。金の価値は安定していたものの流通量が少なく、通貨供給量は抑制された。銀はそれほど希少ではなかったため、通貨供給量の拡大につながった。ドルを金と銀の両方に連動させることによってジャクソンは、バブル経済の発生を防ぎつつ充分な流動性を確保しようと考えた。

長い目で見れば、それは正しい動きだった。しかし短期的には一八三七年の恐慌へとつながり、金銀複本位制による通貨流通の安定はアメリカ国内の金融危機を招くことになった。危機の原因はそれだけではなかった。その年、アメリカの小麦生産は近年まれにみる不作に襲われた。さらに、イギリスで起きた大規模な金融危機の影響がアメリカにも及んだ。この全体の流れはふたつのことを私たちに教えてくれる。第一に、新しいサイクルに適応するために必要な行動は、しばしば大きな経済的苦痛をもたらす。とくに、変化を予期せず、古いサイクルが永遠に続くと信じていた人々への打撃は大きい。第二に、大統領の交代からほぼ一〇年が経過していたものの、サイクルの移行はまだ続いていた。

歴史的な観点から見ると、第二サイクル後半の一八六一年に始まった南北戦争がアメリカ史の分水嶺だったと考えるのは妥当なことだろう。制度的な観点から見ても、それが分水嶺となったことはまちがいない。経済学の観点から見た場合、南北戦争の両陣営にはきわめて多くの共通点があった。北部を率いたリンカーンは西部出身者で、ケンタッキー州で生まれたのちにイリノイ州に移り住んだ。彼は南部と闘って北部の利益を守ろうとしたが、同時に西部開拓者の利益も守ろうとした。リンカーンは一八六二年にホームステッド法を制定させ、西部の約六五ヘクタールの国有地を払い下げ、五年以上にわたって耕作を続けた住民に土地を無償で与えることを決めた。これが、より大規模な西部入植への扉を開いた。さらに、五年間の所有権の固定化を定め、大量の新しい土地を市場にもたらすことによって、地価の値上がりを狙った土地投機を抑制した。

この点において、リンカーンは明らかにジャクソン周期の一部だったといっていい。米国史のなかで彼が果たしたきわめて重要な役割について考えれば、南北戦争のあいだにリンカーンが社会的および経済的な転換点を作ったと言っても過言ではないはずだ。ところが彼が残したより大きな成果は、南北戦争のあとに起きた大規模な制度改革にあった。社会的・政治的な観点から見ると、リンカーンはジャクソン周期の枠組みのなかで国を統治し、入植を推し進め、生産性を向上させた。ところが、彼が見事な成功を収めた第二サイクルの終わりごろには、失敗に終わったユリシーズ・S・グラント政権が登場する。すでに説明したように、社会経済的サイクルが終わる一〇年以上前から政情不安が始まる。第三サイクルの最初の大統領となるラザフォード・ヘイズは一八七六年に大統領に選出されたが、周期移行のすべての前触れとなる南北戦争はその一五年前に勃発していた。

水面下では、南北戦争の最中から新しいサイクルが生まれつつあった。南北戦争の焦点となった大きな問題のひとつは、南部の経済がイギリスへの綿花輸出に大きく依存しており、関税戦争をする余裕がなかったという点だった。工業化が始まりつつあった北部は、外国との競争から身を守る道を模索していた。南北戦争のあと、めちゃくちゃに破壊された南部では一気に工業化が進んだ。そんななか、ずっと以前から始まっていた別の出来事が起きた。農業が盛んな中西部が、国の新たな中心になった。住民たちはいまや安定した土地所有者となり、彼らの生活を支えるための田舎町がいたるところに築かれた。その陰で本格化していく工業化は、大規模な生産が行なわれていた場所ではなく、それまで金融や商業の中心だった大都市に根本的に異なる文化を生みだした。

南北戦争のあおりを受けて起きた「一八七三年恐慌」は、時代の変化の前触れとなるものだった。何がこの危機を招いたのか？　当然ながら、南北戦争のための資金を調達するために、連邦政府は多額の借り入れをする必要があった。それだけでは不充分だとわかった連邦政府は、金や銀で裏づけられていない通貨の発行を開始し、ジャクソンの提唱したモデルを破棄した。その結果、南北戦争後にアメリカ経済は大混乱に陥った。金で裏づけられた旧通貨はまだ流通していたものの、政府はその価値を支える金を持っていなかった。債券保有者への支払いには、ほとんど価値のないドルが使われた。南部連合が発行した債権は帳消しにされた。金と銀を裏づけとするドルは、貯蓄のために社会から回収された。そのさきに待っていたのはインフレだった。負債を抱えた人々は大喜びしたが、債権者は打ちのめされた。社会に巨大な亀裂が生じ、当然の流れとして一八七三年には金融危機が起きた。それが、サイクルの終わりの始まりだった。

この金融危機は、時代の最先端技術だった鉄道の株に打撃を与えた。それまで、鉄道にたいする投機的投資が大々的に行なわれてきた。一八七三年、すべての投機バブルの運命と同じように、アメリカの鉄道バブルがはじけた。鉄道株の暴落は、アメリカに多額の投資をしてきたヨーロッパに深刻な影響を与えた。ほかにも、田舎町の銀行家たちもこの危機の大きな被害者となった。そのような銀行家たちは、西部の各地で急成長していた共同体で商売を展開し、農民の生活を支えていた。

田舎町はかつて〝実直な生活〟の象徴だと考えられていた。田舎町には、農業仲介業、銀行、法律、葬儀、宗教などの各種サービスを提供する人々がいた。入植者やその子孫である慎ましい農民たちが、田舎町の共同体に集まるようになった。しかし新たな住民たちの関心はもはや、祖父たちと同じものに向けられてはいなかった。田舎町には、ふたつの点において異なる文化が根づくようになった。第一に田舎町には、スカンジナビア半島やドイツから来た大勢の新しい移民がいた。彼らは外に出て新しい土地を開拓するのではなく、町の共同体のなかで固まって生活した。第二に、町は急速に発展していた。当時の町は、ふたつの勢力の狭間に立たされていた。ひとつはジャクソン周期で、その影響力はどんどん弱まっていった。もうひとつは、迫りくる圧倒的な工業主義だった。

このサイクルを終わらせたのが、ユリシーズ・S・グラント大統領だった。しばしば無能と揶揄された彼は、就任二期目のはじめに起きた金融危機にどう対処すべきか何も案を持っていなかった。さらに、来たるべきサイクルの移り変わりにどう対処すればいいかもわかっていなかった。グラントの考え方はジャクソン時代に由来するものであり、土地と適度に暴騰した通貨につねに焦点を合わせていた。問題は、アメリカがもはや土地を開墾する入植者ではなく、田舎町で成り立っているという点だった（オハイオ出身だったグラントは、このことを理解しておくべきだった）。さらに、みるみる高まる工業主義がこの国を支えていた。それから二五年ほどのあいだにアメリカは、世界の工業製品の半分を生産するようになる。第二サイクルの方針では、新たな経済・社会の激変に対応することはできなかった。しかし、ほかのすべてのサイクルの最後の大統領たちと同じように、グラントは〝過去〟のほかに参照できるものがなかった。そして再び、社会経済的サイクルは次の周期へと移り変わっていった。

## 社会経済的サイクル第三期――ヘイズ周期（一八七六年～一九二九年）

ジャクソンの選挙と同じように、ラザフォード・B・ヘイズの選挙も混沌、非難、報復に満ちたものだった。一八七六年の大統領選は、アメリカ史上もっとも汚く無秩序な闘いのひとつだと考えられている。ヘイズは対立候補のサミュエル・ティルデンより得票数こそ少なかったものの、選挙人獲得数でまさった。彼は複雑なごまかしによって選挙に当選した。不法に選挙に勝ったとヘイズは告発されたが、まったく的外れな主張ではなかった。どのように当選したにせよ彼は、南北戦争が引き起こした問題の解決を先頭に立って進めなければならなかった。ヘイズは、ワシントンやジャクソンといった伝説的人物とはほど遠い能力の政治家だったが、先人たちと同じことを繰り返した。ワシントン、ジャクソン、ヘイズは新しいサイクルを作りだしはしなかったものの、サイクルが進むのを主導した。

経済的危機の解決は待ったなしだった。科学がさらなる発展を遂げ、新たなテクノロジーが誕生する予感が社会に広がっていた。実際、この時代のあいだに、ふたつの核となるテクノロジーが生まれた。どちらもエネルギー形態にまつわるものであり、産業革命を推し進めるためには必須となる技術だった。ひとつ目は電気で、通信から夜間照明までさまざまな製品に応用された。ふたつ目は内燃機関の発明で、自動車や航空機を中心とした輸送手段を根本的に改革し、石油産業を生みだした。工業化が日常生活をみるみる変え、新しいテクノロジーへの欲求が資本への渇望につながった。

問題は、一八七三年の金融危機の影響が依然としてくすぶり、資本不足に陥っていたことだった。ヘイズと（より重要な存在だった）財務長官のジョン・シャーマンは、通貨の流通を安定させようとしたが、その手法はジャクソンとは異なるものだった。金銀複本位制を支持したジャクソンは、金だけでなく銀も使ってドルを裏づけした。銀は市民の手元に充分にあり、埋蔵量も豊富だった。銀の裏づけによって、より柔軟に通貨の流通を安定させることができた。ヘイズが向き合わなければならなかったのは、工業化への投資が急務だったにもかかわらず、通貨が信用を失っていたという事実だった。投資家や銀行預金者たちが求めたのは、急激なインフレが起きても投資の価値が損なわれることのない市場だった。

そこでヘイズは、金と銀の両方でドルを裏づける代わりに、金だけで裏づけることを選んだ。この金本位制の導入によって通貨の流れはより厳格になったが、市場に信用も根づいた。金に裏づけられたドルを使って政府が戦争債務を返済すると、古い通貨——差し迫った金融危機のために貯蓄されていた金裏づけ通貨——が再び流通しはじめた。その結果、一般市民が銀行に現金を預けるようになり、国内外からの大量の投資が急速に工業化へと流れだした。

金本位制の導入によって、必然的に通貨供給量は減った。とくに、必要な融資を得るのにもともと苦労していた貧しい農民たちには大打撃だった。貧しい農民の多くは、土地を手放さざるをえない状況に追い込まれた。裕福な農民や田舎町の実業家たちは、差し押さえられた農地を低価格で手に入れることができた。すると、南北戦争以前の金銀複本位制時代への回帰を求める大きな運動が起きた。民主党内のその運動を率いたのが、ウィリアム・ジェニングス・ブライアンだった。一八九六年の民主党大会でブライアンはかの有名な「黄金の十字架」演説を行ない、金本位制が格差を生みだしていると痛烈に批判した。彼は何度か大統領選に立候補したものの、最後まで勝つことはできなかった。ブライアンは、すでに消滅した過去のサイクルの擁護者だった。彼がどれほど力強く訴えたとしても、もはや今日《こんにち》的な意義をともなっていなかった。

ジャクソン時代に出現しはじめた田舎町は、新しい時代を支える社会基盤になった。小さな田舎町は道徳的な行動を人々にうながした。なかでももっとも重要な美徳だと考えられたのが、倹約と勤勉さだった。この時代に不可欠だった投資資金を生みだすものこそが、倹約と勤勉さだった。しかし同時に、田舎町は偏狭さに満ちていた。そこは排他的な場所であり、結束の強い共同体があった。共同体はうまく機能していたが、ゴシップや悪口をとおした同調圧力によって成り立っていた。田舎町は生活と富を保つ〝発電機〟であり、その住民が無秩序な生活を送ることは許されなかった。よって町では、まわりと異なる人は誰であれ排除されたり、目立たない場所に追いやられたりした。アフリカ系アメリカ人は強制的に排除され、ユダヤ人とカトリック教徒は最低限のレベルで受け容れられた。一方で、イギリス人とスコットランド系アイルランド人の区別はなくなった。南北戦争のまえから急増していたドイツ人やスカンジナビア人の移民は社会に受け容れられたが、彼らは自分たちの地域や町に集まって生活する傾向があった。しかし、同じ時期にやってきたアイルランド系カトリック教徒たちは信用されず、その多くが大都市での生活を余儀なくされた。

建国当時、イギリス人はスコットランド系アイルランド人を信用せず、開拓農民たちは田舎町の商人や銀行家を信用しなかった。農民は肉体労働によって生計を立てていたが、田舎町は商売によって成り立っていた。これが大きな社会的な差であり、同時に文化的・道徳的な差でもあった。既存の時代の支配階級層が、来たるべき時代に新興する階級と民族に不信を抱くのは、いたって当たりまえの流れだった。その流れのとおりアメリカの田舎町の住人たちは、みるみる繁栄する工業都市に強い不信感を抱くようになった。彼らはその巨大な規模を嫌い、大都市を道徳的な罪の〝砦〟だとみなした。田舎町の住人たちは次のように論理づけた。大勢が集まっているにもかかわらず、大都市の住民は孤独であり、孤独な人は道徳的な罪を犯しやすくなる。対照的に田舎町は、友好的な共同体と道徳心の両方を与えてくれる――。

アメリカの田舎町の住人たちはまた、そのような大都市に住む人々――富裕層や一九世紀末に押し寄せてきた新しい移民――のことも忌み嫌った。都市部にいるのは、南欧や東欧からやってきたカトリック教徒、ユダヤ人、南部から移住しはじめていたアフリカ系アメリカ人ばかりだった。つまり忠誠心も性格もはっきりしない人々であり、田舎町のプロテスタント系住民に似たところはひとつもなかった。新興都市は異質な場所であると同時に、経済的な脅威でもあった。この第三サイクルのあいだに経済の中心は、田舎町が取り仕切る商業的農業から、大都市が取り仕切る工業主義へと変わりつつあった。

金本位制は巨額の投資を生みだした。一九〇〇年までに合衆国は飛躍的な成長を遂げ、世界の工業製品の半分を生産するようになった。第三サイクルのほとんどの期間、アメリカは猛スピードで生産規模を拡大し、消費を増やしつづけた。すると、さらに多くの労働力が絶えず必要となり、移民が押し寄せた。都市は拡大し、より異国情緒あふれる場所に変わっていった。この時代、アメリカはあらゆる手段を使って急成長を推し進めていった。

一九一四年に始まった第一次世界大戦は、サイクルの移り変わりをうながす問題を生みだした。産業の著しい成長によって、その成長を支える大勢の消費者も必要になった。けれど第一次世界大戦は、消費者層を破壊した。輸出市場の損失はアメリカ産業をひどく苦しめたが、それを補ったのは減税による消費の増加だった。ところが一九二九年の世界大恐慌とともに、それまでに築き上げられてきた消費者バブルがはじけた。しかしずっと以前から、中西部の農業地帯は不況に見舞われていた。

大規模な工場を支える顧客がいなくなったのはなぜか？　過剰な融資から連邦準備銀行の金融政策の誤りまで、多くの理由が考えられた。しかし世界経済の状況に照らし合わせれば、一九二二年から一九二七年にかけて増えつづけてきた生産水準を保つことなどそもそも不可能だった。

あまりに不合理なほど株価が上昇したことからもわかるように、危機はもはや避けられなかった。

危機は市場の暴落そのものではなく、むしろ暴落のあとに続いた出来事のほうだった——雇用と工業製品の需要の減少。販売が落ち込むと、雇用は減った。そのため需要が減り、販売はさらに落ち込んだ。第三サイクルの最初の大統領だったラザフォード・ヘイズが作りだした環境のなかではもはや、この負の連鎖を止めることはできなかった。ヘイズは、アメリカ経済を上向きに押し上げることに成功した。しかし、その成長をうながした解決策——金本位制による経済の厳しい締めつけ——では、大恐慌がもたらす問題を解決することはできなかった。

ヘイズは、安定した通貨を通じて巨額の投資を生みだすことに成功した。ところが問題は、成功しすぎたという点だった。アメリカの工場による生産量は、アメリカや世界の市場の消費能力を上まわっていた。貯蓄を増やしても問題は解決しなかった。解決策は消費を増やすことだった。しかし第三サイクル時代の戦略は、投資をうながすことに極端に偏っていた。既存の生産量を活用するために消費をうながすという戦略は、この時代の枠組みの内側にはない考えだった。

この第三サイクル時代は、金本位制と倹約を軸に成り立っていた。産業経営者たちは工場を建設し、国をより豊かにしつつエリート層を維持した。新たな産業システムを築くことによって彼らは最終的に、ヘイズが作ったシステムを弱体化させた。工場は目覚ましい速さで製品を生産したが、消費者がいなければ生産を進めることはできなかった。倹約の精神、工場所有者の利益の確保、移民流入による余剰な労働力によって、必然的に賃金は抑え込まれた。賃金が下がって生産が増加すると、システムのバランスが崩れはじめ、ついに一九二九年に深刻な危機に陥って世界大恐慌が起きた。

まさにその一九二九年、破綻した時代の真っただなかで大統領に就任したのがハーバート・フーバーだった。勤勉と倹約さが経済問題を解決してくれるという前提に立ち、彼は政策を進めた。失業問題にたいするフーバーの考え方は、ひとつ古い時代のレンズをとおしたものだった――失業とは、失業者の労働倫理の欠如が引き起こした結果であり、その倫理観を変えれば彼らはまた働きはじめる。そんな状況のなかでは、財政のバランスを保って通貨供給量を抑え込むことが当然の解決策となった。言うまでもなく問題は、これらふたつの要因によって賃金が下がり、需要が弱まり、経済状況がより悪化したことだった。第三サイクル時代のモデルはもはや通用しなかった。ハーバート・フーバーはジョン・クインシー・アダムズとユリシーズ・S・グラントの列にくわわり、ひとつの時代の最後を飾る〝無能な大統領〟になった。

## 社会経済的サイクル第四期――ルーズベルト周期（一九三二年～一九八〇年）

一九三二年の選挙で共和党のフーバーは負け、倹約とバランスのとれた予算を公約に掲げた民主党のフランクリン・ルーズベルトが当選した。実際のところ、ルーズベルトには明確な計画はなかった。しかし、選挙で勝つためにどんな公約を掲げたにせよ、フーバーと同じことをしても意味などないとわかっていた。問題は、生産される製品にたいする需要が欠如していたことだった。当時は失業者が多く、労働者の賃金も大幅にカットされていた。問題を解決してくれるのは、その時代につきまとう〝呪いの言葉〟だった――労働者の手に金を渡す。破綻した産業に働き口などなく、新たに雇用を創出しなければ解決は見込めなかった。たとえ失業対策のためにこしらえた不要不急の仕事であっても、とにかく労働者の手に金を渡すことが重要だった。

ルーズベルトが当選する一九三二年の選挙まで、大きな政情不安が続いていた。一九二〇年代のあいだ、共産主義者を含む左翼活動家の動きが活発になると、連邦政府による反共産主義活動が大々的に行なわれるようになった。白人至上主義を謳うクー・クラックス・クラン（ＫＫＫ）の勢力が、南部だけでなく北部でもみるみる広がっていった。富の再配分を訴えたルイジアナ州知事のヒューイ・ロングが民主党の大統領候補として人気を集めたものの、一九三五年に暗殺された。このような大仰な政治劇は、古いサイクルの終わりにはつきものだった。

第四サイクル時代の社会基盤を築いたのは、都市の工業労働者階級だった。この階級は、アイルランドや南欧・東欧からの大勢の移住者、その子孫、南北戦争での敗北から立ち直れないまま世界大恐慌に襲われた南部の白人によって構成されていた。彼らの多くは労働組合に所属する（あるいは所属しようとしていた）人々であり、それらの労働組合は都市部の民主党組織と協力体制を敷いていた。彼らは、富の移転を強く求めた。共和党はこの状況に恐れおののいたが、当時の共和党に社会を動かす力はなかった。

ルーズベルトが打ちだしたニューディール政策は、景気を好転へと導くために必要不可欠なものだったが、まだまだ不充分だった。生産能力と需要の不釣り合いによって工場は開店休業状態となり、多くの労働者が失業した。第二次世界大戦が始まると、ついに大恐慌が終わった。すでに説明したとおり、第二次世界大戦によって工業製品の圧倒的な需要が生まれ、軍隊がすべての労働力を吸い上げていった。アメリカ社会は、労働力余剰から労働力不足へと移り変わった。第二次世界大戦は、ニューディール政策が目指していたことを達成へと導いた。失業問題は解決し、工場がフル稼働するようになった。

戦争のために作られた巨大な工場、高度な技術と規律を持つ労働力を核として、繁栄の時代が訪れた。くわえて、それまで一般消費者向けの商品が不足、あるいは生産停止状態が続いていたため、戦争によってすさまじい規模の〝繰延需要〟が生まれた。実際のところ戦争がもたらしたのは、工業社会での不況にたいするケインズ的な解決策だった——巨額の赤字財政支出だ。その結果、大量の現金が消費者の手に渡った。消費者は戦時中に現金を使うことができず、現金の多くは戦時国債へと流れていった。かくして工場が新たに生まれ、そこに需要も生まれた。ただし、もうひとつ必要なものがあった。

これまでの時代において成長を抑え込んでいた要因のひとつが、融資（消費者信用）がほとんど行なわれていなかったという点だった。二〇世紀はじめから住宅ローンの運用が始まったものの、多くの場合、消費者には不利な条件がつきつけられた。そのほかの商品のための貸付は厳しく制限された。第二次世界大戦後の新たな時代に突入すると、住宅ローンのみならず、自動車などの商品にたいする消費者貸付の提供も増えていった。やがてクレジットカードが普及すると、実質的にすべてのものが貸付で手に入るようになった。その根底となる原理こそが、第四サイクルの基本原理だった——需要を増やして工場を稼働させる。仕事を生みだすのが最初のステップだった。消費者への貸付が論理的な次のステップであり、それが経済を支えた。

ルーズベルト時代から始まった第四サイクルは、経営管理のための新たな技術を生みだした。当時のビジネススクールなどで教えられたのは、ハードウェアやソフトウェアの概念ではなかった。むしろ、組織の在り方に関する考え方や管理方法に焦点が当てられた。前述のように、このような高度な技術を身につけた人々とその階級はテクノクラートと呼ばれる。テクノクラートは、実用主義《プラグマティズム》の原理にもとづいて築かれた階級である。中身がなんであれ、ただ純粋に仕事を成し遂げるというのがテクノクラートの持つ技術だ。第二次世界大戦のなかで彼らが示したとおり、それはじつに強力な技術だった。第二次世界大戦後に彼らの活動範囲は広がり、企業だけでなく、政府やそのほかのアメリカ社会の領域を管理するようになった。第三サイクル時代に出現した巨大産業は、いまやテクノクラートの管理下に置かれるようになった。

第四サイクルが始まるきっかけとなった危機と、このサイクルの最後に起きる社会経済的危機について理解するためには、テクノクラシーの概念を把握しておく必要がある。テクノクラートとは、特定の分野の専門知識を持ち、その専門知識があることを証明する資格を持つ人々のことを意味する。ある点では、テクノクラシーはたんに〝優秀であること〟を意味するといってもいいかもしれない。テクノクラートは家柄や政治手腕に頼らず、みずからの力で出世する。公人であれ私人であれ、彼らが出世できたのは、仕事のために必要な専門知識を持っていたからだ。

テクノクラートの重要な側面のひとつは、彼らがイデオロギーを持たない集団だったという点にある。あるいは別の言い方をすれば、彼らが持つ唯一のイデオロギーは専門知識であり、つまり何かをくわしく知っているという事実がイデオロギーになった。テクノクラート階級は効率性という原則のもと、公共から民間まですべての分野に広がっていった。テクノクラートは、自分たちがイデオロギーにとらわれない集団であることを強く望んでいたものの、道徳的な原則を象徴する人々だった。その道徳的原則とは、政治やほかのすべての領域において効率性の向上を目指すというものだ。よって、高く評価されたのは配管工の持つ専門知識ではなく、大学によってお墨つきを与えられた管理者、専門家、知識人の持つ専門知識のほうだった。ルーズベルト時代にはやや限定的な意味だったテクノクラートの概念から新たな階級が生まれ、次のレーガン時代にその階級はより強力な存在になった。

ルーズベルトが提唱したケインズ的なこの概念は、一九四五年から一九七〇年にかけて非常にうまく機能した。まさに、それは繁栄の時代だった。しかし一九七〇年には、サイクルの終わりを示す最初の兆候が現われた――比較的小さなインフレの波がやってくると、リチャード・ニクソンは賃金と物価を凍結して経済を安定させようとした(「ニクソン・ショック」と呼ばれる)。そのような政策がうまく機能する見込みは、一九七三年に完全に消えた。その年、第四次中東戦争を終えたアラブ諸国は、イスラエルの支援国であるアメリカにたいして石油輸出禁止措置を実施した。中東の禁輸措置によって、アメリカのインフレと経済悪化のプロセスの両方が加速した。

この不況を解決することが、次の課題になった。社会経済的サイクルの第四期では、投資よりも消費の拡大に焦点が当てられた。状況をさらに複雑にしたのが、高所得者層に課せられた高い税率だった。当時、二五万ドル以上の所得にたいする税率は七〇パーセントに設定されていた。裕福な投資家たちはリスクを計算し、危険な投資をすべき理由はほとんどないと判断した。たとえ成功しても、利益の七〇パーセントを失うことになるからだ。成功の見込みも低く、かつ利益の上限が厳しく定められているような状況では、起業家の卵たちの多くもあえてリスクを冒そうとはしなかった。

石油禁輸の余波を受け、アメリカ国内のインフレが加速した。しかし、その根底にはもっと深刻な問題があった。高い需要の陰に、工場にひそむ根本的な問題が隠れていた。多くの工場が老朽化していたのだ。投資も滞っており、産業基盤を活性化するための資本を確保するのはきわめてむずかしい状況だった。第二次世界大戦に敗れたドイツや日本のような国々は、より新しい工場をたくさん保有し、アメリカの工場よりも効率的に製品を生産した。そういった国々が米国市場に参入し、貸付が普及した消費をうまく利用した。

すると、消費者と企業の両方のあいだで貨幣需要が高まった。しかし投資性向は低いままで、現金借り入れコストが劇的に上がった。消費を増やす努力をすることが、この時代の流れに見合う対応だった。しかし、アメリカの工場の効率が下がりつづけているという事実が、大きな問題として立ちはだかった。そのあいだも増えつづける需要によって、外国製品ばかりが売れていった。くわえて、非効率的な工場での生産が増えると、必然的に利益率が下がった。効率の悪い工場を使えば使うほどコストが高くなり、利益は減る一方だった。

これらすべての流れの前兆となったのは、一九六八年――レーガンが当選した一九八〇年の運命的な選挙の一二年前――に始まった深刻な政情不安だった。その年、マーティン・ルーサー・キング・ジュニアにくわえ、民主党の大統領選挙指名争いをリードしていたロバート・ケネディが暗殺された。同年八月にシカゴで行なわれた民主党全国大会では、大規模な暴動が起きた。一九七〇年、オハイオ州のケント州立大学で、デモに参加した学生四人が州兵によって射殺された。一九七四年、ウォーターゲート事件で窮地に立たされていたリチャード・ニクソン大統領が辞任。例によって、古いサイクルが終わって新しいサイクルが始まる時期に、再び政情不安が巻き起こった。このように、サイクル移行の一〇年以上前から不安定な状態が始まることも多い。

結果、一九七〇年代の危機が生じた。インフレ率が二桁に達し、失業率が急上昇し、金利が天文学的な数字になった。たとえば、私は七〇年代にはじめて家を購入したが、そのときの住宅ローンの金利は一八パーセントだった。一九七六年に大統領に当選したジミー・カーターは、すさまじい資本不足に向き合うことになった。当然のごとく彼は、世界大恐慌のあいだに幕を開けたルーズベルト時代の政策を参考にしようとした。大恐慌へのアメリカの解決策のひとつは、投資家層にたいして増税し、消費者の手に現金をまわすことだった。カーターも同じ施策を進めた。しかし彼が直面したのは、資本不足と過剰な需要が物価を押し上げ、かつ非効率的な工場を利用せざるをえないという状況だった。一九三〇年代に意味をなしていたことは、一九七〇年代にはほとんど意味をなしていなかった。同じ施策が状況を改善するどころか、問題を悪化させた。フーバー、グラント、アダムズと同じ役割を担うことになったカーターは、サイクルの最後の局面を取り仕切り、もはやうまく機能しなくなった過去の戦略で問題を解決しようとした。

## 社会経済的サイクル第五期——レーガン周期（一九八〇年～二〇三〇年）

レーガン周期は、ルーズベルト周期から引き継がれた資本不足の問題を、税制の転換によって解決した。裕福な投資家層への減税によって、投資のための資金が確保され、投資リスクを冒すことがより魅力的な選択肢になった。結果、老朽化した工場への投資が一気に増え、近代化と管理方法の抜本的な見直しが進んだ。これと並行して、集積回路（マイクロチップ）を重点とした起業家活動も活発に行なわれるようになった。成功にたいする報酬が増すと、投資家たちはより積極的にリスクを冒すようになった。そのような投資の拡大が、アメリカ国内のみならず世界経済を支配した——二〇〇八年の金融危機まで。

ゼネラル・モーターズ（ＧＭ）を代表とする典型的なルーズベルト周期の企業は、前周期の大部分のあいだは効率的に活動を続けることができた。しかし、やがて成長は弱まっていった。内燃機関の開発は劇的なイノベーションを遂げたあとに頭打ちとなり、それを動力とする車両の開発も頭打ちとなった。一九五〇年代なかばまでに自動車の生産は、根本的な変化ではなく、小さな技術の発展を必要とする段階に達していた。すると、デザインやマーケティングに重きが置かれるようになった。

競争の激化とともに利益率が下がったため、GMは別の方法を模索して成長を維持しようとした。そのひとつが、ゼネラル・モーターズ・アクセプタンス・コーポレーション（GMAC）の起ち上げだった。GMACは自動車ローンを提供する子会社として設立され、のちに巨大な金融機関へと発展した。しだいにGMACは、本家による自動車販売よりも多くの利益を生みだすようになった。自動車の価格は需要と供給によって大きな影響を受けるため、より効率的に利益を上げることに重点が置かれた。経営者たち――自動車についてはあまり知識がないものの、ビジネスのプロセスについて多くを知る人々――が自動車工場を管理し、自動車製造から金融までさまざまな事業を運営しようとした。GMの規模は拡散し、さまざまな産業と絡み合うようになった。結果、日本やドイツの企業と中核市場において競い合うことができなくなった。それらの外国企業はより新しい工場を持ち、主力製品にひたすら焦点を当てた。

GMは、規模を拡散し、大きく複雑に成長し、そのせいで人員過剰になった企業の典型例だった。複雑な組織を保つためには、多くのスタッフが必要だった。GMのような企業には、抜本的な再改革が急務だった。なぜなら、企業経営には絶対に欠かせない資本収益率（ROC）という中核的な論理を失ってしまったからだ。そのような企業はひどく効率が悪かったため、数多くのベテラン従業員が解雇される事態になった。四〇代や五〇代の従業員の多くは、それまでと同等の待遇の仕事を見つけることができなかった。GMは給料を払うことのみならず、大所帯を保つこともできなくなった。しかし、それは従業員のせいではなかった。企業を複雑な組織に変え、焦点を奪った論理のせいだった。

効率性の向上には、雇用の喪失という代償がつきものだった。とくに、工業分野の仕事へのダメージは大きかった。ところが、それが唯一の代償ではなかった。高い効率はふたつの方法をとおしてもたらされた。ひとつは、組織や技術の改革。もうひとつは、中国のようなコストの低い地域への工場の移転や、それらの国からの輸出の受け容れ。どちらも経済をより効率的にするための施策ではあるものの、結果として国内の工業労働者の働き口は減った。

同時に、アメリカ経済では革命が起きていた。マイクロチップ技術と起業家精神の新しい波が組み合わさると、既存の経済がさらに破壊され、堂々たる新しい経済と文化が生みだされた。マイクロチップは仕事の在り方を変えた。私の父は、印刷工場の植字工だった。当時の活字は手作業で組まれており、父は優秀な職人として働いていた。印刷のプロセスにコンピューターが導入されると、父の職人技と仕事そのものが時代遅れになった。父は、新しいテクノロジーの登場によって職を奪われた数百万人のうちのひとりだった。その時代の彼らは、自分の仕事が何に取って代わられたのかという〝謎〟を知ることすらできなかった。ときに、勤め先の会社が新しいテクノロジーを導入し、社員が解雇されることもあった。ときに、起業家によって会社が破壊されたり、業界全体が破壊されたりすることもあった。

自由貿易の核となる目的は「国家の富を増やす」ことにある。そこには、ふたつの大きな問題がひそんでいる。まず、この目的を達成するためにどれくらいの時間がかかるのか？　つぎに、増えた富はどのように配分されるのか？　自由貿易と一般的な意味での資本主義は、つねに新しい富を生みだしながら経済全体を前進させる。しかし「全体」のなかには、経済革命によって職を失い、新しい仕事を見つけられない人々は含まれていない。自由市場という抽象的な理論のなかでは、これは払われるべき代償にすぎない。しかし社会や政治といった現実の世界のなかでは、仕事を奪われた労働者はより大きな力を持っており、この一連のプロセスによって経済の重要かつ強力な部門が不安定になるおそれがある。そのような流れはずっと続いてきたものの、二〇一〇年代なかばに実際に政治的な問題として浮上した。なぜなら、解雇された労働者の数が増し、さらに同じ地理的エリアに集中していたからだ。

変革が必要だった。ルーズベルト周期から抜けだすためには、レーガン周期でなんらかの変化を起こさなければいけなかった。過去のサイクルと同じように、経済の急成長とともに犠牲者が増えつづけるという流れが問題だった。新しい仕事を見つけた人々は、エスカレーターのいちばん下から仕事を始め、また何度も何度もエスカレーターの外に放りだされた。事実、物価変動を勘案したアメリカの平均世帯収入は長いあいだまったく増加していない。

二〇一四年の世帯年収の中央値は約五万三〇〇〇ドルで、平均世帯規模は二・八人だった。ルーズベルト周期の最後の一〇年間のなかばである一九七五年以来、世帯収入はほとんど増えていない。給与処理会社ＡＤＰによると、実際の手取りの月給は三四〇〇ドルほどになるという。

セントルイス連邦準備銀行の調べによれば、現在の米国の住宅価格は平均三一万一〇〇〇ドル。二割にあたる六万ドルほどを頭金として〝平均的な家〟を購入した場合、月々の住宅ローンの支

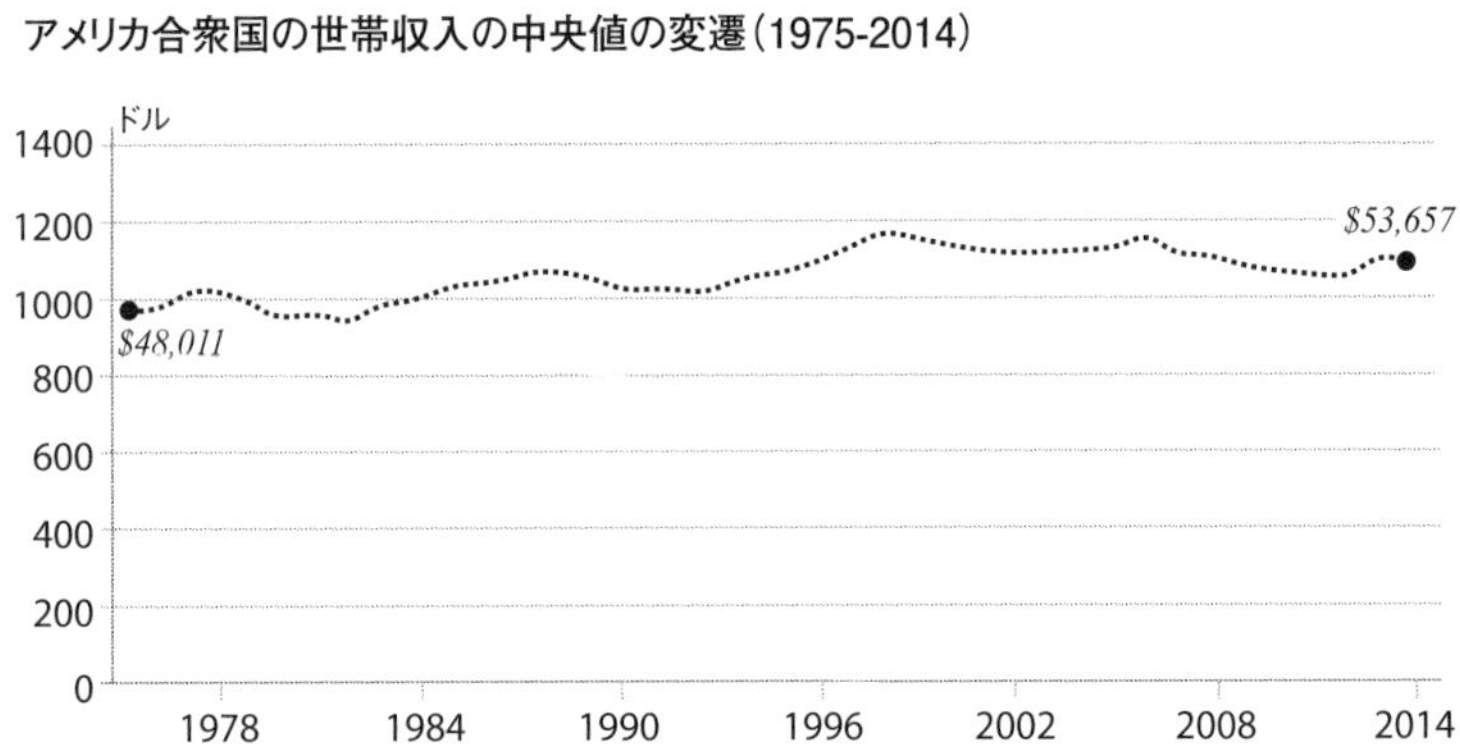


図17　横ばいの世帯収入

払いは約一一〇〇ドルとなる。不動産サイトRealty Trac.comの情報をもとに計算したところ、この家に課せられる税金は年間平均で購入額の一・二九パーセント。つまり年間で四〇〇〇ドル、一月あたり三三三ドルだ。ここに住宅保険料を加えると、持ち家にかかる月々のコストは約一六〇〇ドルになる（維持費をのぞく）。よって、年収のほぼ半分が住宅のために使われ、そのほかの費用として毎月約一八〇〇ドルが残る計算になる。週四五〇ドルであらゆる経費をまかなうことについて考えてみてほしい——食費、衣服代、さまざまな借金の返済（たとえば、低価格帯の新車のローンの月々の平均返済額は約六〇〇ドル）、さらに一部の人は学生ローンの返済……。くわえて、予期せぬ出費はつねにあるものだ。

これらの数字からわかるのは、今日の中産階級がかろうじて中産階級の生活を送っているという事実だ。では、かつては比較的快適な生活を送っていた下位中産階級について考えてみよう。下位中産階級の現在の平均年収はおよそ三万ドル。手取りは約二万六〇〇〇ドルで、月に換算すると二一六六ドルとなる。なんとか頭金を捻出し

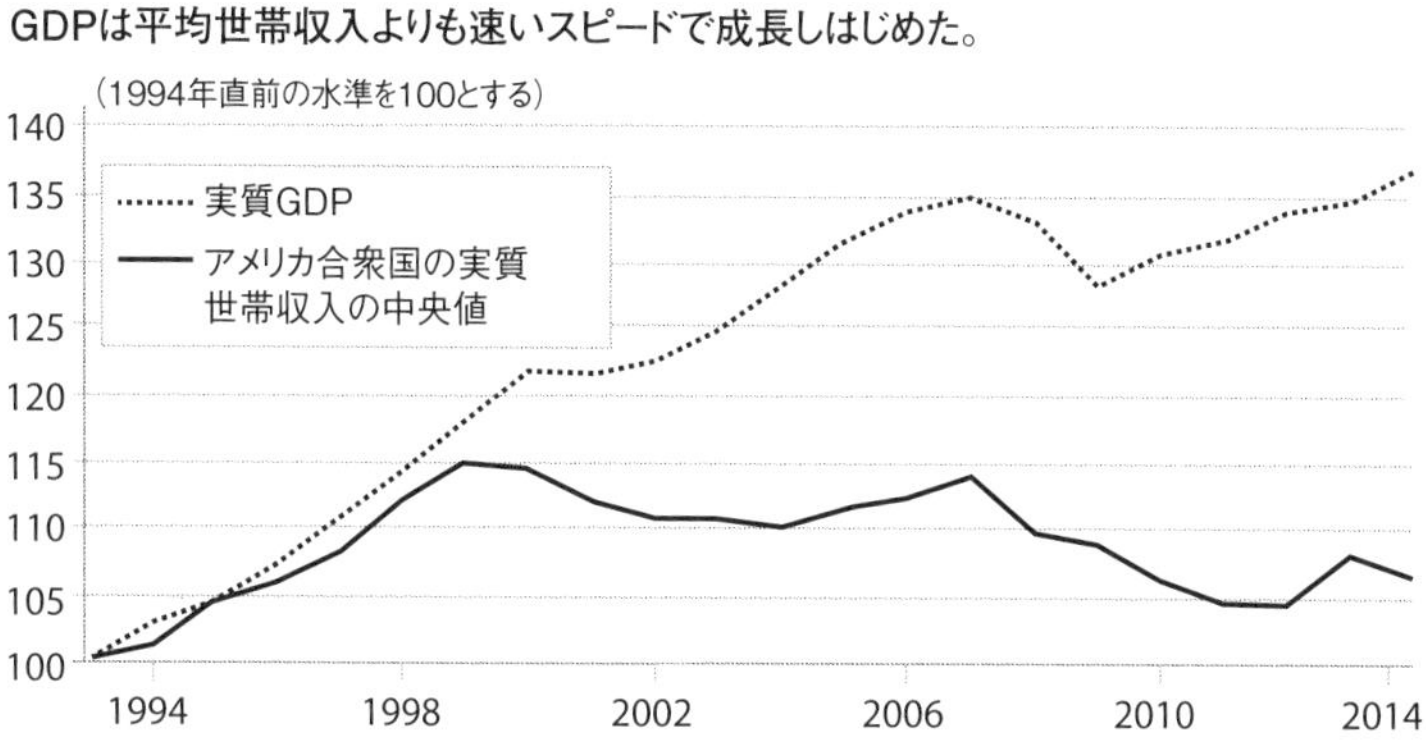


図 18　GDP と世帯収入の差

たと仮定する場合、住宅ローンで収入の半分は消え、自動車から食糧品まであらゆる必需品のために使えるお金は週二五〇ドルのみ。これで生活などできるわけがない。よって下位中産階級にとっては一軒家ではなくアパートメントを買うしか道はなくなり、それも質素なアパートメントを購入するのがやっとだ。

皮肉にもこの状況の悪化は、アメリカ史上最大級の好景気のあいだに起きていた。平均世帯収入が伸び悩むなか、一九九〇年初頭からＧＤＰが急速に成長しはじめ、レーガン周期の残りのあいだその差は広がりつづけた。

一九九三年ごろからＧＤＰは三五パーセント以上の割合で増加した。同じ期間に世帯収入の中央値はわずかに五パーセントほど上がったが、ピークの一九九八年以降は減少しつづけている。ここで問題となるのは、不平等ではなかった。アメリカ人はつねに不平等を受け容れてきた。中産階級にとって問題となったのは、みずからが享受できる物質的な生活水準のほうだった。かつてはマイホームと二台の自動車を所有し、年に一度の長期休暇をとることが中産階級の生活とアメリカン・ドリームの定義だった。一九五〇年代から六〇年代にかけては、中産階級のみならず下位中産階級の人々でもそのような生活を送ることができた。二〇一〇年代なかばになると、平均的な世帯収入を稼ぐ中産階級の家庭はかろうじて同じレベルの生活を続けることができるが、下位中産階級ではまったく不可能になった。次のような指摘はあくまで一般論ではあるものの、不合理な説明ではないはずだ——この下位中産階級を構成する集団のひとつに、かつての白人工業労働者階級が含まれる。

全体としての富は増えたものの、その富は工業労働者から離れ、金融やテクノロジーなどの分野で働く人々のほうに流れていった。そして、彼らが新たに上位中産階級を構成するようになった。しかし以前とは異なり、下位中産階級から中産階級、上位中産階級への曲線は緩やかなものではなくなった。それぞれの階級のあいだには大きな断絶があった。さらに、古い中産階級と新しい中産階級の所得のあいだにも断絶があった。

レーガン周期が大きな成功を遂げたため、現在は巨額の資本が余剰する状態になっている。サイクル当初はきわめて高かった金利が、やがて一気に落ち込んだ。それは、大規模な投資ブームが招いた結果だった。当時は税率も優遇されており、ブームによって相当なリターンが生まれ、投資家の手元に利益が蓄積されていった。蓄積が増えるにつれて投資機会が減少したことによって、金利はさらに下がった。残念ながら、この状況下で中小企業が資金を確保するのは非常にむずかしくなる。金利の状況はどうあれ、二〇〇八年の金融危機は極度の警戒態勢へとつながった。このようにマイクロチップ時代が成熟するにつれて、中小企業向けの限られた資金と、(みるみる少なくなる)投資機会を求める余剰資金が経済のなかに共存するようになった。

現在、金利は歴史的な低水準にある。この時代のはじめには巨額の資金が生みだされた。しかし現在、そのほとんどは投資会社や個人投資家――生活費以上の資金を持つ人々――の手中にある。同時に、イノベーションの進化が鈍くなるにつれ、ビジネス全体の動きも鈍くなっていった。大きなリスクを冒すような投資は減った。そして、成熟した企業に投資する人々は、時代の終わりのいつもの流れとして、リスクが高まる環境がもたらす課題に直面することになる。

つまり、投資機会を求める資金は大量にあるものの、ぴったりの機会がなかなか見つからないということだ。多くの資金はきわめて安全な資産へと流れ、それによって金利が劇的に押し下がる。長いあいだ慎重に資産管理計画を立ててきた退職者でさえ、自分の富にほとんど利子がつかなくなるとは予測していなかったはずだ。工業労働者階級の混乱にくわえ、用心深い倹約家たちが低金利のあおりを受けたことがあいまって、経済危機が生じはじめた。そのあとには当然ながら、社会的危機が待っている。

新たな経済危機を生みだしたのは、レーガン周期の成功そのものだった。レーガン周期では多くの富が引きだされたが、時代の最後には（最初と同じように）、投資の増加のために資金は集中的に分配された。しかし過去のすべてのサイクルと同様、現在のサイクルで解決された問題は、次のサイクルで解決すべき問題を生む。この経済危機は、ふたつの階級のあいだに緊張状態が広がるという社会問題へとつながった。一方には、衰退しつつある工業労働者階級があった。他方には、いわゆる〝技術者階級〟の台頭から恩恵を受けてきた集団がおり、その中心には起業家と投資家がいた。社会的危機が起きたときには、当然ながら文化的危機も起きる。そのような文化的危機は、多くの点においてほかの危機よりも先進的なものになる。なぜなら、階級同士の興亡をうながすのは経済的な争いだとしても、その原動力となるのは価値観のちがいだからだ。

これまでの五つの各サイクルをつぶさに見てみると、社会的・文化的な変化が経済と相互的に関連していることがわかる。一例を挙げると、第二次世界大戦後の消費者貸付の普及と〝郊外居住者〟という新しい社会階級の出現によって、テクノクラシーによるアメリカ社会生活の支配はますます進んでいった。郊外居住者のニーズは工業、政府、教育、医療などあらゆる分野を突き動かしたが、それらのすべてを管理するのがテクノクラートだった。戦後の郊外居住者の世代は安定した収入を得て、マイホームのみならず家具や車を買い、旅行に行くこともできた。ひとつまえの時代から見れば、郊外居住者は無責任かつ不道徳な人々の象徴だった。富裕層の観点から見た〝郊外〟とは、文化も人間味もない脆弱な構造の住宅地だった。都市生活者たちは――かつて自分たちが小さな田舎町の住民から見下されていたように――郊外を見下していた。一方、田舎町を中心としたむかしのアメリカ社会では、都市生活者は無責任な人々の象徴だとみなされていた。新しい社会形態は、きまって以前の時代の住人たちから軽蔑される。しかし郊外の形成とともに生まれたテクノクラートは、新しい現実に奉仕することが自分たちの役割だと理解していた。

五つの社会経済的サイクルについて解説するなかで私は、それらの幅広いサイクルがアメリカ合衆国の進化を推し進めてきたことを示そうとした。しかし同時に指摘したかったのは、各サイクルはどれも似たような流れで機能するということだ。古いサイクルは機能停止の地点へと達するか、より正確にいえば「ますます非効率的」になる。そのような機能停止が誰の眼にも明らかになるまえから、政治的な危機が起きる。危機が始まるのは、問題の解決が必要とされる一〇年ほどまえのことだ。政治とは、新たに生まれる社会的・経済的な激震のための地震計である。社会的な新興勢力が生まれ、成熟し、かつてない方法で国を分断していく。同じように、経済も新たな時代に突入する。経済的な機能障害が起きたとき、ひとつの社会的集団は耐えがたい状況に追い込まれるものの、別の集団は恩恵を受けつづける。古い社会秩序は新しい社会秩序を軽蔑し、逆に新しい社会秩序は古い社会秩序を軽蔑する。その軽蔑は政治問題に火をつける一方で、必要となる経済改革を妨害する。古い社会秩序は、未来は過去と地続きであるべきだと考える。新しい社会秩序のほうは、根本的に異なるアプローチを求める。第四サイクルの最初の大統領となったルーズベルトは、古い時代のエリート層に軽蔑された。さらにエリート層は、新興社会階級の受け容れを拒んだ。一方、新たに生まれた社会勢力は、反ルーズベルトの古い金持ちエリート層と田舎町を中心としたアメリカ社会を軽蔑した。そしてエリート層と田舎の住民たちは、自分たちの立場を危うくする都市の工業労働者を軽蔑した。

いつの時代も、社会の緊張と人々の嫌悪によってアメリカは引き裂かれていく。衰退する時代の幕切れには、前時代の原則と習慣を必死で守り抜こうとする大統領が当選する。これらの大統領――アダムズ、グラント、フーバー、カーター――は、直面した問題を時代遅れな手段で解決しようとして、事態をさらなる危機へと陥れる。つぎに選ばれる新たな大統領は、現実を充分に理解し（あるいは単純に現実への対処を迫られるため）、古い時代の経済政策を大々的に転換する。また、新興社会勢力によって選ばれたこの大統領は、新しい時代のサイクルを前進させるための大がかりなプロセスを始める。

これが、私たちがいま暮らしている社会・経済の一連の流れである。現在のレーガン時代はもはや限界に達しており、経済をこのままの状態で保つことはできない。失敗を引き起こす問題は、対立し合う一連の社会階層が生まれる過程のなかにひそんでいる。この余波を受けてトランプ政権の政治的危機は深まり、新しい社会勢力同士の争いが始まる。この危機は二〇二〇年代のあいだずっと続く。二〇二四年には、衰退する時代の古い価値観を象徴する新しい大統領が生まれる。その大統領の政策が頓挫することによって、新興階級が力を増し、それまでの常識をくつがえすような新しい経済政策が生みだされる。

二〇一六年に始まった嵐はついに二〇三〇年代に終わり、新しいサイクルが出現する。二〇三〇年代のはじめの数年のあいだに、政治の対立、社会の緊張、経済の機能障害は解消される。このサイクルは新たな時代——過去とは異なるものの、発明という同じ基礎のうえに築かれる時代——を創造し、また半世紀にわたって続いていく。

# 第3部　危機と静けさ

# 第8章　来たる嵐の最初の震え

二〇一六年一一月、ドナルド・トランプがアメリカ大統領選挙の勝者となったとき、私はオーストラリアにいた。結果が発表されたのは正午少しまえだった。それから私は一日じゅう――いや、滞在中に参加したすべての会議の席で――困惑したメディア媒体から同じことを何度も訊かれた。なぜトランプは勝てたのか？　この勝利は何を意味するのか？　オーストラリアのブリスベンやシドニーでも、アメリカのシンシナティやニューヨークと同じように選挙の結果は深刻に受け止められた。すでに本書の執筆に取りかかっていた私は、当選した男性そのものに焦点を当てるのではなく、サイクル内における彼の立ち位置に眼を向けるべきだと説明しようとした。しかし、誰も私の説明に耳を傾けようとはしなかった。なぜなら、すべての注目はトランプという人間の人格に集まっていたからだ。状況はいまも変わらないものの、そのような考え方はまちがいだと私は主張したい。

　ドナルド・トランプの当選は、第四の制度的サイクルと第六の社会経済的サイクルへの移行の始まりを示すものだった。現在の制度的モデルはみるみる機能不全へと陥っている。解決の鍵は、連邦政府と国そのものとの関係を再定義することに隠されている。近年の経済的・社会的な危機は、それまでアメリカ社会の柱だったもの――つまり、工場労働者――の状況をひどく悪化させた。制度的および社会経済的サイクルの両方がほぼ同時期に危機に至ったことは過去になく、二〇二〇年代はきわめて不安定な時期になることが予想される。二〇二〇年代へとつながる道の始まりも、まさに不安定なものだった。その道は、明らかに対立する社会階層を代表するふたりの候補者で争われた二〇一六年の選挙から始まった。一般投票ではヒラリー・クリントンが勝利し、選挙人投票ではドナルド・トランプが勝利したため、選挙は事実上の引き分けで終わった。その事実こそが、どれほど緊張に満ちた時代がやってくるのかを暗示していた。

民主党大会で暴動が起きた一九六八年の選挙とちょうど同じように、二〇一六年の選挙は、根底にある緊張を政治システムが感じ取ったことを示すものだった。一九六八年の政治的対立は、一九八〇年まで終わらなかった。だから二〇一六年の政治的緊張も、二〇二八年まで収束は見込めない。なにより思いだしてほしいのは、衰退する階級を代表する政治家がサイクル最後の大統領となり、政権運営に失敗するというお決まりの流れがあることだ。社会経済的サイクルの第三期の最後の大統領だったハーバート・フーバーが典型的な共和党の大統領であり、第四期の最後の大統領となったジミー・カーターが典型的な民主党の大統領だと定義しよう。だとすれば、おそらく現在のサイクルの終わりには、テクノクラシーを擁護しようとする民主党の大統領が誕生するはずだ。周期の最後を飾ったそのような大統領たちはみな、ユリシーズ・S・グラントをのぞいて一期限りの大統領だった。よって、現在のサイクルの最後の大統領は二〇二四年に選出されると私は推測する（二期連続の大統領であれば二〇二〇年に選出）。

サイクルが終わりに近づいていることを示す最初の兆候は「政情不安」であり、新しいサイクルに移行する一〇年以上前から不安定な状態が始まるケースもある。たとえば、一九八〇年に始まったレーガン周期への移り変わりは、一九六〇年代後半の政情不安からスタートした。しかし政情不安は、新しいサイクルの姿かたちについてヒントを与えてくれるわけではない。ベトナム反戦運動やニクソン大統領の辞任は、レーガン大統領がその船出を取り仕切ることになる新サイクルの姿かたちについて何も教えてはくれなかった。政治システムは敏感であり、ごく小さな経済的・社会的変化の揺れも素早く全体に伝わる。一九七〇年代に深刻化する経済的・社会的な危機は、じつのところ一九六〇年代後半から姿を現わしはじめていた。ほとんどの人の眼には見えなかったものの、すでに小さな揺れが政治システムを不安定な状態に少しずつ導いていた。このように政情不安が、一〇年ほどあとに爆発する社会的・経済的危機の前触れとなる。古いサイクルはそれ自体の重みによって崩壊し、新大統領が象徴する新サイクルに取って代わられる。レーガンが、新しいサイクルを作ったわけではなかった。彼は、死にゆくサイクルの激しい緊張を利用して大統領になり、新しいサイクルの誕生を取り仕切った。レーガンが大統領に選ばれていなかったとしても、誰かほかの人がサイクルの移行を見届けていたにちがいない。誰が大統領であれ、古いサイクルは消え、長く不安定な状況によって形作られてきた新しいサイクルが誕生することに変わりはなかった。

ドナルド・トランプの当選は、レーガン周期が終わりに近づきつつあることを示す最初の兆候だった。大統領選挙では大きな議論が巻き起こり、双方が互いに中傷し合い、敗れた側は勝利を奪われたと主張した。議論が巻き起こった背景には、米国社会で起きている根本的な変化があった。変化の痛みに苦しむ側（共和党支持者）は、もう一方の側（民主党支持者）が自分たちの悲惨な状況の原因だとみなした。変化の痛みを経験していない側は、もう一方を（ヒラリー・クリントンの言葉を借りれば）「惨めな人々の集まり」だとみなした。彼らが惨めだとみなされたのは、時代遅れで不道徳だと考えられる文化にしがみついていたからだった。これらすべての状況が、選挙の結果――選挙の勝者は一般投票では負け、選挙人投票でかろうじて勝った――によってより複雑になった。そのためトランプに敵対する人々は、彼の当選を違法なものだと訴えた。逆にトランプの支持者たちは、不法移民の票によって一般選挙は操作されたと主張した。

政治的緊張は、選挙では解消されなかった。それどころか、選挙のあとに緊張は天文学的に高まった。政治的分裂を形作るそれぞれの側は、他方が危険で無責任だとかたくなに信じ、卑劣で侮辱的な言葉を互いに浴びせた。攻撃の的になったのは〝人格〟だった。トランプも、その対立相手たちも、さまざまな問題も、国を飲み込んだ巨大な不信のなかに埋もれて見えなくなった。この危機においておそらくもっとも深刻なのは、党派がひどく分裂していた点だった。多くの場合、政党の垣根を越えた友情を築くことはきわめてむずかしく、自分と反対の意見を持つ知り合いはまわりにいなかった。じつのところ対立をあおっていたのは、トランプやクリントンへの嫌悪感ではなかった。それは兆候にすぎなかった。ほんとうの問題は国内の分裂だった。アメリカは、緊張を引き起こす真の社会的、経済的、制度的な機能不全にもがき苦しんでいた。

## サイクル移行の典型的なプロセス

サイクルの過渡期に入りはじめたときには、このような騒々しい選挙になるのがお決まりだった。たとえば、民主党大会で暴動が起きた一九六八年に始まった混乱について思いだしてほしい。あるいは、一八七六年のラザフォード・ヘイズとサミュエル・ティルデンの大統領選挙、一八二四年のジョン・アダムズとアンドリュー・ジャクソンの大統領選挙での告発と仕返し合戦について調べてみてほしい。経済が変化しはじめると、社会構造も同時に変化する。すると必然的に、少なくともシステムの一部に痛みが浸透しはじめる。結果、解決などできそうもない恐ろしい政治的混乱が始まる。多くの人はそれを、国が崩壊する兆候だと考える。しかし実際には、急速に発展する国がたしかな変化を遂げている証拠にすぎない。

ひとつのサイクルが次のサイクルに移り変わるあいだ、衝突する社会勢力は相手からひどく無礼な扱いを受ける。それは、けっして新しい現象などではない。一九六〇年代には、反戦・反体制派と中産階級層が対立した。ふたつの派閥のなかにも限りない分裂があったことを踏まえると、ある意味、どちらの派閥も虚構でしかなかった。しかし、それぞれの派閥は同じ嫌悪感を共有していた。一方の運動は、相手の見せかけだけの残忍で浅はかな偽物っぽさを非難した。他方の運動は、相手の反逆的で勝手気ままな考え方を非難した。具体的にどんな罵詈雑言を浴びせたのかは重要ではない。なぜなら、一九八〇年になるとどちらの運動も終わってしまったからだ。互いへの嫌悪に満ちた言葉が問題だったのではなく、ふたつの相容れない党派に分かれたかのように見えた国の混乱と分断が問題だった。

興味深いことに、政治情勢が不安定な時期にはしばしば、否定的態度や辛辣な言葉を広める新しい通信技術が誕生する。一九六〇年代にはテレビが普及し、国全体がニュース・メディアの犠牲者になった。一九二〇年代には映画にくわえ、ニュースをリアルタイムで伝えるラジオが普及し、自堕落で感傷的な言葉を国民に伝えた。いつの時代にも、非難の的となる新しい形態のメディアが存在する。しかしこれらのメディアは、当時の社会に予期せぬ憎しみが広がっていたことを説明するための手段にすぎない。インターネットとソーシャル・メディアによって、何百万人もの人々がかつてない方法で意見を読んだり書いたりすることができるようになった。しかし、現在のアメリカ社会で普及しているインターネットとソーシャル・メディアのユーザーたちは、それぞれが異なる〝部族〟に属しているにすぎない。彼らはみな、似たような他者——自分がすでに同意している考えを広め、すでに存在する感情を浸透させようとする他者——に追随する。このようなインターネットの部族主義は実際のところ、多様な考えが広まることを制限している。FOXニュースがおもに右派によって視聴され、MSNBCがおもにリベラル派によって視聴されていることを考えれば一目瞭然だろう。

この分裂と憎しみは新しい現象ではない。社会経済的サイクルが変わるとき、そこにはかならず分裂と憎しみが生まれる。レーガン周期が始まるまえ、反体制文化と中産階級のあいだで国は分裂していた。ルーズベルト周期のまえには、共産党員を追放する赤狩りが横行し、ヒューイ・ロングのポピュリズム政策が人気を博した。さらに、都会に住む少数民族の移民と、田舎町に住む裕福なアメリカ人のあいだで対立が生まれた。ヘイズ周期のまえには南北戦争があった。憎しみは新しいものではない。誕生したばかりの通信方法が非難の的になるのもまた、新しい現象ではない。サイクルが移り変わるあいだ（その第一段階ではとくに）、国民の怒りが新たな経済的・社会的な痛みと結びつけられ、増幅していく。

## 同時に起こるふたつのサイクル移行

私たちの眼のまえにいま広がっているのは、少しちがう景色だ。現在のサイクルの移り変わりをこれまでと異質なものに変えているのは、インターネットや社会の緊張感ではない。すでに指摘したとおり、社会経済的サイクルと制度的サイクルの両方がほぼ同じタイミングで危機的レベルに達するという事実によって、いままでとは異なる移行が起きようとしている。これまでにも、ふたつのサイクルの移行時期が近づいたことが一度だけあった（およそ一五年の差）。一九二九年の世界大恐慌の勃発とともに社会経済的サイクルが移り変わり、一九四五年の第二次世界大戦終結とともに制度的サイクルが転換点を迎えた。これまでのサイクルはいつも機能不全に陥ることによって終わった。そして今回はじめて、両方のサイクルが同時に機能不全に陥ることになる。どちらか一方のサイクルが機能不全を起こしただけでも、政治システムには大きな圧力がかかる。今回のケースでは、前例のない圧力が生じることになるが、私たちはすでにその圧力――来たるべき嵐の周辺に吹く風――を肌で感じているはずだ。

ふたつのサイクルは互いに密接に絡み合うようになった。社会経済的サイクルは、富と文化という点において国を深く分断する社会的・政治的現実を作りだした。ラストベルト（かつて製鉄業や製造業などの基幹産業が盛んだった中西部から北東部の地域）の住民たちはいまだ雇用不足にあえぎつづけているが、アメリカの工業は次の段階へと進んだ。「錆びついた工業地帯」を意味する「ラストベルト」というこの言葉自体が、現実の状況を如実に表わしているといっていい。数十年前にエンジンとして米国経済を牽引してきた自動車産業は、過去の呪縛にとらわれたままだ。新しいエンジン――マイクロチップによって成り立つ産業――はボストンやサンフランシスコの住民たちを豊かにする一方で、自動車の組み立てラインを錆びつかせてしまった。この産業システムの変化によってたくさんの人が恩恵を受けたものの、打撃を受けた人も多かった。深く避けがたい緊張は経済の域を超え、激しい文化的対立にまで発展した。伝統的な制度に根差した階級と、伝統を捨て去った階級とのあいだの対立がいまも続いている。このような進歩はまったく新しいものなどではない。かつて、女性の投票権をめぐって国が分断したことがあった。現在は、同性婚といったライフスタイルの多様性について激しい議論が交わされている。あるサイクルが終わって別のサイクルが始まるとき、その過渡期には相互への軽蔑と怒りが渦巻くものだ。

## 第三の制度的サイクルの危機――巨大化する政府

制度的危機は連邦政府のなかで起きている。連邦政府は注目の範囲を広げ、その構造を拡散させた。結果、連邦政府の業務は増えつづけている。さらに、非常に多くのパートに分かれているため、一貫した軍事戦略やわかりやすい医療保険改革法案を作ることはほぼ不可能になった。そのような構造ではもはや、ひとつの問題に焦点を合わせることも、解決策を考えだすこともできない。選挙で選ばれた議員も、大統領も、議会も、これほど拡散・細分化されたシステムを制御することはできない。この古い制度的サイクルが終わりに近づくと、過去の過渡期と同じように組織と現実が枝分かれしていく。

建国から始まった第一の制度的サイクルの問題は、連邦政府が実際に国家を統治できているかどうかが不明瞭だったという点だ。その問題は南北戦争によって解決された。第二の制度的サイクルの問題は、国家を統治する連邦政府が経済と社会にたいして限定的な権限しか有していなかったことだった。すでに説明したように、この点は第二次世界大戦によって解決された。現在の第三の制度的サイクルの問題は、連邦政府がアメリカ社会にたいして大規模な監視をするという扉が開かれたことだ。監視に限界は定められておらず、その絶大な権限を管理できる制度的な構造も確立されていない。

連邦政府にたいする国民の不満は、つねにアメリカ人の生活の一部だった。それを証明するように、「『私は政府の人間で、あなたを助けにきました』という言葉は最大の嘘」という古い冗談もあるほどだ。しかし、現在の状況は二〇世紀から大きく変わった。第二次世界大戦中、大統領は最高司令官としてアメリカ経済と社会の大部分をコントロールした。冷戦へと突入して全体的な権力こそ弱まったものの、大統領は平等な三権の一部門を取り仕切るだけの存在ではないという原則が生まれた。外交政策を推し進めるうえで、大統領は主たる勢力となった。社会の管理という面においては、大統領の地位はそれほど高くなかった。しかし行政府には法律を解釈し、それを規制に変える絶大な力があった。政府の権力を保つためには強力なトップが必要であり、トップの強力な権力は制度に不均衡を生みだした。

連邦政府が社会にたいして新たに絶大な権力を行使するために必要だったのは、強い大統領だけではなかった。それ以上に、巨大な行政機構が必要になった。オバマ大統領が提案した医療保険制度改革法（オバマケア）はおよそ八九七の文書で成り立っており、その規制の説明は二万ページ以上に及んだ。一方、一九三五年に制定された社会保障法の長さはわずか二九ページだった。しかし現在までに二六〇〇ページにまで増え、途方もない量の規制の説明が続く文書に変わった。（選挙で選ばれた公職者が持つ意図的な権力とは対照的に）実質的な権限は、規則の意味を定める膨大な数の管理官や公務員へと委ねられた。そのため、議会の意図は必然的にいったん役所のなかで定義しなおされた。公務員たちが故意に意図を変えようとしたわけではない。たんに、役人ひとりだけで全体を理解することができなかったため、再定義せざるをえない状況になったのだ。やがて、さまざまな規制が法律に矛盾しないようにすること、あるいは規制同士が矛盾しないようにすることさえほぼ不可能になった。

多くの人々――とくに、多種多様なニーズのために政府をおおいに頼りにせざるをえない貧困層や障害者――にとっては、連邦政府は巨大すぎて不可解な存在になった。憲法で保障された政府にたいする請願権も、現在はほぼ骨抜きにされている状況だ。ほかの人々――たとえば、テクノロジーの専門家――にとって、連邦政府が自身の生活に与える影響はきわめて少ない。富裕層にとっては、自分たちに影響を与える連邦規制にうまく対応するためには、多くの弁護士、会計士、連邦規制の専門家の助けが必要になる。それらの専門家を雇う金は、事業を進めるための経費にすぎない。民主主義社会では、連邦政府に要求を出すことを拒まれたり、政府の規制を理解できなかったりすると、（専門家を雇える場合をのぞいて）人々のあいだに政府への不信感が根づく。第二次世界大戦後に連邦政府の台頭を後押しした階級に属するアメリカ人たちはやがて、システムの複雑さを理解することもできなくなり、弁護士を雇う余裕もない状況に置かれた。彼らは、自分たちがいつしか「奉仕される市民」ではなく「管理される対象」になったことに気づいた。

ある意味、このような流れのすべてが9・11後の戦争に反映されていた。大統領は、これらの戦争を圧倒的な力で支配した。にもかかわらず、達成可能な目標を設けることも、達成のための手段を定めることもできなかった。それでも、アメリカの軍隊は戦闘を続けた。このプロセスはベトナム戦争からずっと繰り返されており、現在まで状況は悪化しつづけている。今日の大統領は専門家に囲まれており、内閣はもはや主たる助言者としての役割を果たしていないし、議会はあたかも傍観者のように行動する。専門家たちが焦点を当てるのは、アメリカの国益という大局的な問題ではなく、眼のまえの課題のほうだ。もっと正確にいえば、彼らは「自分たちの専門分野」と「アメリカが注力すべき分野」を混同してしまう。国内問題と同じように外交問題についても、国民は政府をコントロールなどできないし、実際に何が起きているのかさえ理解できなくなってしまった。大統領による秘密主義のもと、混乱は制度の一部になる。

その結果、政府をもっとも必要とする人々が、政府をまったく理解できなくなり、連邦政府にたいして大きな不信感を抱くようになった。そのような状態になったのは、彼らに理解力がないからではない。連邦政府の制度が不透明になり、行動に一貫性がなくなったからだ。政府が持つ非常に幅広い権限は、調整・集中のために必要なシステムの能力をめちゃくちゃにしてしまった。多くの権限は、「憲法上の三権分立が定める場所」から「行政府内にいる役人の手元」へと移行した。

## テクノクラートと労働者の分裂

ドナルド・トランプは、社会の幅広い層の人々の疎外感をとらえることによって選挙に勝った。彼らはみな、連邦政府からだけでなく、連邦政府に仕える人々からも自分が無視されていると感じていた。連邦政府のテクノクラシーと、そのような体制にしびれを切らして不信を抱く人々のあいだには衝突があった。そしてトランプが相対することになったのは、ヒラリー・クリントンを中心に組織された政党であり、クリントンは連邦政府の権力とテクノクラシーの典型的な擁護者だった。そんなふたりが争う選挙は、不信による危機が始まっていることを如実に象徴するものだった。

経済的・社会的な問題がすでに表面化しはじめていた。レーガン時代のあいだにイノベーションの波が始まり、起業家や科学技術者からなる強力な階級が生まれた。その結果として、伝統的な工業主義のなかで働く大勢の人々が社会のなかで取り残された。アメリカの古い産業は外国との激しい競争に負け、金融界からの投資など見込めないほど廃れてしまった。そのような流れのなかで核となるふたつの階級が生まれたが、両者の興味や生活スタイルはまるっきりちがうものだった。明らかにこれらの階級は、「技術者vs.工場労働者」という構図よりもはるかに複雑で多様であり、双方には実に複雑で多様な人々がいた。それでも核心にあるのは、技術者と工場労働者という区別だった。

社会的・経済的な分裂は制度的なジレンマと合致し、そのジレンマをさらに強めていった。いつしかテクノクラシーは、制度的サイクルと社会経済的サイクルの両方を支配するようになった。テクノクラシーは単純な概念だ――問題は知識をとおして解決されるべきで、事実上あらゆる種類の問題解決は技術的なものである。テクノロジーとはたんなる機械ではなく、問題に対処するための方法だ。連邦政府の組織で医療政策に携わる公務員は、問題にたいして合理的かつ理路整然とした方法、つまり技術的なアプローチを利用しようとする。言い換えれば、マイクロチップの設計者と同じ方法で問題解決に取り組んでいるということになる。

前述のとおりテクノクラシーは、イデオロギーに左右されない解決策を政府にもたらすという概念のうえに成り立っていた。しかしながら、いまやテクノクラシーはそれ自体がイデオロギーに成り代わった。その核となる価値観とは、テクノクラシーはむずかしい概念などではなく、社会を理解・操作する知識を持つ人々によって世界はよりよい場所になるというものだ。この仮定のさきには、テクノクラートはシステムを管理することを許されてしかるべきだという結論がある。テクノクラートは、ときに市民に大きな利益をもたらす。彼らが技術的な専門知識を充分に発揮するためには、それらの利益を定義するだけでなく、政府、企業、大学、刑務所などの社会組織の機構を管理する必要がある。この階級に属するのは、経営学修士号（ＭＢＡ）や公共政策の修士号などの資格、コンピューター科学者としての業績を持つ人々である。さらにこの階級には、成功が〝資格〟の証とみなされる少数精鋭の起業家たちがいる。テクノクラートたちは、専門知識が人間を測るための唯一の尺度だと考えていた。したがって彼らにとって、人種、ジェンダー、セクシャリティー、国籍の区別は重要なものではなかった。彼らが掲げる政治目標のひとつは、そのような個人的な差によって専門家への道が閉ざされないようにすることだった。

私たちは、テクノクラシーが幅広い概念であることを理解しなければいけない。公務員であれ、ハリウッドの映画プロデューサーであれ、本の編集者であれ、金融エンジニアであれ、大学教授であれ、テクノクラートたちはみな知性の力が世界を形作ると信じている。テクノクラシーは啓蒙運動から生まれた概念であり、核となるのは「理性によって世界が完璧なものになる」「理性こそが世界を大きく改善する」という考えだ。つまりテクノクラシーが目指すのは、アメリカのみならず世界じゅうにいる抑圧された人々の地位が改善されることである。テクノクラートがみずからの専門分野の枠を超えて活動するとき、彼らはある世界観を共有している――目指すべきは平等ではなく、むしろ抑圧からの解放である（じつのところ、テクノクラシー内の経済的格差は大きい）。しかしテクノクラシーの考えにしたがうとすれば、人は付随的な特徴ではなく、なによりも専門技術と知識によって判断されなければならない。そのような判断を押しつけることもまた、抑圧と同じことを意味するはずだ。

しかし、テクノクラートたちの言う〝抑圧された人々〟の定義とはなんだろう？　彼らが守ろうとしたのは、環境的に抑圧された人々ではなく、文化的に抑圧された人々のほうだった。アフリカ系アメリカ人は誰もが、経済的地位に関係なく人種差別の影響に苦しんでいる。ヒスパニックやイスラム教徒も、外国人嫌悪《ゼノフォビア》に苦しんでいる。性の規範から逸脱した者はみな、同性愛嫌悪《ホモフォビア》の犠牲者だ。女性は女性蔑視《ミソジニー》の犠牲者である。人種差別、外国人嫌悪、同性愛嫌悪、女性蔑視はどれも、加害者側の短所に起因するものだ。よってテクノクラートたちは、抑圧・改善されなければいけないのは加害者のほうだと考える。加害者の考え方を教育しなおし、相手を抑圧するような思想を持ちつづける者を処罰するべきだ、と。

テクノクラートは自分の領域をしっかりと管理しつつ、観念的な暮らしを送っている。彼らにとって、すべての問題は知的なものだ――人間はつねに考えつづける必要があり、考えることが実際の行動を可能にする。いったん考えが定まれば、かならず行動がともなう。理性は言語へとつながるため、テクノクラートの主戦場は言語となる。言語の形が変われば、行動も変わる。いわゆる政治的正しさ《ポリティカル・コレクトネス》とは、支配的階級になったテクノクラートが世界を作り変えるために使った手法のひとつである。テクノクラシーのなかで生まれる緊張は、「自身の分野における自分の仕事」と「自身が実践する普遍的原理」のあいだにひそんでいる。

このようなテクノクラート的な考え方は、衰退しつつある階級――ほぼ白人で構成される工業労働者階級――への対応のなかにとりわけ色濃く反映されている。テクノクラシーの考えのなかでは、抑圧の根本的な原因を作ったのは白人たち本人なのだ。歴史的に白人は、人種、国籍、ジェンダーを利用して他者を抑圧しつづけてきた。圧倒的大多数のテクノクラートも白人だが、彼らは自分たちとほかの白人を明確に区別する。テクノクラートはこう考える。自分たちは、少なくとも思想や言論の抑圧を乗り越えようと努力をしている。けれど、工業労働者階級の白人たちはいまだ抑圧を続けようとする――。衰退する白人工業労働者階級の経済状況は、悪化の一途をたどっている。しかし幅広い所得層が含まれるテクノクラシーにとって、工業労働者階級に属する白人たちの経済的な衰退は本質的な問題ではない。問題は、彼らが他者への抑圧をやめようとしないことのほうなのだ。

## 虐げられる白人労働者階級

現在、工業労働者階級では高齢化がみるみる進んでいる。この階級の衰退が始まったのは、およそ四〇年前のことだった。その子どもたちもみな衰退に苦しんできたものの、子ども世代については別のレンズをとおして見る必要がある。親世代の人生は、自分の手でできることによって形作られていた。彼らの世界は肉体的なものだった。機械と物質に満ちた世界には、抑制が必要だった。彼らの誇りは、みずからの体力と常識にあった。「常識」は複雑な用語ではあるものの、つまるところ、自分たちが知る範囲の世界についての知識を意味する。要は、その時代と場所において私たち全員に共通する物事である。工業労働者階級が目指したのは世界を変えることではなく、世界のなかで安全な場所を見つけ、そのルールを理解し、ルールの範囲内で生活することだった。

白人の工業労働者階級が住む世界の基盤となるのは、自分たちが築き上げた道徳性ではなく、自分たちが享受した道徳性のほうだ。彼らが享受した道徳性とは、両親と教会から学んだものだった。一九八〇年代まで、白人工業労働者のほとんどはカトリックとプロテスタントで構成され、多くは保守的な宗派の信者だった。彼らは、同性愛、婚前交渉、同性婚、中絶を本質的に不道徳なものだと考えた。当然ながら、彼らが道徳的だと信じることと実際の行動はしばしば異なっていた。

白人労働者階級にとって、教会はもっとも大きな権威を持つ組織である。しかし現在の世界では、教会の考え方が誤りだとみなされるどころか、嫌悪《フォビア》の一形態だととらえられることも少なくない。労働者にとって教会はしごく正当な組織であり、いまだ強い影響力を保っていることに変わりはない。しかしその教会が、今日の社会では攻撃の的となることが多い。そのような攻撃によって道徳心が弱まることはなく、より信念が強まって彼らは防御的になる。強力な権威によって浸透した考えが攻撃されるとき、それは反撃へとつながり、反撃は政治的な意味合いで行なわれることになる。

人種差別は、アメリカの歴史のなかから消えたことはなかった。しかし今日の社会において深刻なのは、白人労働者階級の心にひそむ人種差別よりも、むしろ〝選択的な不公平さ〟にまつわる問題のほうだ。白人たちが怒っているのは、〝抑圧された少数民族〟のためには多種多様な特別支援策が用意されているにもかかわらず、白人労働者階級の置かれた状況には誰も眼を向けようとはしないことだ。白人労働者のあいだでは所得がみるみる減り、出産する女性の半分近くは未婚のまま子どもを産み、薬物の使用が広く蔓延している。言い換えれば、現在の白人労働者階級の状況は、一九七〇年代のアフリカ系アメリカ人の状況とそう変わりがないということになる。

アフリカ系アメリカ人の置かれた状況は国家の最重要課題となり、議論百出の「アファーマティブ・アクション」（積極的差別是正措置）をはじめとするさまざまな支援策が生みだされた。成否は別としてテクノクラシーは、崩壊しつつあるアフリカ系アメリカ人家族の状況をなんとか立て直そうとした。しかし今日のテクノクラシーからは、白人労働者階級の置かれた状況に関してそのような懸念の声は聞こえてこない。むしろテクノクラートは、白人労働者自体が問題だと考える。一方の白人労働者階級は自分たちのことを、アフリカ系アメリカ人やヒスパニックと同じ価値ある存在だと自負している。ポスト・レーガン時代の長いあいだ、白人労働者階級は虐げられ、脇へと追いやられた。トランプが出現するまで、彼らを理解し、彼らのために声を上げてくれる人は誰もいなかった。

アメリカ社会において、テクノクラートは白人労働者階級より優位な立場を保っているものの、その立場はどこまでも脆弱なものだ。ドナルド・トランプが当選したという事実からもそれは明らかだろう。さらに、これは対立の幕開けにすぎず、テクノクラシーへの圧力はみるみる強まっていくはずだ。アメリカは制度的危機へと突き進んでおり、近いうちにテクノクラシーの能力と連邦政府の制度に疑問の眼が向けられることになる。一方向からの圧力は、より幅の広い地政学的な危機から生みだされる。アメリカ帝国のための制度的な解決策を定義できなくなるにつれ、テクノクラシーにたいする社会の圧力はさらに増していく。同じ意味合いにおいて、社会問題について首尾一貫した解決策を生みだすテクノクラシーの能力は、よりいっそう限定的なものになる。それは、テクノクラートが持つイデオロギーが招いた結果でもあり、複雑な問題を単純化できなくなったせいでもある。

白人労働者階級の全員が満場一致でトランプを支持したわけではないし、トランプを支持したのは白人労働者階級だけではなかった。ほかの階級の多くの集団もトランプを支持したものの、もっとも熱心に支持したのは白人労働者階級だった。さきほども説明したとおり、ヒラリー・クリントンはテクノクラシー側の候補者だった。彼女は非の打ちどころのない実績を引っ提げて立候補し、抑圧された人々に向けて声高に政策を訴えた。クリントンは一般投票では勝利したものの、得票が北東部と西海岸にひどく偏っていたため、選挙人投票で落選した。いわばクリントンは、テクノクラシーの中心地では勝ち、国の中心地——衰退しつつある工業地域——では負けたことになる。この選挙は、ふたつの対立する階級のあいだで国が膠着状態に達したことを示すものだった。クリントンが負けたのは、工業労働者階級のせいではなかった。支持が地理的に偏っていた点にくわえ、本来であればクリントンに票を投じるべき投票者が裏切ったことが敗因だった。

ヒラリー・クリントンの敗北を説明するもうひとつの側面は、国務長官時代の対リビア政策に隠れていた。アフガニスタンとイラク向けの戦略が失敗したにもかかわらず、アメリカはリビアへの空爆を決め、独裁者であるムアンマル・カダフィ大佐を退陣させようとした。最終的にカダフィは殺されたものの、駐リビア米国大使殺害事件が起きるなど大きな混乱が広がった。これに付随するさまざまな問題はさておき、他国の独裁者を追放するというつもながらのアメリカの決定は、イラクで学んだ教訓にも、シリアでの反乱から学んだ教訓にも反するものだった。リビアへの軍事的介入の意図はあくまでも人道的なものだった。国務省のテクノクラートたちは、空爆と殺害は倫理的に必要な介入であり、リスクはほぼ皆無だと考えた。クリントンはリビア政策のさまざまな面において非難されたが、彼女にもっとも大きなダメージを与えたのは一貫性のなさだった。クリントンがみずからの豊かな外交経験を自慢するたび、リビアでの失敗が引き合いに出されることになった。

クリントンのリビア問題は、テクノクラシーの弱点を浮き彫りにした。専門知識を政治的権限の基盤として利用するという方法論が成功するかどうかは、専門家が自分の小さな分野と社会全体の両方をうまく管理できるかどうかにかかっている。ある意味でこの考え方は、あらゆる階級における権限についても当てはまるものだが、テクノクラートにとってはとりわけ特別で劇的な意味合いを持つことになる。テクノクラートの施策が失敗したとき、彼らが求める権限も、支配のための正当性も雲散霧消する。言い換えれば、政治的な主導権を握ったテクノクラートは、成功しなければいけないという特別な圧力にさらされる。政治統治と専門知識に関連はあるものの、多くの人が想像するよりその関連性ははるかに低い。よってテクノクラートが統治に深くかかわればかかわるほど、専門知識の重要性は薄れていく。

一八二五年にアンドリュー・ジャクソンが大統領として統治権を握ることができたのは、彼が部屋のなかでいちばんの秀才だったからではない。彼は勇気と狡猾さを巧みに使って統治権を手に入れた。部屋のなかでいちばんの秀才になるというのは、どこまでも無防備なことでしかない。

知性だけで統治などできるわけもなく、秀才はかならずみずからの解決能力を超えた問題に直面することになる。知識にもとづく社会では、知識を持つ者が当然の支配者となるのは自明の理のようにも思える。しかし、物事はそれほど単純ではない。テクノクラートは、自分たちが得た知識にもとづいて権利を要求した。けれど常識や道徳観に重きを置く人々は、テクノクラートのそのような考え方に反対した。

## ドナルド・トランプ登場の意味

ブッシュ政権以来、経済的な利害と文化が衝突しつづけている。当初、それは穏やかな衝突だった。なぜなら、共和党と民主党はどちらも現行の経済システムを保つことを支持しており、結局のところそれがもっとも大切な問題だったからだ。たしかに共和党は、性風俗の問題に関する現状の文化に異を唱えたり、連邦政府の制度的機能に疑問を呈したりする傾向はあった。しかし後者の制度に関する主張は、形式的なものでしかなかった。前者の性風俗への主張もおもに、より保守的な支持層を固めておくための戦略の一部だった。

バラク・オバマ政権下では、ティーパーティー運動（二〇〇九年ごろから始まった保守派の市民運動。オバマ政権の「大きな政府」方針に反対するのがおもな活動）の拡大とともに、現行の経済モデルへの反対の動きがいっそう激しくなった。同時に、イデオロギー的および現実的な側面の両方において、連邦政府による社会への介入にたいしてより厳しい眼が向けられるようになった。すると民主党は、経済原理とイデオロギー・文化的問題についてさらに独善的になった。こうして、民主党と共和党のあいだの溝が広がっていった。とはいえ、大統領候補がおもに属する共和党の主流派には大きな変化は見られなかった。

しかし水面下では、経済状況は悪化の一途をたどっていた。分水嶺は二〇〇八年だった。その年に起きたサブプライム住宅ローン危機は、テクノクラシー階級よりも、衰退しつつあった白人労働者階級により大きな打撃を与えた。くわえて白人労働者階級の人々の眼には、連邦政府が自分たち以外の階級の利益を守ることばかりに専念しているように見えた。同時に、連邦政府の機能そのものにも綻《ほころ》びが生じはじめていた。

白人労働者階級は、テクノクラシーと連邦政府の両方に裏切られ、自分たちの経済問題、文化的価値観、イデオロギーがないがしろにされたと感じていた。一方のテクノクラートたちはみな、経済的にそこそこ豊かな生活を送っていた。彼らが提唱した道徳的原則は一般市民のあいだに浸透しつつあり、テクノクラシーのイデオロギーは社会全体を支配するようになった。衰退する白人労働者階級の立場からすると、程度の差こそあれ、共和党と民主党の両方が白人労働者の利益にはどこまでも無関心であるかのように見えた。

白人労働者階級は経済的にも社会的にも衰退しつつあったが、依然として巨大な集団だった。全体としてまとまりはなかったものの、共通の原則があった。そんな白人労働者階級の影響力は、徐々に強まりはじめていた。ティーパーティー運動によって党の権力構造の弱さがあらわになった共和党ではとくに、白人労働者たちはみるみる影響力を増していった。彼らが組織化すれば、党内で抵抗しがたい勢力となるのはまちがいなかった。当然ながら、誰かが白人労働者たちを組織化しようとするのはもう時間の問題だった。しかしその〝誰か〟は、党の外部の人間である必要があった。基本的な経済的・社会的モデルのなかにある、従来の関係性の網に囚われていない

〝誰か〟が必要だった。

リーダーが誰かという問題よりも、集団のなかに生まれた感情にどう対処するかということのほうが重要だった。新たなリーダーはたんにその感情を認め、語りかけるだけでよかった。共和党の既存のメンバーたちは誰もそうすることができなかった。彼らはみな、自由貿易や移民への配慮といった基本原則を拒否することはできなかった。共和党のほかの勢力が気づいていなかったのは、それまで党の外縁部近くで起きていた小さな波が、いまやもっとも力強い波に変わったということだった。それを理解していなかった共和党の主流メンバーたちは、白人労働者階級の心をつかむことができなかった。

ドナルド・トランプは、アメリカを再び偉大な国にすると約束した。共和党のほかのメンバーもテクノクラートたちも、その言葉の意味を理解できなかった。両者とも、アメリカは偉大さを保ちつづけているどころか、偉大さはさらに増しているとさえ信じていた。しかし、衰退しつつある白人工業労働者階級の人々にとって、実際にアメリカは衰退していた。なぜなら、彼ら自身の立場がますます弱くなっていたからだ。トランプは侮辱の言葉を放ち、約束し、怒りをあらわにした。優秀な政治家が絶対にしないことをすべてやった。それこそが彼の強みだった。トランプは、従来の政治家のようには話さなかった。共和党の主要メンバーたちが理解できていなかったのは、この時点までに従来の政治家のほうが軽蔑の対象になっていたということだった。

テクノクラートにとってトランプは理解しがたい人物だった。なぜなら、白人の工業労働者階級にとってテクノクラートは理解しがたい集団だったからだ。民主党支持者は、ロナルド・レーガンの勝利について理解できなかった。共和党支持者は、フランクリン・ルーズベルトの勝利を理解できなかった。同じように、多くにとってトランプは理解できない人物だった。注目されたのは、トランプという人間の風変わりさと非常識な発言だった。しかし、そんなことは重要な問題ではなかった。それは、ヒラリー・クリントンの私用メール問題（国務長官だったクリントンが公務のなかで日常的に私用メールアカウントを使っていたことが発覚し、訴追すべきという声が保守派から上がった）と同じレベルの些細な問題だった。クリントンは、自分がすでに勝ったかのように振る舞った。なぜなら、トランプは明らかに受け容れがたい人間だったからだ。彼の支持者は取るに足らない人々であり、そのような〝病気〟は治療されなければいけないとクリントンは考えた。

実際のところ、彼らは取るに足らない存在などではなかったし、簡単に抑え込める相手でもなかった。二〇一六年の選挙の結果は事実上の引き分けであり、騒がしい手詰まり状態へとつながった。トランプは制度的に身動きがとれなくなった。さらに、メディアを中心とした民間の反対派の動きによって身動きがとれなくなった。彼は反対者の心をつかむことなどできなかったし、反対者がトランプ支持者の心をつかむこともできなかった。

ここまでの議論をまとめれば、トランプの登場は、新しい時代への移行を象徴しているわけではない。むしろ、トランプは最初の〝震え〟だ。支持者の眼にはトランプは果断な政治家として映り、反対者の眼には脅威として映った。彼は、ふたつの階級のあいだの闘争を示す最初の指標だった。しかし、上昇する階級が頂点へと進みつづける一方で、下降する階級は上昇する階級の力を奪い取りつづける。したがって二〇二〇年代の社会状況は、現在の勢力図が示唆するよりも、はるかに複雑なものになる。

# 第9章　二〇二〇年代の危機――サイクルの衝突

最初の政治的な震えが感知され、怒りが高まり、両陣営が対立し、新たな物語の序文が書かれる。しかし奇妙なことに、根底にある制度的、社会的、経済的、そして地政学的な問題の全貌が明らかになるにつれて、怒りから政治的な色合いが消える。すると人々は、アメリカの計画が頓挫したのではないかと考えはじめる。とくに一九七〇年代のあいだはこのような議論が活発に交わされ、ジミー・カーターによる有名な演説へとつながった。マスコミによって「不定愁訴」演説と呼ばれたこのスピーチのなかでカーターは、アメリカの「自信喪失の危機」について論じた。同じように、社会的・経済的な緊張感によって国民の士気が低下した一九三〇年代、ルーズベルトは「私たちが恐れるべき唯一のものは恐怖そのものだ」と語った。現在も似たような論調の議論は多い。しかし、私たちは次の大統領選挙が終わるのをただ待つのではなく、こう認識しておかなくてはいけない――真の危機は眼のまえに迫っているが、まだ危機そのもののなかにいるわけではない、と。

社会経済的サイクルは、その名のとおり社会的および経済的な失敗によって形作られる。一方の制度的サイクルは、アメリカが闘ってきた戦争によって形作られる。二〇二〇年代には、アメリカ合衆国を形作ってきたふたつの主要なサイクルの移行期間が重なることになる。経済と社会の問題への対応によってシステムがゆっくりと壊されていくと同時に、人々のあいだに挫折感が広がっていく。あらゆる問題に圧倒され、政治システムの重要性はますます弱まっていく。政治家にたいして冷笑的な態度をとるのはアメリカの伝統だとしても、制度全体にたいして人々がますます冷笑的になるとき、政治にたいして情熱を持つことはむずかしくなる。政治への情熱は、政治が大切であるという信念から生まれる。二〇二〇年代には、トランプ大統領が再選されるかどうかにかかわらず、冷笑と一体になった無関心が社会を包み込むだろう。この一〇年の危機は、きわめて現実的な問題から生じる。しかしそれは、アメリカという共和国そのものにたいする信頼の危機でもあるのだ。

## テクノクラシーの崩壊

歴史について語るとき、そこに登場する物語はたくさんの人と出来事で埋め尽くされている。そのような歴史にも価値はあるが、問題の核心は見逃されがちだ。過去一〇年について振り返り、ドナルド・トランプ、ウラジーミル・プーチン、中国、ウクライナで埋め尽くされた時代について語るとき、それは氷山の一角を議論しているにすぎない。ほんとうの物語は、氷山の残りの部分によって語られる。氷山の複雑な構造と成り立ちを理解するのは簡単なことではないものの、それこそが実際の関係者と出来事を操っているのだ。

まず、八〇年周期で移り変わる制度的サイクルから見てみよう。第一サイクルは連邦政府を作りだし、第二サイクルは連邦政府と州との関係を再定義し、第三サイクルは連邦政府の経済・社会への関係を再定義した。そして二〇二〇年代なかばに始まる第四サイクルは、連邦政府による政府そのものへの関係を再定義することになる。つまり、連邦政府がどのように優先順位を設定し、その優先順位どおりに目的を達成するために何に焦点を当て、どのように説明責任を果たすのかを再定義するということだ。そう聞くと、比較的小さな変化のようにも思えてくる。ところが実際のところ、第二次世界大戦の直後と同じくらい劇的な変化が訪れ、社会のあらゆる側面と絡み合う巨大な組織の姿が変わる。そして、連邦政府とそれ自体との関係性だけでなく、社会が機能する仕組みが根底から変わることになる。

現在の第三のサイクルのあいだに、連邦政府はふたつの構成要素に分かれた。一方を構成するのは、選挙で選ばれた議員とその直属の部下たち。他方を構成するのは、選挙プロセスを経ていない管理者たち。建国当時からそのような状態は続いてきたものの、第三のサイクルのあいだに両者のバランスが変わり、管理者たちはより独立した力を持ち、政府や社会のあらゆる側面と密接に結びつくようになった。形式的には、（選挙政治には関係ないという点において）このバランスの変化は政治の埒外《らちがい》で起きていた。しかし現実的には、この変化には〝専門知識のイデオロギー〟というごく微妙な政治的イデオロギーの色合いがあった。

このイデオロギーは制度的危機の性質に根差したものであり、その一部は社会経済的な危機によって支えられている。ここ数十年でますます明らかになったとおり、制度の問題の根底には一連のある流れがあった。連邦政府の権限とその明らかな権力が大幅に広がり、一貫性のある理解可能な法律や政策を作りだすことができなくなったという流れだ。「理解可能」とは、これらの法律の対象となる市民が内容を理解できることを意味する。本書ではここからたびたび、オバマによる医療保険制度改革法（オバマケア）を例として使うことになる。この法律は事実上すべての国民の生活に影響を与えるものの、法律の中身は非常に長く複雑であり、全体的な意味を理解できる人はほぼ皆無だといっていい。

連邦政府の任務の拡大は、その事実上の権力への信頼を生みだした。よって政府が無能さをあらわにすると、それは組織的な失敗だとはみなされず、意図的な失敗——権力者に利益をもたらし、多くの一般市民に害をもたらす失敗——の結果だとみなされる。言い換えれば、連邦政府の権力拡大に疑いの眼が向けられているわけではなく、その失敗を意図的なものだと認識する人が増えているということだ。かくして、さまざまな社会的な恐怖が広まったときと同じように、連邦政府が裏で誰かに操られているという陰謀論が今後一〇年のあいだますます強まっていく。このような陰謀論は、過去ふたつの制度的サイクルでは絶対に存在しえないものだった。なぜなら、連邦政府の権力はそれほど大きくはなかったからだ。しかし二〇二〇年代における連邦政府像のなかでは、意図的な陰謀こそが、失敗にたいする唯一の首尾一貫した説明となる。この種の不信感は、社会経済的サイクルの失敗によって引き起こされる経済的損失への恐怖感をより大きなものにする。

二〇二〇年代は心理的に厳しい一〇年となり、制度的、社会的、経済的、地政学的な真の失敗の多くは無視されることになる。眼に見えない力が国を支配していると想像するのは、じつに恐ろしい考え方だ。おそらく、真実と向き合うのはもっと恐ろしいことにちがいない——実際には誰も支配などしておらず、制度が支配している。第二次世界大戦のあとの連邦制度は、専門知識という前提にしたがって構築されたものであり、ほとんどの時期にはうまく機能していた。しかし、専門知識が失敗につながる可能性があるという考えを社会として受け容れるには、国民の見方を大きく変える必要がある。たとえ政府を冷笑的に軽蔑することが長いあいだアメリカ文化の一部になってきたとしても、それを事実として受け容れるのは簡単ではない。この流れは、第三のサイクルの制度的な構造にとってだけでなく、その制度を管理するテクノクラシーにとっても大きな脅威となる。アメリカは今後も、世界的な役割という名の圧力にさらされつづける。くわえてテクノクラシーは、知的な行き詰まり状態から抜けだすことができなくなる。そのふたつの事実が、二〇二〇年代の制度的サイクルの移り変わりをうながすもっとも大きな要因となる。

問題の原因は、専門知識は不可欠であり、専門知識をもとに政府が運営されるべきであるという考えにある。テクノクラシーの本来の意味である「専門家による政府」の大部分は、自身のレンズをとおして問題を解決しようとする専門家によって構成されている。専門家たちが使う多くのレンズを重ねてひとつにまとめ、一般の人々に理解してもらうというのがその狙いだ。そのようなプロセスは、民主的な生活には不可欠なものである。しかしながら、実際にそんな理想的な結果になることはめったにない。なぜなら、一般市民を理解する人、無数のパーツをひとつに統合しようとする人、解決策を練る専門家がみな、互いを理解しがたい存在だと考えているからだ。すると必然的に、専門家が牛耳る政府が生まれる。莫大な責任と知識を持つ政府はやがて、その複雑さのなかで身動きが取れなくなり、国そのものに深刻な影響が及ぶことになる。

連邦政府が受け持つ責任の核となる分野、外交政策について考えてみよう。前述のとおり、これまでの三つの制度的サイクルは戦争によって生じた。そして第四のサイクルはいま、戦争と大規模な地政学的な変化の両方の力によって出現しようとしている。その戦争は、二〇〇一年九月一一日に始まった。しかしここで覚えておくべきなのは、二〇〇一年以来アメリカ合衆国はつねに戦争状態にあるという点だ。第二次世界大戦や南北戦争ほど大きな規模ではないものの、それはアメリカ史上もっとも長く続く戦争である。そして、政府が戦争を「単純な勝利」という枠組みに導けなかったため、合衆国の制度における根本的な弱点が露呈することになった。戦争に必要となるのは、単純化、望ましい目的の理解、戦略の明確化、目的と戦略の双方に適した資源配分である。単純化に失敗した政府は、戦争に必要となる明確化を行なうことができなかった。政府の複雑さは、戦争の複雑な計画へと変換された。その複雑さは戦士たちを混乱に陥れ、彼らの任務遂行をよりむずかしくした。

しかし、もっと深刻な問題があった。一九九一年一二月、ソビエト連邦が崩壊した。するとアメリカは、予想外かつ望ましくない状況に置かれた。合衆国は、世界で唯一の大国になった。それだけでなく、事実上ほかのすべての国に大きな影響を与える帝国になった。帝国アメリカはどんな行動をとるべきなのか？　帝国になったという明らかな事実を否定した人も大勢いれば、帝国という地位を辞退したいと考えた人もいた。しかし、世界じゅうに自由民主主義国家を作りだしたいと引きつづき考える人もたくさんいた。国務省をすぐれた権力機関だと考える人もいれば、忌み嫌う人もいる。激しい議論は尽きないものの、連邦政府について何かが恐ろしいほどまちがっているという感覚は確実に広まっており、その感覚は二〇二〇年代にさらに強まっていくと考えられる。すでに説明したように、外交政策を管理するうえでの問題が一般的に制度を変える。第二次世界大戦は工業戦争であり、それを管理するために工業労働者が動員される流れができあがった。したがって、純粋なビジネス志向の考え方やリーダーは、国家にたいして責任を負う管理者によって抑え込まれる必要があった。戦後、アメリカは世界の覇権国として台頭し、中東で一八年にわたって戦争を続けることになった。その結果として、ワシントンに権力が集中する第二次世界大戦型の制度は、必然的に置き換えられることになる。第二次世界大戦を経験したからといって、連邦政府はその種の大きな権力を管理できるように生まれ変わったわけではない。さらに現在までに、最初の対応として軍事力を使うというアメリカの戦略は持続不可能であることが証明されてきた。いま必要とされているのは、新たな政策ではなく、第二次世界大戦とは大きく異なる世界的利益を管理するための新たな制度的構造のほうだ。このような変化の文脈のなかでは、国内のみならず国際的なさまざまな制度的な側面も変える必要がある。外交政策の問題は、制度全体の危機のひとつの側面を構成している。二〇二八年の大統領選挙に向けて、このような制度の変化がテクノクラシーの信頼性を弱めていくにちがいない。

## 連邦政府に欠けている「キツネの知恵」

戦争を終わらせることのむずかしさと、自分たちの新しい地位に適応することのむずかしさは、同じ源から生じている。統治機構のなかで働く人々の多くは、狭いテーマについてくわしい知識を持つ人々であり、全体を俯瞰できる人はほとんどいない。このような傾向は、イソップ童話の「キツネとハリネズミ」のなかでも明確に指摘されている（傷ついて横たわったキツネの身体にダニが群がっている。通りがかったハリネズミがダニを取りのぞくことを提案する。キツネは「このダニを取りのぞいても、別のダニに襲われるだけ」だと言ってハリネズミの提案を断る）。キツネは多くのことを知っているが、ハリネズミはひとつの重要な事実だけを知っている。キツネは多くのことを知るために、物事を素早く学ばなければいけない。さもなければ、博識でありつづけることはできない。そのようにしてキツネは、生き延びるために必要な知識を学ぶことができる。しかし非常に複雑な問題に向き合ったとき、キツネは窮地に追い込まれる。一方、ハリネズミは自分の専門分野ではどんな問題にも対処できるが、多くの知識を素早く身につけることはできない。ハリネズミはゆっくりと時間をかけ、ひとつの重要なことを学んでいく。

この寓話には、知識と知恵は異なるという教訓も隠れている。知識は不可欠だとしても、それだけでは不充分である。あるハリネズミはひとつのことを深く知っており、別のハリネズミもまた別のことを深く知っている。しかし、誰がそれらの知識を結びつけるのだろう？　あるいは、どんな種類の知識を持つことが大切なのかを誰が見きわめられるだろう？　一歩下がって全体を見渡し、すべてのハリネズミたちの知識の意味とその影響について考える能力を持っているのは誰か？　時とともに、連邦政府はハリネズミのための領域になった。差し迫った危機のために必要とされる人々が集まってはいるものの、その対応力はどこまでも不充分だ。欠けているのはキツネの知恵であり、現在の連邦政府にそのような賢い人々を活用できるような流れはない。

連邦政府の問題として多くのアメリカ人が感じているのは、規模が大きすぎるという点だ。しかし実際のところ、連邦政府の規模の拡大は一九八八年ごろに終わっており、その当時はまだうまく機能していた。

連邦政府の危機は、その規模や使命にまつわるものではない。連邦政府の雇用者数は現在までに、一九六六年ごろの規模に減った。レーガン政権、ジョージ・Ｈ・Ｗ・ブッシュ政権時代に最

連邦政府の雇用者数は、1966年ごろの規模まで減った。レーガン政権とブッシュ政権のあいだに雇用者数は急激に増え、そのあとは減少傾向にある。

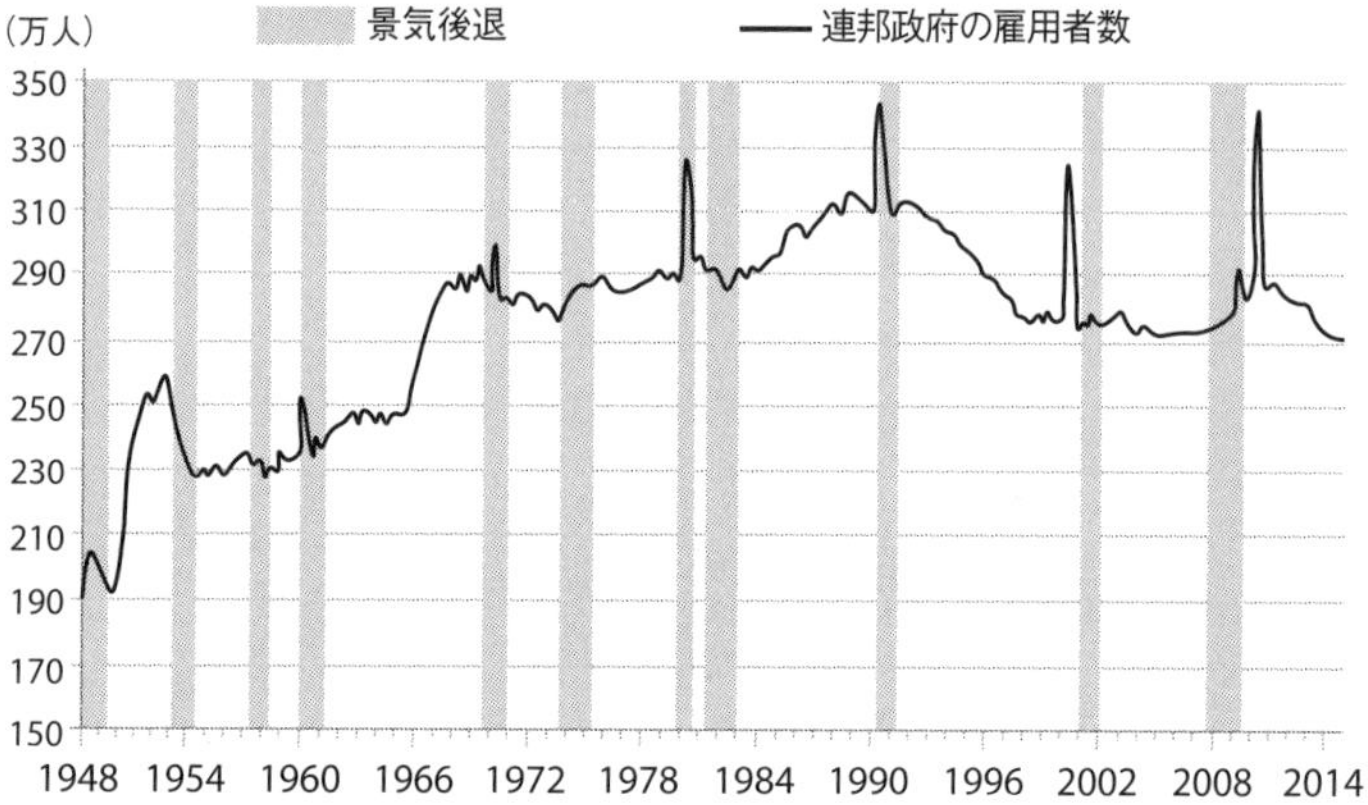


図19　連邦政府の雇用者数

大規模となり、その後はまた減少傾向が続いている。連邦政府の問題は、その使命にまつわるものでもない。連邦政府と経済・社会との関係が変化した現在、古いモデルへと戻ることはとうてい不可能である。くわえて当然ながら、第二の制度的サイクルのあいだの州と連邦政府との関係に引き返すことなどできるはずがない。アメリカの一般市民の安全にたいする脅威が続くなかで、連邦政府による社会とのかかわりは今後も続くどころか、増えていくにちがいない。

　問題は、連邦政府とそれ自体との関係性だ。現在の連邦政府の体制は、第二次世界大戦のあいだに生まれたモデルにしたがったものである。そのモデルは、高度に中央集権化・階層化された専門家ベースのシステムにもとづいて成り立っている。このようなモデルが、ＧＭを破産に追い込んだ。内部の機能にたいする管理の度合いという観点から判断すれば、ＧＭの経営は見事なものだった。同社ができなかったのは、新たなシステムを作ることだった。創造的でありながらも、細かく管理されているわけではなく、にもかかわらず各パーツが市場向きの全体像を構成するシステムが必要だった。規模は大きな問題ではないとしても、規模が小さいほど管理が簡単なことは言うに及ばない。しかしアップルやゴールドマン・サックスのように、このような新しいシステムを採り入れて成功した巨大企業も存在する。第二次世界大戦のモデルにもとづいた古い企業は、システムを一新させて生き残ったか、あるいは消滅した。

しかしながら、連邦政府は進化しなかった。専門性にもとづいて権限を配分しようとした政府は、数多くの機関や非公式な組織に細分化された。それぞれの機関は限定的な機能ばかりに眼を向け、ほかの組織と協力して効率を上げようとはしない。多くは自分たちの役割を果たすことよりも、ほかの組織との争いにたくさんの時間を費やしている。

政府組織に一貫性が欠けているため、プロジェクトが破綻する危険性はより高くなる。あるいは、異常なほどの費用がかかったり、あるプロジェクトの成功が別のプロジェクトの成功を邪魔したりするケースもある。全体像を俯瞰するという視点が欠如しており、システムの中心に埋め込まれた専門家たちはキツネのように考えることも、組織の複雑さを把握することもできない。その結果、外交政策から医療に至るまでさまざまな問題の込み入った事情は、よりいっそう複雑かつ理解しにくい解決策によって対処されることになる。

たとえば過去には、住宅ローンの貸し出し促進を目的とした連邦機関があった。市場の監視を担当する連邦機関があった。不正行為に眼を光らせる連邦機関があった。経済の管理を担当する連邦機関があった。サブプライム住宅ローンのあらゆる側面に連邦政府が関与していたにもかかわらず、それらの機関は協力体制を築いていなかった。もし彼らが互いに協力し合っていたら、問題はまえもって明らかになっていたにちがいない。しかし、銀行から住宅ローンを購入する連邦住宅抵当公庫〈ファニー・メイ〉の専門家、連邦捜査局（ＦＢＩ）の知能犯罪の専門家、証券取引委員会（ＳＥＣ）の専門家、連邦準備銀行（ＦＲＢ）の専門家たちはみなハリネズミであり、多くの知識を網羅するキツネはいなかった。だからこそサブプライム住宅ローンの破綻は、全員にとって驚きだったのだ。

　この流れは二〇二〇年代に入っても続き、より深刻な政治問題を引き起こすことになる。一般市民にとって、連邦政府の複雑さは容易に理解できるものではない。それは教育や知性が欠けているからではなく、政府内の人間でさえ完全には理解できていないからだ。外部の人間が、連邦制度の意図や能力を検証することはできない。そして、理解できないということが必然的に不信へとつながる。「ディープステート」（政府内部で秘密裏に動く闇の政府のこと。トランプ大統領が「テクノクラート」を揶揄してよく使う）という言葉が使われるとき、じつはその前提には、連邦政府は支持者たちが主張するとおりの存在であるという考えがある。政府は非常に合理的で、統合された、うまく運営されたシステムであるという考えだ。ところが、ほんとうにそのような組織だとすれば、こんどは多くの人がこう考えるようになる――戦争の失敗、市民にたいする無計画な監視、貧困対策の失敗など、政府の行動はすべて意図的なものにちがいない。

　理解不能な連邦政府は、建国者たちが避けようとした不信感を生みだした。一般市民が代表者を選び、代表者が政府の機能を監視するという民主共和国を作るときに、建国者たちはそのような不信感が社会に広がらないことを望んだ。第三の制度的サイクルが終わろうとしている現在の問題は、国民の代表者が連邦政府の運営を事細かに監視できなくなったという点だ。四三五人の下院議員だけで政府機関のすべての動きを理解できるわけもなければ、大統領府だけで理解できるはずもない。それぞれの組織にはさまざまな階層の職員がいる。しかしその多くは、外交・内政にまつわる難解な問題に対処するための訓練を受けた職員ではない。実際のところ、問題は規模ではない。なぜなら、きわめて複雑な国家を監督するには、当然ながら規模の大きな政府が必要になるからだ。むしろ問題は、過度の複雑さのほうだ。互いに信頼・協力しようとしない専門家の小さな集団が数多く林立することが問題なのだ。

組織のなかに細かな層が生まれ、職員たちはますます視野が狭くなり、よって中枢を管理する専門家を理解することもできなくなる。ところが、真の問題は文化的なものだ。じつのところ、専門家はほかの専門家を理解し、連帯感を抱くことができる。なぜなら彼らは同じ言語を話し、共通あるいは類似した経歴を持っていることが多いからだ。しかしながら、政府の監督官はしばしば組織と一体化し、自分が監督すべきものを見落としてしまう。一方、選挙で選ばれた議員たちは、そもそも専門家の言葉を理解できないため、自身に課された責任を果たすこともできない。

二〇二〇年代にさらに深刻な危機をもたらすのは、連邦政府が社会との深いかかわりを断つことができないという事実だ。その関係を放棄すると、数えきれないほどのつながりが切れ、数えきれないほどの作業を無人で行なわなければいけない状況に陥る。脅威が高まりつつあるという不安が広がるなかで、政府が市民の保護をおろそかにすることなどできるだろうか？　たとえば、国土安全保障省という組織そのものや、脅威を見つけるために彼らが行なっているすべての取り組みに代わるものとはなんだろう？　指紋や眼球の認証によって旅行者を識別する「クリア」

（CLEAR）などのプログラムを使った空港の検査を増やすことなく、現状を変えられるだろうか？　さらなる効率化をうながすためには、一元管理による識別と認証のための新しいプログラム開発を進める必要がある。南北戦争のあとの変化が不可逆的なものであったように、第二次世界大戦と9・11のあとの変化も不可逆的なものとなる。これまで築かれてきたものは非常に複雑であり、結局のところ誰かが連邦政府の複雑な仕事を引き受けなければいけない。だとすれば、「戦術的な変更」以外の選択肢はなくなる。この変化が引き起こす問題が、二〇二〇年代の根底にただよいつづける。その一例に、米国市民の安全の保護とプライバシー侵害のあいだで高まる緊張がある。みるみる高まる緊張はやがて社会問題へと発展し、今後一〇年のあいだ（とくに選挙前後）に大きな政治的問題になるだろう。

第三サイクルが始まるまえの第二次世界大戦以前の政府は、選挙で正当性を認められた人々によって運営されていた。彼らは、政治的スキルと忠誠心にもとづいて部下となるスタッフを任命した。そのような政府職員の行動は政治的配慮に満ちたものであり、ときに法の枠を超えて行なわれることもあった。職員たちは、自分を任命した上司と密接な関係にあった。再選を目指すその上司たちは、全体として安定したシステムを保つことが有利だと考えた。彼らが求めるのは政治的な結果であり、よって政治的な駆け引きが政府組織に浸透した。このような流れには、国や国家を改善するという圧力に議員や役人がさらされずにすむという利点があった。彼らの使命は、ときに強欲になりがちな国を治めるという控えめなものだった。

第一と第二の制度的サイクルのなかで鍵となったのは、常識を利用することだった。建国当時と変わらず、アメリカ社会には常識に支えられた層があると考えられていた。経験と教育をとおして築かれた彼らの常識は、政府の機能を理解するためには充分なものだった。もちろん、もっとも貧しい階級の市民――常識を育むための適切な経験と時間を持たない者たち――はこの層には含まれていなかったかもしれない。それに、もっとも裕福な階級の市民――個人的な利益が社会全体の利益とは異なる人々――がかならずしも常識にもとづいて行動できるわけではなかった。だとしても、限られた分野の専門知識ではなく、常識によって支配される層がたしかにあった。その層には、選出された大統領や下院議員、国民によって選ばれた裁判官なども属していた。問題を理解し、政府を運営するために、彼らは充分な教育を受けていた。専門知識にもとづく階級の台頭は、そのような常識を未熟で不充分だとこき下ろす激しい攻撃を意味するものでもあった。

## 「密封」された連邦制度

第二次世界大戦後に生まれたこの新しいモデルでは、計画のさまざまな側面を専門家が管理する一方で、より高いレベルの人々が専門家の行動を理解して統合していた。このモデルは大規模な経済的・社会的な発展へとつながったものの、同時に深刻な制度上の問題をもたらした。まず、それまで最初の段階を制御していた常識が、管理システムのなかで脇に追いやられた。さらに、専門知識は組織の数に比例して増えていくわけではなかった。専門家たちは互いにあまり協力せず、計画全体が断片化し、それぞれの組織が単独で機能するようになった。オバマによる医療保険制度改革法へのおもな批判は、専門家たちが取りまとめた難解なルールがあまりに膨大な量に及ぶというものだった。くわえて、そのルール同士がときに矛盾することも批判の的になった。おそらく、個々の部分には技術的な問題はなかったにちがいない。しかし、一般常識にもとづいってそれを理解することなどできるわけもなく、専門家でさえも全体像を把握するのはむずかしかった。

次のような例について考えてみてほしい。アメリカ史の大部分において、最高裁判事は一般的に弁護士から選ばれたが、裁判官としての経験があるかどうかは必須条件ではなかった。政治的な理由にもとづき、常識のある人々が判事に選ばれるというのが慣例だった。第三の社会経済的サイクルのあいだに最高裁判事に選ばれたひとりに、弁護士のアール・ウォーレンがいた。彼は第一次世界大戦に従軍したあと、郡地方検事に選ばれた。やがて政界入りしたウォーレンは、カリフォルニア州知事に当選。のちに、共和党の副大統領候補としてトーマス・E・デューイとともに大統領選に挑んだものの、ハリー・トルーマンに敗れた。その後、知事三期目を務めていたウォーレンは、アイゼンハワー大統領によって連邦最高裁判所長官に指名された。彼は法律の専門家という立場からはほど遠かったが、途方もない常識人だった。一九五四年、「ブラウン対教育委員会」裁判（白人校への転入を拒否された黒人生徒の父親オリバー・ブラウンが市の教育委員会を相手取って起こした裁判。最高裁まで争われ、人種による公立小学校の分離は違憲であるという判決が下された）が法廷で争われたときにウォーレンは、学校で慣例的に行なわれてきた人種差別は撤廃されるべきだという認識を示した。彼はさらに、裁判所が適切なメッセージを送るためには、満場一致の決定が必要だと考えた。元政治家のウォーレンは、俎上にのせられているのは法律の問題ではなく政治の問題だと理解していた。そこで彼は、南部出身のトム・クラークを含むすべての最高裁判事にはたらきかけ、賛成票を投じるよう説得した。ウォーレンが利用したのは法律の専門知識ではなく、常識と政治のスキルだった。

では、現在の最高裁判所と比べてみよう。九人の判事のなかで、公職に就いた経験がある者はゼロ。誰ひとり、会社や法律事務所を経営した経験はない。全員が、ハーバードかイェール大学のロースクール出身（ひとりはハーバード大学からコロンビア大学に転校）。いずれも法律の専門家で、より正確にいえば法律をめぐる専門的な論争のエキスパートたちだ。彼らはみな、超一流の名門校で教育を受けた法律の専門家である。結果として現在の最高裁判所は、厳格さと予測可能性に満ち満ちた場所になった。妥協が必要な場面になったとしても、妥協をうながすスキルを持ち合わせた者はいない。彼らによる法律の定義は、一九五四年の「ブラウン対教育委員会」裁判でアール・ウォーレンが重要視したような常識にもとづくものではなく、主として技術的なものだ。つまり現在の最高裁判所が持つ厳格さは、それが法律的かつ政治的な組織であることを意味する。いまや専門家によって運営されるようになった最高裁判所は、一見すると非イデオロギー的な方法を使いつつ、イデオロギー的な目的を果たしているにすぎない。これこそが連邦政府に蔓延する問題であり、統治がますますむずかしくなっている原因でもある。専門的な問題と切り離した結果を導きだすために必要な〝常識〟は、いつしか裁判所から消えてしまった。現在の最高裁判所は、ときには専門性を放棄して政治的常識を優先させるのがその責務であるということを理解できない。

たしかに、専門家は不可欠な存在だ。しかしながら、彼らの視野は専門知識によって制限されているため、専門家が国を統治することはできない。にもかかわらず専門家の階級は、連邦政府とアメリカ合衆国の関係を支配するようになった。連邦議会が法律として制定するのは、いわば連邦政府が資金提供することを決めた〝意図〟である。専門家が意図を解釈し、その意図を実行するための規制を作り、規制を管理する。規制はきわめて複雑になり、その管理はさらに複雑になるため、議会や大統領は実際に何が行なわれているのかを明確に理解できない。オバマ政権のあいだに成立した医療保険制度改革法は、この一連の流れの好例だろう。オバマ大統領は、自身が提唱する新たな医療保険制度によって国民全員が簡単に医師の診察を受けられるようになると主張し、それが実現すると信じていた。しかし、大きな問題があった。（選挙で選ばれていない何百人もの医療専門家によって）いったん制度の詳細が描かれると、その法律は恐ろしいほど難解になった。最終的に、全員が自由に医師の診察を受けられるという仕組みはどこかに消えてしまった。大統領と議会による計画の意図はきわめて明快だった。計画が規制に変わり、規制が実際に適用されるまでのあいだに、多くの結果は意図されたものではなくなった。

現在までにアメリカ人の大部分は、連邦政府にたいする信頼を失ってしまった。テクノクラートは市民の利益を最優先にするのではなく、むしろ政府内での自分たちの地位と権力を守るために行動しているのではないか？　そう多くの人は疑っている。ピュー・リサーチ・センターが二〇一九年四月に行なった世論調査では、「政府にある程度の信頼を寄せている」と答えたのは国民の約一七パーセントにとどまった。一九五〇年代のアイゼンハワー政権のあいだには、その割合はおよそ七五パーセントに達した。社会経済的サイクルのルーズベルト周期（第四サイクル）の最後の大統領だったカーター政権下では、その割合が三五パーセントまで低下した。

市民の視点から見たとき、連邦制度は何重にも密封されているかのように映る。自分が影響を受ける可能性のある法律や規制を見きわめ、どんな影響があるのかを特定し、制度を管理し、連邦政府と自身との関係をコントロールすることは、もはや一般市民が持つ権利ではなくなってしまった。選挙プロセスに大きな影響を与えることすら、いまではむずかしくなった。

## 選挙システムと政党のボス

二〇二〇年代に頂点へと達する政治的危機のひとつに、大統領予備選挙の制度にたいする反発がある。近年の予備選挙は、少数派のイデオロギーに力を与える要因になっているという側面があるうえ、かつ選挙に参加するためのハードルはきわめて高い。少なくとも七五パーセントの有権者は、予備選挙のプロセスにあまり関心を持っていない。個人生活に重きを置く現在の主流のイデオロギーを考えれば、それも当然のことだろう。予備選挙に参加してわざわざ投票しようとするのは、選挙について熱心な人たちだ。なかには、市民としての責任を重視して投票に行く人もいる。しかし、予備選挙に参加するほとんどの人は、自分の政治的信念に情熱を持つ有権者だ。つまり、アメリカ人の大多数がイデオロギーに関して情熱を持って*い*、*な*、*い*という現実を踏まえると、両党の大統領候補は〝情熱的な少数派〟によって選ばれることになる。くわえて、特定のイデオロギーに傾倒した人々が投票に行くので、候補者はますます非主流派から選ばれることになる。とくに連邦議会の選挙では、情熱的なイデオロギー信奉者がその結果を大きく左右する。

大統領予備選挙の制度が普及したことによって、地方レベルで専門家として働く党の有力者の権限は事実上消え去った。第二次世界大戦のまえまでは党の〝ボス〟が選挙全体の流れを支配し、あらゆるレベルにおいて候補者を決めていた。このようなボスはふたつの役割を果たしていた――政府との対応における市民のための監視役を務め、選挙制度を安定させた。専門家としてのボスが目指したのは、イデオロギー的でも政治的なものでもなかった。選挙に勝てば権力が生まれ、必然的にボスは中心的な立場へと導かれた。専門家としてボスは自身について、票と引き換えに有権者にサービスを提供する立場だととらえていた。

汚職、不正選挙、支持者の優遇、非公式の活動に加担している、とボスたちはたびたび非難を浴びた。彼らはあらゆるレベルにおいてシステムを操作し、政府からの請負契約を得るために企業を支援し、その対価としてリベートを受け取った。私が育ったニューヨークのブロンクスでは、チャーリー・バックリーという党のボスがアイルランド系、ユダヤ系、イタリア系、プエルトリコ系、アフリカ系アメリカ人を支援していた。そのような少数民族者は社会で差別を受ける集団だったが、その一票が平等であることをボスたちは知っていた。実際のところ、党の有力者たちの多くは腐敗に手を染めていた。が、予備選挙の導入によって腐敗が一掃されたわけでもなかった。

ボスたちは、非効率的なプロセスを切り抜けるための権力を持っていた。制度改革を訴える批判者たちは、政党への忠誠心の有無によってサービス提供の質が変わるのではなく、政治と有権者の関係が平等であることを求めた。結果、政府と市民の関係はより公平になった。しかし、そのせいで徹底した管理が必要になったため、政府のサービス提供はより非効率的になった。プロセスを迅速化したり、予期せぬニーズに対応したりできる人はいなくなった。

党のボスが消えたことによって、一般市民の要求を政府に直接伝える代表者もいなくなった。くわえて、連邦政府の制度を利用するためには正式なルートを通すことが必須となった。一般市民がそのようなルートを使うのは容易ではなかった。連邦議会議員の事務所が政府への窓口になったものの、それを利用できるのは一部の特別な人々のみで、大多数の人にとって政府は遠い存在になってしまった。政府サービスへの党による非公式な仲介はかつて、政治的忠誠心と引き換えに市民に与えられた。それが党にたいするボスの支配と、有権者にたいする党の支配を強めていた。しかし、それはかならずしも非民主的なものではなかった。ボスこそがシステムの中心であり、彼にたいする愛情（少なくとも敬意）は多くの場合においてほんものだった。ボスは、有権者からの愛情や敬意をたよりに生き延びることができた。そして愛情や敬意は、ボスによる有権者への奉仕によって生まれた。

予備選挙の普及をとおして国民による直接的な政府の管理をうながす動きは、政党のボスの権力を一掃し、政府の誠実さをより重要視するためのものだった。ところが特別なニーズを持つ人々にとっては、ひどく不便な状況になった。ボスたちは、支援者——強固な基盤となる一般市民の大きな集団——への口利きをとおして、問題を解決することができた。すべてのプロセスが平等になると、政府のサービスも平等に提供されるように設計しなおされ、特別な例外は許されなくなった。

予備選挙はさらに、政治の二極化へとつながった。以前はボス主導で行なわれていた候補者選びのプロセスは、次第にイデオロギーにもとづくものに変わった。結局、それがボス凋落の原因のひとつになった（それまでイデオロギー信奉者はボスによって排除されていた）。予備選挙への投票数はきわめて少ないため、一部の熱心な投票者が流れを決めた。このようにして予備選挙のプロセスは、少数派のイデオロギー信奉者が支配するようになった。彼らは、どんなに忙しくてもかならず火曜日の投票にやってくる。どんなに天気が悪くても、子どもたちをピアノ教室に連れていく用事があっても、夕食を作らなくてはいけなくても、投票を怠らなかった。そのような日々の用事にうまく対処できるマメな人たち、あるいはそういった用事がそもそもない人々が、ボスに代わって選挙の流れを支配した。

二〇二〇年代に登場する市民と政府の新たな関係は、古い政治システムをただ再現するものではない。再現するには、あまりにも多くのことが変わってしまった。しかしながら、基本となる原則に変わりはない――政治システムは一人ひとりの個人的な問題にたいする解決策を提供し、有能なリーダーシップを生みだす。そして今後一〇年のあいだに、この原則が大きな変化へとつながることになる。いまにも消えそうな古いシステムをとおして、エイブラハム・リンカーン、セオドア・ルーズベルト、ウッドロー・ウィルソン、フランクリン・ルーズベルト、ドワイト・アイゼンハワーといった偉大な大統領が誕生したことを思いだしてほしい。結果から判断するかぎり、党のボスが取り仕切る制度はそれほど悪いものではなかった。予備選挙システムよりも悪い結果を生みだしたとは考えにくいし、それどころか多くの点においてボス制度のほうがすぐれていたにちがいない。善し悪しは別としてボス中心のシステムは、特定のイデオロギーを持たない大衆に奉仕し、彼らを党に引き入れ、少数派のイデオロギー信奉者がシステムを支配するのを防いだ。さらに、ここ数年の選挙で起きたような極端な二極化を防ぐことができた。

より重要なのは、制度としての連邦政府という観点からこの流れを考えることだ。プロセスによる制約を好むテクノクラートに管理された、非人間的で厳格なシステムが誕生したことによって、必然的に多くの予期せぬニーズが満たされないまま放置される。原則としては対処が必要なものの、規制と合致しない特別なケースはかならず生まれる。ボスが取り仕切る世界では、ボスに助けを求めたり、ボスに電話をかけてもらったりすることによってこれらの問題は解決された。

しかし、それはもはや選択肢ではなくなった。システムの複雑さを管理してくれる人はもういなくなった。ただ誠実なだけのシステムは、融通が利かず操作するのがむずかしい。現在の連邦政府は、一般市民がなかなかたどり着くことのできない巨大な機構になった。政府へとつながる道はひどく複雑で、いつも混み合っている。

誰が有権者の代表を務めるにしろ、完璧な制度は存在しない。さらなる危機に襲われる今後一〇年のあいだに、現在の対立は、専門知識と常識の対立へと発展する。専門知識に軸足を置く人々は、問題は非常に手ごわく、専門家によって管理される必要があると主張する。常識に軸足を置く人々は、専門家が考える方法と解決策でこれらの問題に対処することはできないと主張する。なぜなら実践的な観点から見たとき、その理想的な解決策は実行するにはあまりに時間がかかり、さらに市民の現状を完全に無視しているからだ。結果として専門知識は、解決策の錯覚を作りだすだけで終わる。専門家たちは、反対者は事実について無知であり、複雑さを理解できていないと考える。一方の反対者たちは、専門家がより関心を抱いているのはみずからの地位や権威を守ることであり、政策が及ぼす影響について深く考えてはいないと主張する。これらすべての状況が、互いへの不信と嫌悪によってさらに悪化する。

二〇二〇年代のあいだに、この拡大する対立は政府だけの問題ではなくなる。テクノクラシーは統治機関であるのと同様に、社会的階級でもある。たとえば、古くから〝高級メディア〟と呼ばれておおいに信頼されてきた新聞社の記者たちは、いまやその地位を失ってしまった。二〇一七年のギャラップ社の世論調査では、「新聞を信用している」と答えたのは回答者のわずか二七パーセントだけだった。米国科学振興協会の調査によると、大学という機関を高く評価しているのは国民のわずか一四パーセントだけだった。ギャラップ社の調査でもっとも信頼の高い機関として上位にランクインしたのは、軍（約七五％）と警察（約五八％）だった。つまり、もっとも信頼度の高い機関は、テクノクラシーが生みだしたとは考えられていない機関だった。二〇一五年のピュー・リサーチ・センターの調査によると、連邦政府を信頼しているアメリカ人はわずか一九パーセント。これが、トランプが当選する以前の数値であることに注目してほしい。危機はトランプから始まったのではなく、むしろ危機がトランプ大統領の誕生へとつながった。そしてトランプは、社会にただよう不信を感じ取り、それを強みに変えることのできる人間だった。これらの調査結果は、一方では政府、メディア、大学のあいだで対立があることを指し示し、他方では反対派が新たに台頭しつつあることを指し示している。

これが二〇二〇年代に表面化する唯一の危機だとすれば、充分な注意を払いながら対応することができるはずだ。しかし同時期に社会経済的な危機も頂点に達し、それが制度的危機と密接に絡み合うことになる。これまでの章で論じてきたように、経済的サイクルの危機の核となる部分は、経済の成功そのものから生じる。レーガン政権下では、税法の改革によって投資のための資金が増えた。新しいコア技術であるマイクロチップと大量の投資が組み合わさり、新しい経済的・社会的な現実が生まれた。マイクロソフトとオラクルによって新たに再構築された起業家精神は、この国の経済の仕組みを変えた。ハイテク産業がもたらした富によって新しい階級が生まれたが、同時にそれは古い製造業システムを衰退へと追いやった。投資が製造業に流れ込んで効率化が進むと、多くの労働者が解雇された。その後、マイクロチップにもとづく経済の投資収益率が急上昇する陰で、製造業の収益は落ち込んだ。次第に生産の拠点が海外に移ると、工業労働者の大量失業や不完全雇用へとつながった。
当然ながらこの状況は、職を失った工業労働者たちの階級に大きな怒りをもたらした。今後の一〇年間、人々の怒りは続く。それは経済だけではなく、文化にも大打撃を与える問題だった。一般的に認識されているとおりテクノクラシーは、工業労働者階級の経済的な基盤のみならず、その文化的な価値の基盤をも弱体化させた。工業労働者たちは、いまだ教会を神聖な場所だと考えている。彼らが教会で教わる文化的信念は、けっして病的嫌悪の一種などではない。しかしテクノクラシーの一部である連邦政府は、工業労働者たちの価値観は古すぎると非難・攻撃した。衰退しつつある労働者階級は、経済的あるいは社会的にほとんど価値がないものとして扱われた。トランプの当選も、工業労働者の大量解雇も、じつのところ重要な出来事ではなかった。この危機の大部分は、経済における体系的な変化にまつわるものだった。

以前から続いてきたこの対立の感覚は、二〇二〇年代にさらに強まり、連邦政府の問題という枠を超えて広がっていくだろう。この問題はテクノクラシー全体にも波及する。なぜならテクノクラシーは、たんに専門知識を信じること以上のイデオロギーを共有しているからだ。テクノクラシーはまた、進歩は知的活動から生まれるという前提に立ち、物事を行なう新しい方法を発明しつづけている。そのため彼らの行動は、伝統やむかしながらの価値観にたいする反乱だとみなされることが多い。この意味でいえばテクノクラシーとは、建国者が築いた原則に沿った概念だといっていい（ただし建国者たちは、技術的な進歩と農業のあいだに緊張が生まれることは予測していなかった）。さらに、広い意味での〝テクノクラシー〟が伝統的な価値観に立ち向かい、今後一〇年にわたって社会的緊張を高めていくのはなんら驚くべき状況ではない。

アメリカ合衆国の一〇年後の姿は、有権者と国の指導者の両方が危機にどう対処するかにかかっている。二〇二〇年代のあいだにアメリカでどれほど分裂が進むのかは、社会の特定の分野でとられる措置にかかっている。つまり、現在の状況を改善し、分裂の両側にいる国民の痛みを和らげることができるかどうかだ。一方には、経済的および社会的な衰退に耐えている人々がいる。他方にはテクノクラートがいる。効率的な政府と公共生活を再構築するためには、テクノクラートの動きを阻止しなければならない。その将来の予測について理解するには、アメリカ社会のなかのふたつの重要な部門で起きつつある深刻な危機について把握しておく必要がある。その部門とは、テクノロジーと教育だ。

# 第10章　二〇二〇年代のテクノロジーと教育の危機

アメリカの歴史をつねに形作ってきた力のひとつに、テクノロジーがあった。その流れを導いたのは、建国の理念にくわえ、国家をひとつにまとめる必要性だった。アメリカ人の個人としての歴史や地域の現実は、それぞれに大きな差がある。しかし彼らはみな、経済に根差した豊かな生活を追い求めるという行為によって結ばれている。経済発展のためには、アメリカ人と自然の関係も同時に進化しなければならない。そこで必要になるのが、テクノロジーの進化だ。新しいテクノロジーを創造する方法だけでなく、そこから成長するビジネスを生みだす方法、アメリカ人が自身を愉しませる方法、その流れに付随する多種多様な方法を進化させなくてはいけない。そして、すべての基礎となるのが教育だ。

## マイクロチップが変えた世界

きわめて広い意味においてテクノロジーとは、人類とその過去や自然との関係を変える手段である。本書のなかではすでに、電気のような画期的なテクノロジーが社会に与えた衝撃について議論してきた。電気は、人間の夜の体験を一変させ、人々が読書や学習に充てることのできる時間を延ばし、睡眠や夢のための時間を短くした。あるテクノロジーは、音楽をコンサート会場から家庭へと移動させ、好きなときに聴けるようにした。あるテクノロジーは、演劇や映画を劇場からテレビのなかに移動させ、居間の個人的な空間から視聴できるようにした。テクノロジーは自然を変え、自然とともに何世紀も続いてきた伝統を変えた。さらに、生計の立て方や裕福さの概念も変わった。テクノロジーはまた、社会的・経済的な争いの戦場を形作り、戦場そのものになることもある。産業革命が起きて以来ずっと、富、文化的な影響力、権力の中心にはつねに科学技術者がいた。

社会経済的サイクルの五周期目となるレーガン周期の中心には、たしかにつねにテクノロジーがあった。一九八〇年に始まり、いまゆっくりと終わろうとしているレーガン周期は、大きな繁栄を築きつつも、制度的・社会経済的危機を引き起こしてきた。それぞれの世代で生まれたコア技術は、数えきれないほどの応用技術や新興企業を生みだしてきた。蒸気機関と電気はどちらも数多くの応用技術へとつながり、それをもとにさらなる技術が開発され、経済と個人生活の状況は一八〇度変わった。

私は本書のなかで、アメリカを〝発明された国〟として位置づけてきた。アメリカによって発明された技術は、世界にも革命をもたらした。一九七〇年代はじめに開発されたマイクロチップは、軍事利用されるだけでなく、一般家庭向けの小型計算機の部品として使われるようになった。一九八〇年代はじめには、テキサス・インスツルメンツ、ラジオシャック、アタリなど数多くの企業によって第一世代コンピューターが開発された。一九八〇年代末ごろからオフィスの必需品となったコンピューターは、プリンターやインターネットなどとともに経済と日常生活に革命をもたらした。一九八〇年代なかばからマイクロチップの開発は第二段階に入り、その期間は二〇一〇年ごろまで続いた。マイクロチップ業界は成熟期を迎え、新しい応用技術といくつかの新しいイノベーションを生みだした。やがて第二段階の終わりとともに、生産性が劇的に向上した。マイクロチップは、変革をもたらすコア技術だった。イノベーションとビジネスを組み合わせたエジソンのように、マイクロチップは〝発明家の伝統〟も復活させた。私たちは次の変革をもたらす技術が何かを判断し、初期の形態のうちにそれを見きわめられるだろうか？　それが、将来に向けた大きな課題となる。

革新的なコア技術の開発は四つの段階を経て進んでいく。革新のための第一段階にいる科学技術者は、既存のコア技術を改善し、それにもとづくビジネスを開発しようとする。第二段階では基礎となる製品が生まれ、予期せぬ方向に技術が進化し、生産性が劇的に向上する。第三段階では、きわめて実用的で成熟した製品が新しいビジネスモデルを生みだし、さらなる変化をもたらす。しかし第二段階よりもスピードは落ち着き、この技術による生産性の伸びは衰えはじめる。第四段階では、その技術は重要な意味を保ちつづけるものの、かつての勢いが失われる。ヘンリー・フォードは、内燃機関の派生製品である自動車を開発し、一九一五年ごろから一般市場で販売しはじめた。そして一九六〇年ごろ、自動車業界は成熟期を迎えた。基礎となる構造が整い、競合他社の出現とともに市場は飽和状態になった。そこから一歩抜けだすためには、基本フレームワークのなかでの改善が必須だった。一般市場で自動車が発売されてから、成熟期に至るまでおよそ四五年かかった。同じくマイクロチップも、一九八〇年ごろから二〇二〇年まで四〇年か

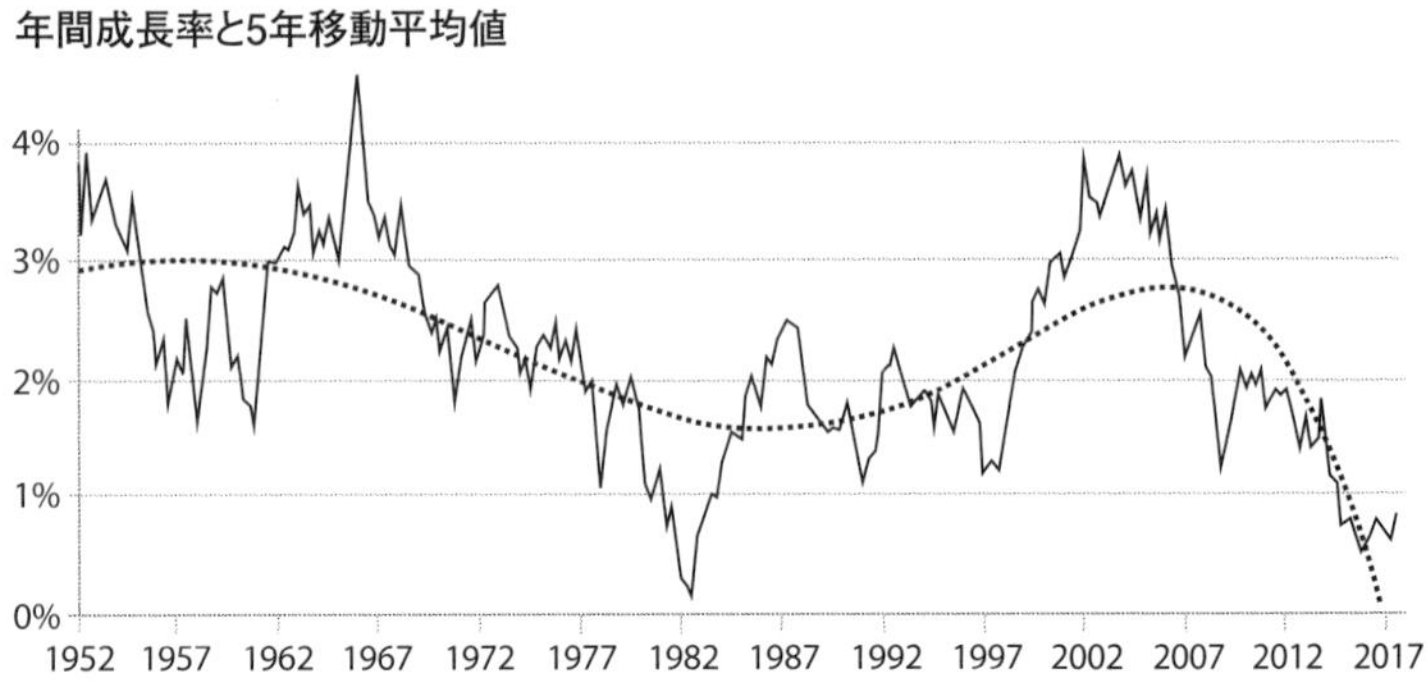

図20　労働生産性――1時間あたりの実質生産量

けて成熟期に達した。

マイクロチップがもう時代遅れだと言いたいわけではない。マイクロチップは私たちの生活を変え、買い物の方法、コミュニケーション方法、情報の見つけ方、さらには人々の考え方まで変えた。一九八〇年以来マイクロチップは、生産性における飛躍的な成長を後押ししてきた。しかしいま、生産性の伸び率はゼロに近づきつつある（図20）。

労働統計局が発表したこのグラフを見ると、一九六二年から一九八二年のあいだの労働生産性の低下と、二〇一〇年ごろからの低下に類似性があることがわかる。新しいテクノロジーは生産性の上昇をうながす主たる要因となり、生産性の上昇は経済発展をうながす。マイクロチップ産業が成熟期へと達したことも、成熟期や衰退期へと達する流れを首尾よく予測できないことも、なんら新しい出来事ではない。いずれにしろ、新しいコア技術が現われるまで苦しい期間は続く。そして二〇二〇年から二〇三〇年までの一〇年のあいだは、ふたつの主要なサイクルの交差が引き起こす危機によって、大きな痛みに襲われることはすでに明らかだ。くわえて、ひとつのコア技術が自然と衰退し、それに代わる新しいコア技術が確立するまで、痛みは増していく。

絶頂期のマイクロチップ経済は膨大な額の金を生みだし、その金はさまざまな種類の金融機関と〝富裕層《ハイネットワース》〟（最近の金持ちはこう呼ばれる）によって所有されていた。資金の流れはかつてない新しい問題に直面しており、その問題は二〇二〇年代にさらなる痛みを引き起こすことになる。現在のサイクルのあいだ、新たに生まれた大量の資金が流れ込んだ階級では、消費ではなく投資のために金が使われた。それこそが意図された狙いであり、全体としてうまく機能し、さらに多くの富が生みだされた。その資金は、引きつづき投資へと投入される必要がある。しかしながら、昨今のスタートアップ業界の衰退を見てもわかるとおり、投資先の確保はよりむずかしくなった。とくに二〇〇八年の金融危機のあと、投資機会は減りつづけている。

私たちがいま置かれているのは、一九七〇年代とは正反対の状況だ。一九七〇年代のアメリカは資本不足に陥っていたが、現在は資本が過剰な状態にある。金利が歴史的なレベルまで低くなったのは、中央銀行の政策がそう仕向けたからではない。でも結果として、さまざまな政策がその流れをうながすことになった。しかし根本的な問題は、投資に利用できる膨大な資金があるにもかかわらず、マイクロチップをもとにしたビジネスへの投資機会が減少していることにある。そのため多くの投資が、ヘルスケアや小売といったより伝統的な分野――最先端技術とは関係のない分野――へと流れている。この大量の過剰資金が行き着くのは、代替となる安全な債券への投資だ。結果として金利は低く抑えられ、すべての退職者が大きな問題に直面することになる。とくに、衰退する工業部門の退職者たちの多くはすでに自己資産を使い果たしており、問題はさらに深刻になる。わずかな資産を持っていたとしても、もはや大きな利益へとつながることはなく、彼らへの負の圧力は強まるばかりだ。

工業労働者階級は二〇一六年の選挙で力強い勢力となったものの、連邦議会での議論を動かすほどの影響力を及ぼすことはできなかった。彼らが属する階級は衰退を続けており、かつての繁栄していた時代へと経済・社会システムを戻すことはできない。この階級に属する人々の数は少なく、これから強固な工業主義が復活するとは考えにくい。二〇二〇年代のあいだに高齢化が進むと、工業労働者はとりわけ困難な状況へと追い込まれ、それまで持っていた力も失われてしまう。テクノクラシーに立ち向かうのは、この工業労働者階級ではない。

二〇二〇年代の一〇年のあいだにテクノクラシーに立ち向かうのは、工業労働者階級の子どもや孫たちのほうだ。家族の記憶以外において工業主義に触れたことはないものの、彼らは厳しい環境のなかで育った。その環境に大きな変化がないまま、彼らは暗い未来に直面している。この運動の先頭に立つのは、だいたい一九九〇年から二〇一〇年のあいだに生まれ、二〇三〇年に二〇歳から四〇歳になる世代である。ある意味では彼らも〝ミレニアル世代〟の一員だが、マンハッタンやサンフランシスコといった洒落《しゃれ》た地域に住んでいるわけでも、マーケティングやハイテク業界に勤めているわけでもない。言い換えれば、同年代の多くを支配する典型的な文化とはかけ離れた場所にいるミレニアル世代である。

## テクノクラシーの中心にある大学

二〇二〇年代の危機によって起きる新たな変化は、教育機関を中心に展開する。私たちがどのように教育を施し、誰を教育するかは、テクノロジーと密接に結びつくことになる。金融エンジニア、映画製作者、政府の役人、裁判官から技術マーケティング担当者まで、テクノクラシーのすべての糸は大学につながっている。大学で人は三つのことを学ぶ。ひとつ目は幅広い知識。学生はその知識をもとに希望する分野に参入し、さらに多くの知識を積み上げ、成功を手にすることができる。ふたつ目は資格や経歴。働きはじめたばかりの重要な段階では、「大学の専攻は？」「出身大学は？」とよく質問される。専攻はその人物が興味を持つ分野を示し、出身大学はその人物の考え方や態度を教えてくれる。たとえば、小さな州の州立大学のサテライト・キャンパスに通うという選択は、ある一定の認識へとつながる。そもそも大学に行かなければ、資格や経歴を得ることはむずかしくなる。大学を卒業せずに成功を手にする人もいるものの、その数はきわめて少ない（ビル・ゲイツはハーバード大学を中退したが、そもそもハーバード大学への入学を認められたという事実があるため、彼の〝経歴〟に傷はつかなかった）。大学で人が得る三つ目のものは、生涯を通じて支えてくれるつながりを育む機会だ。自分に合った正しい学校に行き、自分に合った正しい友人を作ることによって、キャリアはより長続きする。一方、まちがった学校はあなたを苦しめ、出世の闘いをより困難にする。正しい学校は、テクノクラシーの世界に溶け込むためのマナーや価値観を教えてくれる。まちがった学校はそれを教えてくれない。

現在から今後一〇年にかけて問題となるのは、テクノクラシーの〝中心〟に誰がたどり着けるのかというものだ。その中心にある一流大学は、学生に専門科目を教えるだけでなく、テクノクラシーに属するために必要な社会的儀式の訓練も同時に行なう。これらの大学は、同じグループの出身者以外にはますます閉鎖的になっている。第二次世界大戦前のアメリカでは、一流大学はエリートのための保護区だとみなされていた。当時のエリートとは、金持ちの白人アングロサクソンとプロテスタントを意味した。これらの障壁を打ち破ったのは、第二次世界大戦のあいだに制定された復員兵援護法（GI法）だった。大学は徹底的に民主化され、ルーズベルト周期を牽引する社会革命を巻き起こし、エリートになる機会が全員に与えられた。

## アイデンティティー政治の弊害

ふたつの異なる文化が出現し、二〇二〇年代のあいだに存在感を増していくことになる。そのうちすでに姿をはっきりと見せているのが、テクノクラシーの文化だ。この文化のなかでは一流大学によって価値が定義され、結婚観や家族観はこれまでの規範から大きく逸脱していく。なによりテクノクラートたちは、道徳的な長所が技術的な長所を後押しするという特別な感覚を持つことによって、社会的・政治的激変から身を守ろうとする。一方、〝そのほかの人々〟は絶望感と怒りにさいなまれつつ暮らしながら、結婚観や家族観の変化を経験する。それは、彼らにとって社会的危機を意味する。

この危機が深刻化するにつれて反対運動も活発になるが、その中心には白人工業労働者階級の子どもたちがいる。とくに多いのが二〇〇〇年以降に生まれた世代で、彼らにとって中流階級の快適な生活など昔話にすぎない。同じようなニーズと背景を共有する人々のなかから、予期せぬ仲間が白人労働者階級のチームにくわわることになる——アフリカ系アメリカ人やヒスパニックなどの少数民族だ。彼らは自分たちのアイデンティティーよりも、自分たちのニーズによって自己を認識するようになる。アイデンティティーにもとづく利益を追求する「アイデンティティー政治」は、連邦政府の社会設計における「差別撤廃のために保護の対象となる階級」が存在するという法的概念から生まれたが、これは持続可能な考え方ではない。白人労働者階級の子どもたちが、アフリカ系アメリカ人と同じ立場に自分が置かれていると認識するようになるにつれて、より下層の階級を排除するという原則のもとに伝統的な社会闘争がまた始まる。結果、今日では考えられないような連携が生まれることになる。

アイデンティティーにもとづく保護が進むにつれ、白人労働者階級の多くの人々は「知識と資格が生まれる場所」の外に置かれることになった。この流れは、ほかの多くのアイデンティティーでも同じだった。結局のところ大部分のアフリカ系アメリカ人は、「保護」からなんの恩恵も受けることができなかった。アイデンティティーにもとづく政治では、融通の利かない制度（このケースでは大学）に根づく問題を解決することはできない。人種紛争は、アメリカという土地特有の問題である。白人と黒人のあいだの緊張は、アメリカの歴史の布地に織り込まれつづけてきた。ここ数年のあいだに高まってきた人種間の緊張は、二〇二〇年代から二〇三〇年代にかけてさらに深刻になるにちがいない。なぜなら、本書でこれまで見てきたほかの分野における危機によって、社会への圧力が増すからだ。今後さらに多くの家族や個人が、苦しい経済状況、文化への攻撃、無関心な政府や指導者に直面することになる。彼らが一致団結して立ち上がろうとするのも時間の問題だろう。

この大きな溝のあいだにかける橋があるとすれば、ニューディール政策のときと同じような「共通の利益」以外には考えられない。興味深いことに、実際にそのような共通の利益が再び生まれつつある。繰り返される移民の波によって力を得たヒスパニックは、社会的にも経済的にも自立・台頭してくる。自身も移民の一員である彼らは、この新しい連携には一時的な関心しか持たないだろう。しかしアフリカ系アメリカ人のほうは、テクノクラシーがもたらす道とはほかに、快適な生活といくらかの富を手に入れるための別の道を必要としている。一方、工業労働者階級の子どもたちはアメリカ社会のなかで、かつて軽蔑されたスコットランド系アイルランド人の性格を引き継ぐ子孫だと位置づけられている。工業労働者の子孫は米国人口のおよそ三〇パーセントを占め、アフリカ系アメリカ人は一三パーセントを占める。よって両者がいっときの感情ではなく共通の利益によって結ばれたとしたら、それは強力な連携になる。もちろん奇妙で不安定な連携ではあるとしても、社会的にきわめて大規模な連携となる。

## 教育と機会均等の危機

大学の危機は一夜にして起きたものではない。過去何十年ものあいだ、良い成績と高い大学進学適性試験（ＳＡＴ）スコアをとれば一流大学に入ることができた。優秀な成績と高いＳＡＴスコアを収めた高校四年生の大群に襲われた一流大学は、彼らを区別する方法を模索した。そこで大学は、たんに高校で良い成績を収めただけではなく、特別な才能や社会意識を持つ生徒を探すことにした。「この大学に通うことによって最大の恩恵を受けることができる生徒を探す」というのが常套句になった。しかし、高校での成績が良く、かつ恩恵を受けることができそうな生徒があまりに大勢いたため、大学はさらに厳しい制限をもうけた。

まず大学が注目したのは、志望理由を綴った生徒の願書だった。もっとも発言力があり、斬新なアイデアで入学審査委員会を驚かせることができた生徒は、言うまでもなく集団の先頭へと躍りでた。これらの願書のうち何通が親によって書かれたのか、あるいはプロの入学斡旋業者によって書かれたのかはわからない。私は入学審査委員会に参加し、きわめて高いレベルの文章で書かれた志望理由を読んできた。実際のところ、そのような文章を書くことができる一七歳の生徒は驚くほど少ない。当然ながら、文章のうまい大人、あるいは願書を書くための指導者に頼ることができる生徒は、非常に有利に闘うことができた。

選抜の次の段階で注目されるのは、課外活動だ。高校やSATでの好成績だけで判断を下せなかった入学審査委員会は、空いた時間を有意義なことに費やした生徒を探した。ペルーなどの国の貧しい人々を助ける慈善事業に参加したことがあるか？　連邦議会議員の事務所でインターンをした経験はあるか？　貧しい子どもたちの家庭教師をしたことは？　音楽の大会で賞をとったことは？　しかし、ここに注目すべき問題が隠れている。

多くの高校生には、そもそも課外活動をするための時間がない。家計を助けるために建設現場で働いたり、小遣い稼ぎのためにハンバーガーのパテをひっくり返したりしなくてはいけないからだ。高校時代の私には、夏休みに金融機関で無給のインターンシップをしている暇などなかった。夏休みのあいだはアルバイトに明け暮れてお金を稼がなくてはいけなかった。工業労働者階級の子どもたちは、たとえ旅費が支払われるとしても、慈善団体〈ハビタット・フォー・ヒューマニティ〉のプログラムに参加してハイチの建設現場へボランティアとして赴く余裕はない。貧しい家庭の高校生たちは学費を払い、自活し、家族を助けるために金を稼がなければいけないのだ。くわえて、普段から通っている教会を拠点とする地元の慈善団体ではなく、ハビタット・フォー・ヒューマニティを支援することを選ぶべきかどうかという点も大きな問題となる。しかしもっとも重要なのは、一流大学が期待するような無給の課外活動に参加する余裕があるかどうかだ。最近では一部の学校が、放課後のアルバイトも課外活動のひとつとして認めるようになった。しかし、親が支持する連邦議員の事務所での仕事と、ウォルマートでのアルバイトがほんとうに同じように評価されるだろうか？　大学側が同じように評価したとしても、全員を平等に評価しているとどう証明できるだろうか？　ここで核となる問題は、平等への信頼だ。

今日の一流大学の選考プロセスは、最良の人材を見つけるために設計されているわけではない。むしろ、その学校の教育方針に沿った文化とイデオロギーにすでに適応した人材を見つけるよう設計されている。現在の制度的および社会経済的サイクルが終わりに近づくなか、多くの大学は、GI法やニューディール政策より以前にあった〝壁〟を再び築こうとしてきた。エリート大学が優先的に入学させるのは、「この大学らしい学生」に見合う志望理由を書ける社会的背景を持つ学生だ。つまり状況は、一九二〇年代に後戻りしてしまった。その陰で大学は、実力だけで入学資格を勝ち取った「保護の対象となる階級」の生徒も受け容れている。この一連のプロセスの蚊《か》帳《や》の外に置かれているのが、主として白人工業労働者階級の子どもたちだ。

衰退しつつある工業労働者階級の子どもたちが進学するのは、エリート大学よりもずっとレベルの低い大学であり、将来的に出世の手助けをしてくれる人々に在学中に出会える確率はきわめて低い。大学は、たんにスキルを教えるだけの場所ではない。卒業後に足を踏み入れる世界の文化に順応し、その文化のなかですでに活躍している人々と出会う場でもある。一九二〇年代には、移民がアイビーリーグ（ハーバード大学など、アメリカ北東部に位置する名門私立大学八校の総称）に通うこともできた。しかし考えてみてほしい。衰退しつつある階級に属しているのは移民ではない。この事実が持つ政治的な意味は非常に大きい。グーグルのエンジニアやゴールドマン・サックスのパートナーになりたければ、スタンフォード大学かハーバード大学に進学するのが既定路線となる。歴史的なサイクルの力学のなかで、これらの一流大学は、社会的および文化的な高い規範に見合った人々ばかりが集う場所となった。

この件に関するハーバード大学の見解は、（おそらく大学としてはそういう意図はないのだろうが）じつに冷ややかなものだ。ハーバード大学は、家庭や経済的な問題のせいで課外活動をすることができない生徒がいる点に配慮し、自由時間をどのように過ごしたいかを尋ね、その未知の活動についていて想像することを求めた。ハーバード大学が発表する「こんな学生を求めています」では、次のような基準が定められている。

ほかの学生はあなたと同じ部屋で過ごしたり、食事をしたり、いっしょにセミナーに参加したり、チームメイトになったり、結束の強い課外活動グループ内で協力したりすることを望むと思いますか？

言い換えれば、「あなたは大学にうまく溶け込めますか？」「仲間はあなたを高く評価しますか？」と尋ねているのと同じだ。一八歳や一九歳の若者にそのような社会的柔軟性を求めることに、はたして意味などあるだろうか？　それは大学が学生に教えるべきことだ。くわえて、本来高く評価されるべきなのは、まわりとは大きく異なる人々のほうだ。第二次世界大戦後にハーバード大学は、集団に溶け込むことのできなかった世代の入学を嬉々として受け容れた。しかし現在のハーバード大学は、正しい人材をまた探すようになった。これでは、すでに燻《くすぶ》っている火に油を注ぐことになるだけだ。二〇二〇年代の一〇年のあいだにアメリカは、ふたつのサイクルの衝突による経済的・社会的圧力が引き起こす「教育と機会均等の危機」に直面する。

## 問題だらけの学生ローン

しかし教育の危機は、大学入学にまつわるものだけではない。多くの人はまだ気づいていないものの、大きな金銭的な問題がすでに発生しており、それが経済的サイクルの危機の一部となる。ハーバード大学に通うためにかかる費用は、授業料、部屋代、食費を含めて年間およそ七万ドル。教科書、健康保険、そのほかの必要経費を含めると八万ドル近くになる。ハーバード大学は裕福な学校であり、学資援助や奨学金をとおして貧しい学生に手を差し伸べる余裕がある。一方、オハイオ州立大学（コロンバス・キャンパス）のような州立大学に州出身の住民が通う場合、授業料、部屋代、食費として年間およそ二万三〇〇〇ドル、書籍代や医療費を含めると年間二万五〇〇〇ドル近くが必要になる。ハーバード大学に比べればはるかに安いものの、それでも四年間で一〇万ドルほどかかる計算だ。ロースクール、メディカルスクール、ビジネススクールに通うにはさらに多くの費用がかかる。かつては、働きながら大学を卒業することもできた。ところが現在では、州立学校でさえそれは非常にむずかしくなった。もちろん、学生ローンや奨学金を利用することもできる。しかし大学の学費のために借金をすると、学生は何年にもわたって借金苦に陥り、出世の階段を上ること自体がむずかしくなってしまう。学生ローンを借りることは一種のギャンブルだといっていい。卒業後すぐさま高給の仕事に就き、一流テクノクラート階級の仲間入りをしなければ賭けに勝つことはできない。多くの学生にとって、自分が入学できる大学はそのような将来へとつながる扉を開いてはくれない。

大学関連のコストは驚くレベルまで跳ね上がっており、もはやこの状況を維持することはできない。一例を挙げると、現時点での学生ローンの総額は一兆三四〇〇億ドル。一方、現時点でのアメリカの住宅ローンの負債総額は八兆四〇〇〇億ドルで、二〇〇八年の金融危機のときのサブプライム住宅ローンの負債総額は学生ローンと同程度の一兆三〇〇〇億ドルだった。住宅ローンを組み込んだデリバティブ商品が販売されたように、いまでは学生ローンでも同じことが行なわれている。住宅ローンの購入を先導したファニー・メイとフレディ・マックはどちらも、住宅ローン市場に流動性を提供することを目的とした連邦機関だった。同じように、学生ローン版の連邦金融機関であるサリー・メイは、学生ローンの購入、抱き合わせ販売、転売を行なっている。

根本的な問題がなんであれ、ほとんどのサイクルは金融危機で終わるか、金融危機によって始まる。学生ローン危機が、二〇〇八年のサブプライム住宅ローン危機と同じ結末になるわけではないだろう。だとしても現実問題として、相当額の借金がたしかに存在する。平均的な大学生は、在学中におよそ三万五〇〇〇ドルを借りる。そもそも元手が少ない貧しい州立大学生は、より多くの額を借りる。彼らが卒業後に稼ぐ給料は、ハーバード大学の卒業生よりもはるかに少なく、それは新たなサブプライム階級が生まれつつあることを意味している。にもかかわらず、大学に進学しないという選択肢は、必然的により悪い結果へとつながる。なぜなら大学卒業の資格を持たない人々は、出世の階段そのものから締めだされてしまうからだ。

大学教育がこれほど高くつく理由については、ふたつの側面がある。まず、多くの大学（とくに一流大学）のキャンパスが手入れの行き届いた公園として整備されていること。たとえば、私が博士号を取得したコーネル大学のキャンパスには、ラケットボールのコートもあれば、湖もあった。その驚くほど美しい場所が私は大好きだった。おそらく、コーネル大学の施設について不満を持つ学生はほとんどいないだろう。とはいえ、その建設と維持にかかる費用は途方もない額となる。もしこのような大学の資産が売却された場合、学生ローンの借入額は大幅に減る。そもそも、大学教育にこのような施設が必要となる絶対的な理由はない。私はコーネル大学のまえにニューヨーク市立大学シティー・カレッジ（ＣＣＮＹ）に通ったが、そのキャンパスはとても質素だった。ＣＣＮＹの質素なキャンパスよりも、コーネル大学の美しいキャンパスにいるほうがいいアイデアが思い浮かぶ……などということは一度もなかった。

ふたつ目の問題は、大学教授という仕事が世界でもっとも賃金の高いパ､ー､ト､タ､イ､ム､の仕事のひとつであるということだ。平均的な一学期の長さは、だいたい一三週から一四週。試験やレポートの採点に一週間かかると仮定すると、終身在職権を持つ一般的な教授は一年のうち六カ月にわたって働くことになる。一流大学ではこの期間中、教授は週に一、二コマの授業を行ない、およそ六時間を教室で過ごす。より格式の低い大学でも、教授が教壇に立つ時間は多くて一二時間ほどだ。教授は自身の専門分野だけを教えているため、時間がたつにつれて授業のための準備時間はゼロに近くなる。さらに大学院を併設した大学では、大学生の試験やレポートの採点はおもに大学院生が担当する。教授に期待されているのは研究と論文発表であり、なかには研究熱心な終身教授もいれば、それほど熱心ではない教授もいる。くわえて、発表された論文に価値があるかどうかを判断するのはむずかしい。私はこれまで数多くの学術論文を発表してきたが、それがほんとうに社会の役に立っているのかは誰にもわからない。

このようなシステムにかかる費用を捻出しつづけるのは不可能だと大学は理解しており、非常勤教授――教える能力はあるものの、常勤のフルタイムの仕事を得られない人々――を利用することによってコストを削減している。驚くほど低い賃金でどんな仕事でも引き受ける非常勤教授たちは、「必要なもの」と「ぎりぎりの予算」のあいだの隙間を埋めてくれる。非常勤教授の立場や権威は、終身教授に比べてはるかに低い。とはいえ、フルタイムの教授よりも知識が少なく、教え方が下手とはかぎらない（落ち着いて長く働くことができないため、時間の経過とともに能力が低下する可能性はある）。コストを抑え込まなければいけない大学は、終身在職権を持つ教授陣の気分を害することなく、非常勤講師を利用してコスト削減を達成しようとする。

私は、大学をぶっ壊すべきだと主張しているのではない。教育機関としての大学は必要不可欠だとしても、現在の形態をこのまま保つことはできない。高等教育にかかるコストをこれまでどおり維持することなど不可能だ。大学の能力と質を向上させながらコスト削減を行なうという問題は、レーガン政権下での資本不足やルーズベルト政権下での失業を終わらせるのと同じくらい重要な問題となる。二〇三〇年代の社会的・経済的問題を緩和するプロセスの核となるのは、人口全体を活用し、社会的流動性を再構築することだ。その問題と解決策の両方の中心にあるのが大学であり、よって大学は政治的な争いの中心になる。

雑誌『アトランティック』に掲載された驚くべき情報について考えてみてほしい。

二〇一六年に全国三六校のエリート大学の学部課程に入学した一六万人のうち、退役軍人はわずか六四五人（約〇・四パーセント）だけだった。

私が思うに、エリート大学は、イデオロギーにもとづく理由で退役軍人の入学を制限しているわけではないはずだ。退役軍人の入学を制限しているのは、大学側にある強い偏見にちがいない――「大学運営側の階級と同じような立派な人々の子どもが、大学に入学するべき」という偏見だ。最近の大学は、第二次世界大戦のあとに与えられた使命を完全に見失ってしまった。その使命とは、退役軍人に教育を施すだけでなく、大学の運営側の階級とは異なる子どもたちのために社会的流動性の道筋を作りだすというものだった。くわえて、多くの退役軍人はそもそも一流大学に応募しようとは考えない。合格するはずもなく、自分が属する場所ではないと彼らは理解しているからだ。

大学がアメリカ社会における根本的な問題になったのは、とりわけ驚くべきことではない。その発端となったのは、一七八四年にトーマス・ジェファーソンが起草し、一七八七年に可決された北西部条例によって、すべての新しい州に大学設立が義務づけられたことだった。ジェファーソンと仲間たちは、そのような大学教育の普及によって農民や商人からなる教養ある階級が生みだされ、経済の発展がうながされ、民主主義の基盤が築かれることになると信じていた。これらの大学の卒業生たちは、教育を受けた共同体リーダーとして、また将来のための発明者として活躍することが期待されていた。

大学が二〇二〇年代の危機の戦場となっているのは、大学のシステムが社会全体の官僚制度の動力を生みだす仕組みができあがっているからだ。社会の官僚制度を変えるためには、まずは大学の改革が必要になる。大学進学者が一気に増えた背景には、ふたつの理由がある。ひとつ目は、テクノクラシー参入に必要な知識と資格を得るため。ふたつ目は、テクノクラシーを変えるため。テクノクラシーの文化的前提は、反対派の文化的前提とは根本的に異なる。テクノクラシーの文化的パターンが変われば、その価値観も変わり、さらに運営方法も変わる。そのような変化は、公共および民間の制度改革へとつながる。テクノロジーの進化によって生産性の成長が再び始まり、それに連動して経済も再び成長する。つまり、大学の在り方という問題は実際のところ、テクノクラシーの在り方の問題なのだ。

この制度改革は学生ローンの危機をもたらすもうひとつの要因となり、大学生活の経済を劇的に変える。学生ローンがあるからこそ、大学は学費を引き上げて教育の質を保ち、運営維持に必要となる学生数を制限することができた。将来的に学生ローンの利用がむずかしくなった場合、大学に残された解決策は、費用を削減するか、あるいは学費を下げて学生数を増やすかだけだ。人気の一流大学がすぐさまこのような苦境に陥る可能性は低いかもしれない。しかし、それ以外の多くの大学はまちがいなく苦境に陥るだろうし、エリート大学が巻き込まれるのも時間の問題だ。二〇二〇年代の危機のあいだには、既成概念にとらわれない発想と行動が必要になる。大学が持つ土地の多くは非常に地価が高く、その土地を売却して経費をまかなうこともできる。〝研究〟の定義をもっと厳しくすれば、教授が担当する授業数を増やすこともできる。さらに、より厳格な信用基準が用いられて学生ローンの利用枠が減れば、大学は門戸をより広げることを余儀なくされる。

## 反対者の奇妙な連携

ルーズベルトを大統領の座に押し上げた協力関係は、北部の少数民族、農村部に住む南部人、アフリカ系アメリカ人によって構成されていた。レーガンを大統領の座に押し上げた協力関係は、中小および大企業の経営陣と多くの労働組合によって構成されていた。サイクルの移り変わりが進むとき、とても奇妙な組み合わせによる反対者の連携が生まれる。南部の人種差別主義者とアフリカ系アメリカ人の組み合わせはじつに奇妙だったし、企業経営者と労働組合による連携も奇妙だった。そのような連携は感情のうえではなく、必要性のうえに築かれる。ひとつまえのサイクルの失敗によって生じた圧力は、ありそうもない連携を生みだす。それは協力というよりも、同じ失敗の異なる側面にたいする反応だった。しかし結果としてルーズベルトとレーガンの両方のケースにおいて、政治派閥が大きく再編され、その再編をめぐる大きな緊張が生まれた。ルーズベルトの勝利もレーガンの勝利もどちらも、アメリカ政治の力学を変えた。その反動は大きく、権力を奪われた人々からの反応はとりわけ辛辣だった。

二〇一六年の大統領選では、トランプ支持派と反対派の双方から同じような辛辣な反応が起きた。伝統的に民主党支持だった中西部の有権者たちは、相当数が共和党支持に鞍替えし、選挙人投票と選挙全体に決定的な影響を与えた。両者の辛辣な批判合戦は、極端なほど過激になった。トランプという人間は、反対派にとっては標的であり、支持者にとっては英雄だった。

これまでのサイクルでは、周期の移り変わりが始まってから力強い大統領が生まれるまでのあいだに、辛辣な批判合戦が断続的に起きた。たとえばリチャード・ニクソンが辞任したあとには、不穏な静けさが続く時期があった。レーガンが大統領に当選すると再び軽蔑的な議論が始まり、レーガン政治は以前のサイクルの価値観を裏切るものだと批判された。その批判の矛先はレーガン自身にも向けられ、「大統領としての知的能力に欠けている」「メディアとマーケティングによる創造物」などと非難された。だとすれば、トランプがワシントンから去るときには辛辣な批判がいったん収まり、不穏な静けさが訪れる可能性もある。その後、二〇二八年の大統領選挙のあとに新たな爆発が起きる。それまで続いてきた五〇年のサイクルに比べて、新たな大統領の政策はあまりに急進的だとみなされ、その政策は大きな批判を浴びることになる。ところがこの辛辣な批判は、大きな構造の変化の表面的な動きにすぎない。

テクノクラートはこれからも十数年にわたって支配を続け、ますます閉鎖的になり、敵対者をますます軽蔑し、ますます弱体化していくだろう。人口構成を考慮しても、彼らがこのまま連邦政府を支配しつづけることはまちがいない。しかしそれは、選挙プロセスよりも、むしろ政府システムの掌握をとおした支配である。テクノクラートたちは、ヒラリー・クリントンの選挙運動のあいだに明らかになった問題に注目しつづける。クリントンの選挙戦は、典型的なテクノクラートの議論にもとづくものだった――教育、経験、資格は、援助に値する貧困層とテクノクラシーの社会的価値に焦点を当てた統治システムを生みだす。

二〇二〇年代のこの時期を通じて、経済的な痛みは増していく。その痛みの影響をもっとも受けるのは工業労働者たちであり、彼らの地位は中産階級から下位中産階級へと下がっていく。工業労働者の多くは、持ち家、長期休暇、子どもの大学教育といったアメリカ的成功の最低限の要素さえ失うことになる。これらの要素は彼らから遠のき、さらに彼らの子どもたちからも遠のいていく。マイクロチップとそれに続くコア・テクノロジーとのあいだの〝技術の空白期間〟は、生産性を低下させ、投資を抑制しつづける。この期間、テクノクラートが快適な生活を送りつづける一方で、国のほかの部分は停滞するどころか、状況はますます悪化するにちがいない。

二〇二八年の選挙において、テクノクラートたちはその結果に衝撃を受けることになるだろう。そして新たな政府が支配力を強めると、自分たちがそれまで頼ってきた前提が次から次へとくつがえされていくことに度肝を抜かれる。このようなことは五〇年ごとに繰り返されるため、国民のなかには、一九八〇年のサイクル移行時に目の当たりにした出来事を記憶している人もいる。一九八〇年、それまでの国内および外交政策は根底からひっくり返された。レーガン大統領にたいする軽蔑はやがて、その後の出来事にたいする衝撃に変わった。ルーズベルトやレーガンの周期と同じように、二〇二八年の選挙後の出来事は、アメリカの核となる原則を維持しつつも、その原則をもとにした私たちの暮らしを劇的に変える。

## レーガン周期最後の大統領は？

一九二〇年代には、大学の学位の代わりとなるものがあった。充分な働き口があり、小さな会社を興すチャンスも転がっていた。しかし一九三〇年代になると、状況は一変した。代わりとなるものは、貧困層がエリートになる道を切り拓いてくれた一方で、永続的な下層階級を作った。第二次世界大戦とGI法がこの難問を解決した。が、その難問がいま再び社会に立ちはだかっている。急速に衰退しつつある白人労働者階級は今後、社会的地位の上昇のために必要な資格を手にできるのか？　あるいは、また永続的な下層階級が生まれてしまうのか？　一九三〇年代の階級の危機が起きたときと同じように、現在の危機もすぐ間近に迫っている。

興味深いことに成功者の多くは、あらゆる階級の人々を軽蔑している。しかしアメリカ社会の強力な側面のひとつは、経済的に絶望的な状況に陥り、社会的に排除された人々にも投票権があるという点だ。くわえて、奈落の底へと落ちつつある人々は、取るに足らない小さな階級に属しているわけではない。それは多人種・多民族からなる大きな階級であり、同じ数の女性と男性がいる。彼らが行動を起こすのは必然であり、そのさきに待つ結果はあまりに明らかだ。テクノクラシーの重心である大学が危機の戦場となり、最終的な運命は連邦政府によって定められることになる。一兆三〇〇〇億ドルもの負債を抱える学生ローン問題が金融市場に負の影響を与えはじめると、問題はより深刻さを増していく。

二〇二〇年代のほとんどの期間において経済を動かすのは、低成長の生産性、蓄積資本にたいする投資機会の減少、低金利といった要素だ。また、コア技術の成熟化にともなう産業の衰退とハイテク業界の停滞が続くなか、この一〇年のあいだに失業率が増加していく。心理的には、産業の長引く衰退よりも、技術労働者の需要が減ることのほうがより大きな衝撃となる。なぜなら、テクノロジーの成熟化によって引き起こされる失敗の連鎖はきまって、社会を不安定にするからだ。一九六〇年代、アメリカの自動車産業が衰退するなど想像だにできないことだった。一九七〇年代に実際に衰退したとき、それはまさに衝撃だった。もちろん、このような問題山積のなかでも景気の波はいつもどおり循環していく。しかし好況の山はより小さくなり、不況の谷はより深くなる。これが、サイクルの終わりに広がる典型的な風景だ。

くわえてこの時期には、社会構造も不安定になる。工業労働者階級の各世代にたいする影響についてはすでに説明したが、テクノクラシーも大きな圧力にさらされることになる。連邦政府が正常に機能することはますますむずかしくなり、組織的な問題の責任を連邦政府職員に負わせようとする流れが社会に生まれるのは避けられない。大学は、階級の偏りや効率の悪さについて批判を浴びることになる。さらに、学生ローンのバブル崩壊のリスクを回避しようとする大学の対応にも批判が集まる。ハイテク業界の華やかさは薄れ、仕事を探すのもずっとむずかしくなる。テクノクラシーのなかでももっとも機動力のある金融業界は、新しい現実から利益を得るために再編成される。

かつての衰退した世代の子どもたちで構成される工業労働者階級は、さまざまな要求を出すものの、それを自分たちだけで実現するほどの政治的な影響力を持ち合わせていない。変化を起こすためには協力関係が必要になる。おそらくここで、意外な連携が生まれる。既存の構造が自分たちの利益に反していると感じるすべての人が、その連携に参加することになる。たとえば、アフリカ系アメリカ人もこの連携に参加するはずだ。一部の優秀なアフリカ系アメリカ人は、一般的なレベルの高校を卒業し、目立った課外活動をほとんどしていないとしても、白人と同じようにエリート大学に入学するチャンスを得ることになるかもしれない。しかし残りの多くは、大学進学に値すると自分をうまくアピールできず、社会のなかでのけ者扱いされつづける。

政治システムは、変化する社会のパターンを反映し、それを拡大しようとする。つぎに、一見するると安定したパターンへと落ち着く。そして最後に、末期的な危機とサイクルの終わりに直面する。二〇二四年と二〇二八年の大統領選挙では一定のリズムが生みだされ、そのリズムがサイクルの移り変わりを形作り、根底にある現実を炙《あぶ》りだす。これらの選挙をとおして、制度的、経済的、社会的な変化がひとつに統合される。

トランプの当選は、このサイクルの終わりが近づいていることを告げるものだった。二〇一六年の選挙は、システムにおける劇的な変化と完全な行き詰まり状態の両方を指し示していた。その流れの原動力となったのは、イデオロギーと経済にもとづく連携によって結びついた工業労働者階級だった。しかし、テクノクラシーは政治的にトランプ政権とバランスをとる強さを持ち合わせていたため、勢力はそのまま保たれた。

テクノクラートたちは、システムを標準的な状態――自分たちが慣れ親しみ、自然だと考える状態――へと戻すことに取り憑かれている。これまでのパターンにしたがうとすれば、二〇二〇年の選挙ではテクノクラシーが勝つことになり、それは民主党の勝利を意味する。ところが実際には、どちらに転がってもおかしくはない選挙であり、その結果はプロセス全体には大きな影響を与えない。

二〇二四年の選挙は、レーガン周期の最後の大統領を選ぶ重要なものとなる。ジミー・カーター（ルーズベルト周期の最後の大統領）やハーバート・フーバー（ヘイズ周期の最後の大統領）と同じように、二〇二四年に選ばれる大統領は重大な経済的・社会的問題に向き合うことになる。その大統領は、レーガン時代の基本原則である「減税」と「規制緩和」をとおして問題を解決しようとする。どちらの党の候補が当選しても状況は変わらない。しかしながら、レーガン政権が解決しようとしていた問題は資本不足であり、減税がその解決を後押しした。一方、レーガン周期の終わりの問題は、順調に拡大した資本がもはや経済を牽引することができず、社会全体がますます不平等になったという点だ。したがって、レーガン時代の基本原則に沿って実施される解決策は、問題を解決するのではなく、むしろ問題を悪化させてしまう。

二〇二四年に選ばれたレーガン時代最後の大統領は、新しい時代への橋渡し役を務めることになる。それから二〇二八年の選挙へとつながり、アメリカの制度的・社会経済的な統治機構に画期的な新しい原則が導入されることになる。この選挙は政治的に重要な意味を持ち、過半数を大きく上まわる投票数と連邦議会の支持によって大統領が選出される。ロナルド・レーガンは大統領になったとき、自身が何をすべきかわかっていた——減税だ。フランクリン・ルーズベルトには具体的な計画はなかったものの、すべてを即興でこなした。二〇二八年選出の大統領は、自分の考えた計画を進めるのではなく、現実の問題と投票者の後押しによってせざるをえないことをする。私たちはここまで、将来的に生まれる問題と連携について見てきた。では、つぎに検討すべき話題に移ろう。嵐を抜けて静けさのなかへと入っていくとき、どんな解決策が待っているのだろう?

# 第11章　嵐の向こう側

新しいサイクルの始まりには混乱がつきものであり、時間とともに混乱は収拾して新しい解決策へと移行していく。たとえば、一九三〇年代や一九七〇年代について考えてみよう。どちらも社会経済的サイクルが移り変わる時期であり、そのあとに長い繁栄の時代が始まった。制度的サイクルの移行のまえにはきまって軍事衝突が起こり、その衝突の解決によって新たな制度構造の基礎が築かれる。この厳しい試練から、新しい社会経済と制度のためのシステムが生まれる。二〇二〇年代は失敗の時代になり、二〇三〇年代以降は創造の時代となる。

二〇二八年の選挙（遅くとも二〇三二年の選挙）は、過去一〇年間の嵐を乗り越えて前進するための政治的枠組みを作りだす。選挙前後に第六の社会経済的サイクルに入ると、疲弊して保守的になったテクノクラートたちのあいだで政治的闘争が繰り広げられることになる。彼らはこう訴えつづける――専門知識、資格、高い価値を持つ自分たちこそが、アメリカ合衆国における道徳的に正当な権力者になるべきだ、と。このようなテクノクラートに立ち向かう挑戦者となるのが、以前のサイクルで脇に追いやられた階級の子孫で構成される連携である。彼らは、前サイクルを支配していた民族の分裂を乗り越えてひとつにまとまっていく。過去のケースと同じようにこの連携の参加者たちは、権力と富の配分を変えることを求める。一方でそのような動きは、アメリカの社会情勢の再定義へとつながる。この新たな社会経済的サイクルの誕生と同時に、次の制度的サイクルの変化が起きることになる。

## 新しい統治原理

二〇二〇年代なかばに始まる第四の制度的サイクルにおける課題は、連邦政府——社会のあらゆる側面と密接に絡み合い、もはや効果的に機能していない政府——をどのように変革させるかということだ。問題の解決は待ったなしであり、システムに新しい統治原理を導入することがその解決策となる。奇妙なことに、解決策となる原理は、巨大な連邦制度の一部の組織にすでに存在している。その組織こそ、この国の最大の官僚機構である軍だ。軍隊には「司令官の意図」という原則がある。司令官はまず、自身の意図をある程度までかみ砕いて部下に伝える。しかしいったん伝えたあとは、それぞれの部下たちが直面する現実を認識しながら臨機応変に対応することを望む。部下たちは、司令官の意図から勝手に逸脱してはいけない。だからといって、直面する現実に関係なく意図を自動的に適用するべきでもない。司令官は意図を明確に示すだけでなく、部下たちにその内容を理解させなければならない。司令官はつぎに、下級将校や下士官に主導権を委ねることによって、意図した目標を達成しようとする。これは世界のすべての軍隊に当てはまる方針ではない。たとえばソ連軍は、よりテクノクラシー的な軍隊だった。しかし米陸軍はいつの時代も、司令官の意図にもとづく主導権に重きを置く集団でありつづけた。

緻密に設計された規則ではなく、意図にもとづいて連邦政府が運営されるという考えは、アメリカのあらゆる統治原則に反しているように思われる。すべての人とすべてのケースを平等に扱うのではなく、個々の管理者に権限を委ねることなど許されるべきなのか？　ひとつ例を挙げよう。第二次世界大戦中の一九四四年、フランスのノルマンディーに上陸したアメリカ軍は、生け垣《ボカージュ》に邪魔されてなかなか前進することができなかった。アメリカ軍の意図は、一気にフランスに踏み込んでドイツ軍を包囲することだった。カーティス・Ｇ・キューリン軍曹は自身の分隊のメンバーたちと問題について話し合い、解決策を考えだした。それは、戦車に刃をつけて生け垣を切り裂くというものだった。キューリン軍曹は上官に許可を求めることなく戦車を改造し、その作戦がうまく機能することを確認した。非常に高価な戦車を許可なく改造するなど、彼はいくつかの規則違反を犯した。しかしながら、その革新的なアイデアについて知ったオマール・ブラッドレー司令官は、叱責するどころかキューリンに勲功章を与え、彼の解決策にしたがってほかの戦車を改造するように命じた。ブラッドレーの意図は部隊全体にしっかり伝わっていた。キューリンはその意図を理解したうえで予想外の行動をとり、それがノルマンディー上陸作戦の成功の鍵となった。

司令官の意図にもとづく行動の自由が意味するのは、「特定の方法」ではなく「予測」が成功につながるということだ。たとえば運輸保安庁（ＴＳＡ）には、テロリストによる飛行機爆破を防ぐという任務がある。これにたいするテクノクラート的な解決策は、すべての乗客に同じ検査をするというものにちがいない。しかし司令官の意図の原則が適用される場合、ＴＳＡの職員は、車椅子に乗った九〇歳の女性の乗客については厳重なチェックをせずに保安検査を通過させることができるようになる。ここでの意図とは悲劇を防ぐことであり、TSAマニュアルの中身よりもはるかに多くの知識と経験を持つ職員たちは、九〇歳のその老婦人には飛行機爆破などできるはずがないと判断する。このとき、技術的な解決策がなくても意図は達成される。当然ながら、現場の主導権を認めることによって、テロリストが保安検査をすり抜けてしまう可能性があるという議論も出てくるだろう。一方で、技術的な解決策にただやみくもにしたがうことによって、テロリストがすり抜けてしまう可能性もあるはずだ。

別の例について考えてみたい。六五歳になったときに私は、高齢者向け公的医療保険制度「メディケア」の受給資格を得た。しかし私はまだ現役で仕事をしており、民間の保険にも入っていたため、保険を切り替えて医療費を政府に負担させる必要はなかった。その二年後、たんにメディケアの受給資格を得ただけではなく、制度に加入しなければいけないのだと私は知った。しぶしぶ登録にいくと、生涯にわたって罰金が発生すると告げられた。私にとって罰金はうっとうしいものだったが、たいした額ではなかった。しかし生活状況が変わって、罰金が重荷になったら？　聞けば、一部の人は罰金免除を申請できるものの、収入やそのほかのさまざまな条件によって許可の可否が決まるという。そのため私と同じまちがいを犯し、私よりも運に恵まれていない人々は、まず罰金を払いはじめ、免除を申請し、結果を待つことになる。社会保障局（SSA）の意図は、六五歳で登録しなかった人々を罰することだったが、「金銭的にある程度の余裕がある人」のみに対象は限られていた。司令官の意図の原則にしたがうとすれば、窓口の担当者は私にはその場で免除の却下を告げ、ほかの人には免除の許可を出すことができるはずだ。つまり、（驚くべき書類の数が必要になる）煩雑なプロセスも待ち時間も省き、相手に大きな負担を与えずに、同じ結果を導きだすことができるのだ。

第三の制度的サイクルには大きな問題があった。テクノクラートが持つ高度な技術は、きわめて合理的な解決策をいくつも生みだしてきた。しかしそれは、人々の生活の基盤となる数限りない〝個性〟を無視するという犠牲のうえに成り立っていた。大企業はロビイストを雇い、制度的プロセスそのものを変えることができる。しかし、個人にそんな力はない。政府との橋渡しをしてくれる政党のボスもいなくなってしまった。正直さのさきに待つのは、無力さだ。テクノクラートによる解決策は、社会の運営における予期せぬ弊害を生みだし、柔軟性を根こそぎにしてしまう。しかしアメリカという社会は建国以来、腐敗の可能性を排除することよりも柔軟性に重きを置いてきたはずだ。ところがテクノクラートが支配する社会では、これまで設計されてきた規則以外の手段は認められない。システム運用者も、司令官の意図にもとづいて自由に主導権を行使することはできない。

私が予想するところ、二〇二〇年代なかばから始まる第四の制度的サイクルでは、テクノクラートによる問題解決のアプローチが劇的に修正され、さまざまなレベルで政府の意図がより合理的に適用されるようになる。ほとんど誰にも読まれず、ごくわずかな人にしか理解できないような大がかりな規制ではなく、常識という概念を再び重視することが大切になる。技術的アプローチにこだわりつづければ、重要な例外を予期することができなくなり、人間的な方法で市民が政府に陳情する権利も奪われてしまう。リンカーン政権のあいだ、陳情者である一般市民たちは、補償を求めて大統領府の外で待ったという。現在までに状況は一変し、市民が得て当然の苦痛への補償には、「システムにたいする怒り」というレッテルが貼られるようになってしまった。軍事モデルは、この問題へのひとつの解決策を示してくれる。

## 大学改革とイデオロギー

前章で説明したとおり、第四の制度的サイクルのはじめに直面するもうひとつの大きな課題が、主要な戦場と化した大学にたいする解決策を見つけるというものだ。大学の改革は、連邦政府のための新しい統治原則を見つけるのと同じくらい重要なことだといっていい。ほとんどの大学は連邦政府からなんらかの形で支援を受けている。なかでも際立っているのが、連邦政府が保証する学生ローンだ。このようなローンの存在によって、大学は授業料を引き上げ、さまざまなコストを増やすことができる。なぜなら、費用が増しても学生ローンがカバーしてくれるとわかっているからだ。結果、学生による返済額と連邦政府の負債の規模はより大きくなる。もちろん、政府が提供する奨学金の制度、一部のエリート大学の授業料が無料になる制度などもある。だとしても、親が学費を払えない家庭にとっては、学生ローンが標準的な支払い方法になるという事実は変わらない。

第一の戦場で争われるのは学生ローンの問題であり、二〇〇八年のサブプライム住宅ローン危機を上まわるほど負債額は増えつづけている。学生ローン制度の廃止や変更は、大学が運営費を確保するという問題だけでなく、運営そのものを維持できるかという問題にも直結する。多くの大学は今後、途方もない経費の削減を迫られるだろう。たとえば、地価が高い土地を売却し、より慎ましい地域に移転すれば、巨額の資金を調達することもできる。実際のところヨーロッパの大学のキャンパスは、アメリカの多くの大学と比べてきわめて質素だ。

教職員と研究員のあいだに線を引けば、さらに多くのお金を節約することができる。全体として、多くのアメリカの教授たちは重要な研究をほとんど、あるいはまったく行なっていない。一般的な認識とは裏腹に、重要な論文を発表していなくても、教えることに長けた有能な教師はたくさんいる。大学はそれらの教師たちの授業数を増やし、コスト削減を進めなくてはならない。一般的に研究プログラムの費用は、大学の運営資金ではなく政府や財団の資金でまかなわれるが、実際にはその多くが運営費として流用されている。しかし将来的には、研究のために配分された予算は研究のためだけに使われることになる。教えるほうが得意な教授たちは、教えるスキルの向上に専念できるため、見せかけだけの偽の研究をするプレッシャーから解放される。

途方もなく高価な設備を売り払い、教職員のあいだに分業体制を生みだすことは、きわめて急進的な変化のようにも思える。現在の第五の社会経済的サイクルでは、起業家的な挑戦を大企業に突きつけることが急進的だと考えられてきた。第四サイクルではGI法案が急進的に見えたし、第三サイクルでは純粋な金本位制の導入という急進的な政策が推し進められた。第二サイクルでは、ヨーロッパ人入植者のニーズを核とした銀行法を築き上げることが急進的だと考えられた。そして第一サイクルでは、アメリカ合衆国を建国するという考え自体がきわめて急進的なものだった。すべてのサイクルが、揺るぎなく永続的に見える何かを変えてきた。〝知識の時代〟のなかでは、知識を作りだして人に教える〝実体〟も時代に合わせて変わりつづける必要がある。アメリカ合衆国では、それはむかしからごく当たりまえの流れだった。

大学にまつわる争いはイデオロギーの争いとなり、それが第六の社会経済的サイクルの政治を定義することになる。私がここで言う「政治」とは左右の思想のことではない（とはいえ現代のリベラリズムは、テクノクラシーのイデオロギーと交わりつづけてきた）。ある意味、大学はテクノクラシーの故郷である。なぜなら大学は、価値を判断するための基準となる専門性や資格を生みだし、資格にもとづく階層を作りだすように構築されているからだ。入学が許可される学生の人数は、空間的な余裕はもちろん、教授陣の時間的な余裕によっても制限される。キャンパスを質素にすることによって、学生のための座席数が増え、教授陣の教える能力が高まることも期待できる。実際、より多くの教授を雇うことが可能になるために、教える能力が向上することはまちがいない。現在、ハーバード大学は年間およそ二〇〇〇人の学生を受け容れている。それを五〇〇〇人にするのはどうだろう？　もちろんそれほど多くの学生の入学を認めると、ハーバード大学の権威は低下する。だからといって、学生が得られる知識の質がかならずしも低下するわけではない。

結局のところ大学のイデオロギーとは、誇りやステイタスにもとづくものであり、それがなんたるかを具体的に証明する必要はない。いわゆるエリート大学は往々にして、自分たちが提供する知識が〝レベルの低い大学〟よりもどうすぐれているのかを定義することはできない。彼らはきまって、研究の中身がちがうのだと指摘する。研究の中身が大切なのは事実だとしても、一流大学の研究が本質的にすぐれているとはかぎらない。社会的流動性は、ふたつの方法によって実現する——ＧＩ法が制定されたときのようにエリート大学の門戸を広げるか、あるいは「エリート大学」の定義に疑問を投げかけるか。つまり、エリート大学を合理的に再評価し、「優秀であること」のより現実的な地図を作らなければいけない。そして、スタンフォードやハーバードといった一流大学の学位と、テキサス州立大学の学位が質という面で実質的に変わらない状況を生みだす必要がある。時とともにその流れによって、社会的に恵まれた人々の学歴主義──スタンフォード大学やハーバード大学に通うことによって社会的地位を確認するという傾向──は弱まっていくだろう。すると、ふたつの利点が生まれる。まず、イェール大学やハーバード大学の教育がほかの大学より優秀であるという疑わしい主張の化けの皮が剥がれ、資格の価値が変わり、社会的流動性がより高まる。つぎに、第二次世界大戦中・戦後と同じように、異なる階級がより自由に混じり合うことが可能になり、階級間の障壁が吹き飛ぶ。

現在のサイクルの危機の戦場として大学に注目するのは、奇妙なことにも思えるかもしれない。ところが実際に、独特の価値観に拘泥し、（かならずしも知性の多様性ではなく）民族的な多様性を重視する大学は、アメリカ社会でますます問題視されるようになってきた。しかし、次のサイクルで起きるのはそのような種類の変化ではない。現実的に起きるのは、社会的流動性を制限するシステムへの攻撃だ。そして最終的にこの闘いが、アメリカ社会の形を変えることになる。

大学にまつわる問題は、テクノロジーの発展と密接に関連している。二〇四〇年から二〇八〇年のあいだの世界の経済的・社会的状況、今世紀の残りの期間の制度的枠組みの在り方について考えるうえで、私たちは、大学とテクノロジーの発展の問題に眼を向けることになる。やがて時代は、新しいサイクルの誕生期から成熟期へと移り変わっていく。

## 黄金時代の到来

二〇二〇年代なかばから二〇三〇年代にかけて第四の制度的サイクルが生まれるのと並行して、第六の社会経済的サイクルも生まれる。この新たなサイクルが対処すべき問題は、第五の社会経済的サイクルの終わりに発生するという既定の流れを忘れないでほしい。ここで大切なのは、それらの問題を事故や誤算としてではなく、成功の結果として見ることだ。ピラミッドを築き上げるためには、次の層の建築を始める適切なタイミングを見きわめ、各層についてまえもって計画を立てることが重要になる。

それぞれの社会経済的サイクルが成熟すると、ダイヤモンドを中心に据えた黄金時代へと突入する。黄金時代とダイヤモンドというのは安易な比喩ではあるものの、アメリカ合衆国の発展について考えるとき、各サイクルには独自の特徴があり、それがアメリカを変革させてきたことがわかるはずだ。くわえて各サイクルには、その周期の成熟を後押しした重要な瞬間があった。

第五のサイクルと一九九〇年代について考えてみよう。この輝かしい時代のあいだ、マイクロチップが絶頂期に達し、ソ連が崩壊し、アメリカの力が世界を席巻した。政治と社会の緊張は高まったものの、それが爆発することはなかった。

第四サイクルの一九五〇年代について考えてみよう。ジェット機、テレビ、州間高速道路がこの国の地理を変えた。アメリカ人は、それまで見えなかったものを眼にし、それまで遠すぎてたどり着けなかった場所に行くことができるようになった。ドワイト・D・アイゼンハワーが大統領だった五〇年代の一〇年は、壮大な陳腐さに満ちあふれていた。

さらに時代をさかのぼってみよう。第三のサイクルの一八九〇年代、アメリカ合衆国は世界最大の産業大国になった。第二サイクルの一八四〇年代には、アメリカの地理が完成した。第一サイクルの一八〇〇年代にはルイジアナがアメリカの一部となり、アパラチア山脈を横断して西部までつながる道路が建設された。

新しいサイクルへと移り変わったあと、黄金時代が誕生した。その中心では、小さいものの美しいダイヤモンドが光り輝いていた。周期の残りの期間は、これらの輝かしい瞬間によって定義された。私たちがいま向き合うべき問いは、二〇三〇年代に始まる第六サイクルでは何が〝黄金〟となり、その中心にある〝ダイヤモンド〟が何を意味するのかということだ。

黄金時代が意味するのは、普遍的な調和の時代でも、無限の喜びの時代でも、悲劇のない時代でもない。私たち人間はそもそも、悲劇、苦しみ、怒りから逃れることはできない。黄金時代とは、いつもどおりのあらゆる苦痛があるにもかかわらず、特別な何かが生みだされる時代だ。私たちはよく、古代ローマ時代やルネッサンス時代を黄金時代だと考える。それらの時代もまた、奴隷制度、貧困、戦争、陰謀、殺人といった人間の苦しみに満ちたものだった。しかし、こういった要素はいつの時代にもあるものだ。歴史上の黄金時代について人間が記憶しているのは、すべての時代に共通するものではなく、その時代だけにあったもののほうだ。アメリカだけに存在したのは、驚くべき復活の連続だった。ピラミッド上に新たな黄金の層を築く何かが、周期的に繰り返し登場した。その層の下にはつねに不幸、怒り、貧困が渦巻いていた。驚くべきことに、黄金時代のあいだ、層の下にひそむ否定的で痛ましい物事の影響は（完全に消えることはなくても）なんとか和らげられてきた。各サイクルの終わりと始まりはいつも、失敗と不幸の感覚に包まれる。にもかかわらず、そのたびにアメリカ合衆国は――おそらく不完全ではあるものの、見事な優位性を復活させながら――みずからを再構築してきた。

黄金時代の到来を決定づけるダイヤモンドの瞬間は、新しいサイクルが始まってから二〇年から三〇年後に訪れることが多い。つまり次のダイヤモンドの瞬間は、二〇五〇年代か二〇六〇年代にやってくると予想される。それまでのあいだに第六の社会経済的サイクルの構造が築かれる。そして黄金時代が過ぎると、必然的に衰退が始まる。未来のサイクルの流れについて把握するには、ダイヤモンドの瞬間がいつ訪れるかを理解する必要がある。そのためには、本書でこれまで見てきた問題がどのように定義されるのかについて考えなければいけない。

二〇三〇年ごろから始まる第六の社会経済的サイクルにつきまとう財政問題の原因となるのは、経済システムにおける資金の余剰とその分配である。この余剰は、第五サイクルの成功とマイクロチップ経済の成熟によって生じる。これまで説明してきたとおり、深刻な問題となるのは、利用できる資金がたくさんあるにもかかわらず、富を生みだす投資機会が充分にないことだ。金は不均等に配分され、社会の階層の上半分に配分が集中しており、上に行けば行くほどその集中は高まる。金利が極端に低いため、資金を銀行に預けても、あるいは利率の低い債券で保有してもほとんど意味はない。投資家はそれらの金を手元に置いておくのではなく、不動産などを買うことを好む。そのせいで住宅、商業不動産、賃貸物件の価格が急騰しつづけている。これが、平均所得以下の層にとって大きな問題となる。彼らは、生みだされた富を（少なくとも社会の上層部と平等には）共有することができない。不動産価格が上昇するにつれて、彼らはますます家を購入することができなくなる。下位中産階級のなかには、家を借りることさえできない人もいる。

第六サイクルの政治を支配するおもな勢力は、平均所得以下の層と所得上位二五パーセントの層となる。ほかの人々は、このふたつの中間層として存在することになる。また、かつてのレーガン時代の自由市場を擁護するグループのなかで、イデオロギーの再編成が進む。この階層の人々は、結果を重視することによって復活を遂げる。彼らが望む結果とは所得の再分配であり、すでに獲得された富の再分配を訴える声も上がるだろう。第五サイクルの政治を定義した文化の争いは第六サイクルのあいだも続くが、それはもはや経済需要とリンクしたものではなくなり、代わりにさまざまな党派へと争いは広がっていく。

アメリカ合衆国は歴史をとおして、サイクル変化の問題に取り組む方法として税法をたびたび利用してきた。それが、富の分配と物価の問題にたいする明らかな解決策だとみなされてきた。にもかかわらずアメリカは、大規模かつ予測どおりに発展を続けてきた。一八八〇年から二〇一〇年までのＧＤＰの成長を追った図21を見てみると、大きな減少が起きたのは世界大恐慌のときだけであることがわかる。しかし、より明らかで重要なのは、成長のパターンが一貫して上向きであるという事実だ。アメリカ合衆国は、安定的かつ劇的な成長パターンをずっと保ってきた。これまで本書で説明してきた各サイクルのなかの不穏な動きは、ごくわずかな落ち込みであり、安定した上昇傾向の線上にかすかに見える程度の変化でしかなかった。アメリカが建設を目論んできた大きなピラミッドについてたとえるなら、その建設はこのグラフと同じように順調に進んできたと考えていい。

今後この傾向が変化すると予想するべき正当な理由は何もないが、この傾向が続くと予想するべき正当な理由はたくさんある。アメリカは躁鬱《そううつ》的な性質があるにもかかわらず、このような経済成長の傾向は続いてきた。新たな繁栄の背後には危険がひそんでいるという不安は、ここ数年のあいだに大きな社会的テーマとして再び注目されるようになった。この不安は、今後もアメリカを悩ませつづける。短いサイクルの途中の絶頂期に達すると、すべての危険が消え去ったという考えが広まり、ささいな出来事によってその考えはまた打ち砕かれる。

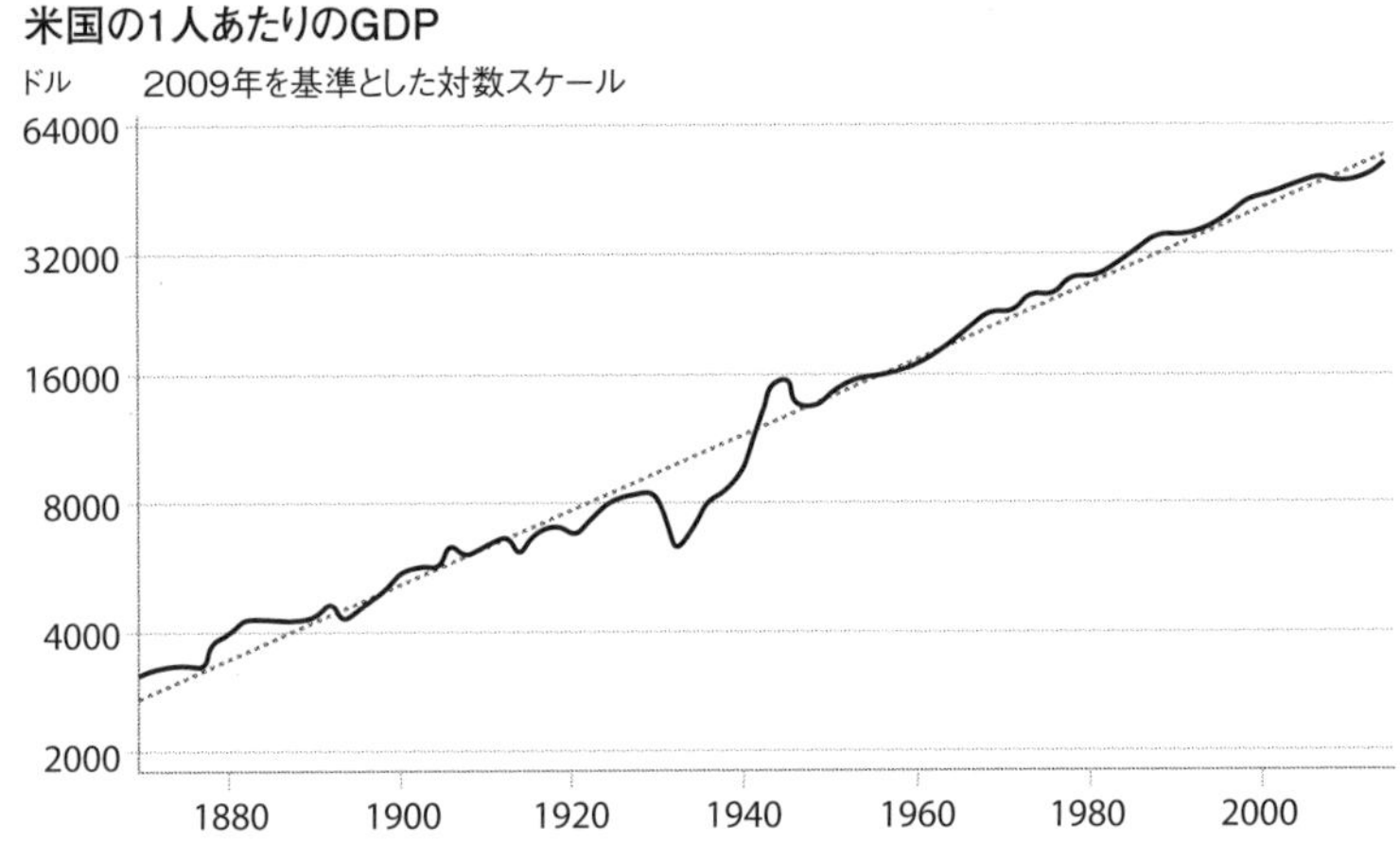


図21　アメリカ合衆国のGDPの成長

よって経済政策における転換はこれまでどおり、通常の経済発展の枠組みのなかで起きることになる。しかし、より深刻な社会的現実が生まれつつあり、それがアメリカ社会に新たに必要となるものを定義する。結果としてその社会的現実が、新しいテクノロジーや社会構造の誕生を後押しし、新時代の特徴を決定づけることになる。

## 家族の再定義

次の社会経済的サイクルで核となるのは、人口に関する問題だ。著書『100年予測』（櫻井祐子訳、ハヤカワ・ノンフィクション文庫、二〇一四年）のなかで私はこの話題を取り上げ、おもな問題のひとつは出生率の低下と平均余命の延長だと指摘した。二〇一八年にアメリカの出生率は過去最低を記録した。現在、移民をのぞくすべてのアメリカ生まれの民族集団で出生率は減少しつづけている。

おそらくより重要なのは、国勢調査局・国家統計局の発表のとおり、平均寿命が劇的に延びているという事実のほうだ。出生から何歳まで生き延びるかをもとに集計したアメリカ人の平均余命は、この一〇〇年のあいだにおよそ四〇年から八〇年に倍増した。しかしそれ以上に注目すべきは、六五歳を超えた高齢者の平均余命のほうだ。こちらの数値を見ると、乳児死亡率の低下が平均余命に及ぼす影響を取りのぞいて考えることができる。現在、六五歳の男性の半数が八五歳を超えて生きる。その割合は、二〇〇〇年よりも九・二パーセント高くなった。一方、すべての女性の半数が、八六歳を超えて生きる。これと比較して一九〇〇年には、すべての男女の半数が四七歳までに死んだ（これらは白人の数値であり、アフリカ系アメリカ人は概して白人より二歳ほど寿命が短い）。

平均寿命は長くなり、出生率は下がりつづけているが、この状態がこれからも続く可能性はきわめて高い。医療の進歩と工業主義の衰退によって平均寿命は延びた。工業的な大量生産を実現するためには、労働者はつねに工場内で働く必要があった。肉体はボロボロになり、健康を維持するのは困難だった。工業主義の衰退にくわえ、サービス産業やテクノロジー産業の台頭によって、健康維持に気を配るのが日常の一部になった。喫煙などの身体に悪い習慣は減り、健康的な運動や食事への関心が高まっていった。このような健康志向は今後も広まりつづけるだろう。同時に、医学研究における発展も加速している。アメリカ疾病予防管理センター（ＣＤＣ）の発表によると、一〇〇歳以上の人口は二〇〇〇年から二〇一四年のあいだに四四パーセント増加したという。

出生率が減ったことは、避妊による生殖制御、都市化、乳児死亡率の低下に密接に関連している。なかでも鍵となったのは都市化だった。農業社会では、女性がたくさんの子どもを産み、その子どもが若いうちにまた子どもを産むという循環が重要だった。それは、初期の工業主義社会でも同じだった。しかし成熟した都市社会では、子どもたちは利益を生まない〝コストセンター〟とみなされてしまう。平均寿命が延びたため、青年期——生殖能力はあるものの、自活できない時期——は劇的に拡大した。無制限の生殖はいまや家族を貧しくするだけで、より少ない子どもの数で繁殖ニーズは満たされるようになった。

同時に私たちは、家族の再定義における初期の段階の動きにも注目する必要がある。はじめの変化は、結婚するときに新婦は処女でなければいけないという考えが消えたことだった。ふたつ目の局面は、結婚前の同棲が許されるようになったこと。そして私たちはいま、性と家族の再定義の真っただなかにいる。家族が異性愛者によって構成されるという概念を保ち、それを不可欠とする考え方を支えていたのは、農業および工業社会の現実だった。かつて子どもを持つためには、男女が法的責任をしっかり負い、一般的なシステムの埒外にいる少数派を社会的に無視する必要があった。工業主義の圧力が弱まり、子どもの数を管理・最小化できるようになると、根底に隠れていたジェンダーの現実が明らかになり、結婚という制度は選択的なものになった。

いまの社会に広がっているのは、伝統的な結婚の崩壊と人間関係にまつわる大きな不確実性だ。一部の研究によれば、性行為や人間同士の感情的なかかわり合いなども減少傾向にあるという。そんな社会状況のなかで生まれるのは、自由の苦しみである。指針となるルールがないとき、人は「何をすべきかわからない」という問題にぶち当たる。結果として、深く根づいてきた生活様式は根本から再構築され、そのプロセスにたいして伝統主義者たちは激しく抵抗する。このような抵抗が第六サイクルの政治の一部を形づくるものの、その動きもやがて衰退していく。伝統的な結婚は、宗教的信念とつながる経済的必要性にもとづくものだった。経済的な必要性による絆がなくなれば、おのずと出生率は低下していく。

同時に、出生率低下の影響は平均寿命の延びによって和らげられる。人口全体の平均寿命がさらに二割増しになれば、人口の減少を当面のあいだ埋め合わせる集団が生まれる。しかし、平均寿命の延長だけでその状態を作りだすことはできない。まずは、アルツハイマーやパーキンソン病などの変性疾患にこれまで以上にうまく対処する必要がある。現在、変性疾患によって多くの高齢者たちの自由な活動が奪われている。このような疾患は長期化することも多く、社会経済への影響は甚大なものになる。

よって、医療に応用される生物学研究において大きな変革が必要となる。過去のサイクルと同じように、その必要性がテクノロジーの生産性向上へとつながる。アルツハイマー病やパーキンソン病など、高齢者の活動の自由を奪い、社会や経済にも大きな影響を与えるさまざまな病気にわれわれは打ち勝たなければいけない。しかしそれを実現するためには、基礎となる生物学的プロセスをより深く理解し、治療のコスト効率が高い医療システムを確立する必要がある。

答えのひとつとなるのは、前述したようなスピード感のある分散型管理の原則にもとづいて活動する連邦政府である。政府は、医学研究を推し進める主たる資金提供者だ。社会的および個人的な重要性を考えたとき、スピード感のある基礎研究への需要が生じることになる。つぎに、新たな医療システムの構築が必要になる。極端な中央集権化と複雑化にもとづく現在の連邦政府のモデルにしたがうのではなく、分裂や極度の干渉《マイクロマネジメント》による麻痺を避けながら資源管理が可能な新時代の医療システムを作りださなくてはいけない。

## 生活様式の崩壊と自由

今後あらゆるレベルにおいて、さまざまなつながりが薄れていく。連邦政府による息苦しいほどきつい拘束は断ち切られる。マイクロチップをハイテクの幻想と結びつけてきたつながりも断ち切られる。ほとんど利害関係のない国々とアメリカのあいだの同盟は崩壊する。新しいサイクルが始まるときはいつもそうであるように、アメリカは進む方向を変えていく。結果として、個人同士を結びつけていたつながりの形も変わる。人間は伝統に縛られており、その伝統が生活様式となる。もっとも重要なのは、出産、結婚、男性であること、女性であることといった人生の生活様式が、第五サイクルのあいだに崩れつつあるという事実だ。性の再定義がひとつの大きな力となり、結婚の意味も変わろうとしている。現在、ジェンダー――女性であることの意味と男性であることの意味――を再定義しようとする試みが進んでいる。男性と女性の互いにたいする義務が変わるにつれて、日々の暮らし方や将来のための貯蓄などの意味も変わる。ある特定の義務にたいする変化の影響は、ほかのすべての義務にも及ぶことになる。このような変化によって人々はまず解放感を抱き、そのあと（たとえば会ったこともない相手といっしょにテレビゲームをプレイしながら）孤独を感じるようになる。

生活様式の崩壊は永遠に続くわけではない。外部から何も期待されずに生きるのは、じつに開放的なことだ。しかしその開放によって人はときに、つぎに何をすべきかがわからなくなる。男性はかつて、冷酷な世界に立ち向かい、生計を立てるために闘うことが自身の役割だと知っていた。女性はかつて、冷酷な世界のなかで耐え忍び、夫や子どもたちが安心できる場所を作ることが自身の役割だと知っていた。そのような選択肢もまだ残されてはいるものの、選択肢は義務ではない。古い義務は崩れ去ろうとしており、第六のサイクルでは人生の秩序についての新たな感覚が生まれることになる。それらすべての要素が、このサイクルの主要な問題へとつながる――出生率の低下と平均寿命の延長。人間のかつての生活様式は、「突然の死」と「子孫を増やす緊急性」を中心に構築されていた。しかし、死はもはや差し迫ったものではなく、子孫を増やすかどうかは個人の選択に任されることになった。したがって、伝統的な家族の意味も再定義されることになる。人生が一〇〇年近く続き、子どもを産んで育てることがさまざまな選択肢のひとつでしかなくなるとき、人々はどんな義務を持つようになるのだろう？

この問いは、アメリカ合衆国の〝発明〟についての本書の前半の議論へとつながる。建国者たちは、自由と義務のあいだでうまくバランスをとろうとした。彼らにとって、それは政治的な問題だった。次の第六のサイクルでは、それが個人にまつわる問題に変わり、私たちが個人として何者であるかを定義することになる。ほかの国々に比べて、アメリカではこの問題がより深刻化する。なぜならアメリカの富は多くの可能性を生みだし、その可能性に終わりはないからだ。

その象徴となるのがソーシャル・メディアだ。ソーシャル・メディアは、何度も自己を発明しなおすことのできる匿名の場所であり、自分の正体をばらすことなく意見を伝えられる場所だ。それこそが致命的な問題となる。マイクロチップによってあらゆる場所で意思疎通が可能になったにもかかわらず、結局のところ人間は、話し相手が誰なのかを知る必要がある。ソーシャル・メディアの信奉者たちは、この平凡な真実を見逃してきた。いずれにしろ、すべてのメディアにはそれぞれ異なる絶頂期がある。第三サイクルではラジオが人気を博した。第四のサイクルではテレビ、第五のサイクルではコンピューターが一世を風靡した。どの段階でも人々は、ほかの人間ではなく通信システムのほうに注目した。最近のバーでは、熱い議論が交わされたり、男女の駆け引きが行なわれたりすることはなくなった。男性も女性もみな席に着き、スマートフォンの画面に眼を向けるだけだ。

ところが、ここから奇妙な点も見えてくる。かつて、人々はテレビに夢中になった。携帯電話は、人と人とをつなげてくれる。現在では携帯メールやメッセージ・アプリのほうが、電話の本来の目的――ほかの人の声を聞きながら会話すること――に取って代わったかのようにも見える。たしかに、これは過去例にない妙な現象だ。しかし、どれほど奇妙な通信方法であれ、携帯電話とその中毒性は、他者とつながりたいという人間の渇望を象徴するものにほかならない。携帯電話の普及は現代の人間関係を映す鏡であり、人々が絆を求めている証拠でもある。携帯電話によって人間の絆が消えることはない。絆は、変化する現実によって失われる。携帯電話と携帯メールの普及は、独りぼっちになりたくないという人間の性質を象徴したものだ。ソーシャル・メディアはあまりに匿名性が強すぎるため、第六サイクルにおける社会基盤として生き残ることはできない。しかし人間同士のつながりは、どれほど脆く混乱したものだとしても、確実に存在しつづける。

時代の中心にある生と死にまつわる生活様式がめちゃくちゃに破壊されたとしても、人とつながるという渇望はけっして消えることなく存在しつづける。電信技術が発明されて以来、テクノロジーはつねに私たちの意思疎通の中心にあった。だとすれば、第六サイクルの中心にも新たな意思疎通のためのテクノロジーが生まれると考えるのは妥当なことだろう。しかし、そんなことは起きない。なぜなら、コミュニケーション技術はすでに不合理なほどの飽和状態に達しているからだ。コミュニケーション技術にさらなる効率化を望むことはむずかしく、人間の生活における感情的ニーズをこれ以上支えつづけることはできない。第六サイクルでは、マイクロチップ文化を超越した文化が生まれ、共同体が再び強さを取り戻していく。それを後押しするのは古い生活様式ではなく、むしろ孤独の回避を核に据えた文化のほうだ。マイクロチップには孤独感がつきものであり、そのような孤独を人間関係のなかでずっと保つことはできない。人間のあらゆる行動が生活様式を変えるように、マイクロチップも生活様式を変える。その新たな生活様式には中毒性があるが、人に満足感を与えてはくれない。このようなプロセスのなかでは、かならず過去への回帰が起きる。より正確にいえば、コンピューターをその限られた場所へと移動させることによって、過去が再現される。

人工知能（ＡＩ）を生みだそうという渇望は、〝終点〟を目指すことを意味するものにちがいない。なぜなら究極的には、それは人間を別のものに置き換えるという提案だからだ。思考能力を持つＡＩは、車の運転における人間の判断の代わりを務めることができる――。しかし、この主張には矛盾がひそんでいる。知能のようなリアルなもの
の類似物を人工的に作りだすためには、私たち人間がどのように考えているのかを理解する必要がある。しかし、人間の心の仕組みを完璧に理解できる人などいない。コンピューターとそのプログラムに関する論理はいまだ非常に煩雑であり、人間の思考を理解するスタート地点にさえたどり着けていない。考えることとは、論理的なプロセスとはまったくちがうものだ。文章を書いているときの私は、興奮という感覚をとおして不意に何かを発見することがある。が、それがどこから来たのかはわからない。思考につ

いて私たち自身がしっかり理解できるようになるまで、知能の類似物が生まれることはない。それまでのあいだに、重要な活動を手助けしてくれる強力なプログラムが誕生するかもしれない。しかしそのプログラムに感情はなく、感情がないところに知能は存在しない。

とはいえ、今後のあらゆる技術発展のプロセスのなかでAIは重要な位置を占めることになる。AIの擁護者たちは、これを人類の勝利だと考える。仕事上のいざこざやコンピューターの故障といった人間がどうしても必要になる場面をのぞけば、AIの発展によって、人間が別の人間の助けを求める必要性は弱まる。人間は、経済やそのほかの必要性にもとづいて互いに協力する。私たちは、お互いが人間であるという事実にたいする喜びを共有することによって絆を保っている。AIがうまく機能すれば、人間同士を結びつける絆の必要性は弱まるだろう。人間の知性の中心には、偶然の洞察と出会いがある。もし完璧な人工知能が生みだされたとしたら、その非人間的な効率性によって偶然の洞察や出会いは破壊されてしまう。

テクノロジーの熱狂者たちは妄想をふくらませるのが大好きだ。ボーイング707の運用が始まったときには、ニューヨークからロンドンまでロケットを使って一時間で移動するという夢のような計画が持ち上がった。電気が普及したとき、人間の精神機能はすべて電気をとおして解明されると信じられていた。一九三〇年代に描かれた未来都市の予想図には、一五〇〇メートル越えの高層タワーや空飛ぶ高速道路はあったが、木は一本も書かれていなかった。このような妄想のなかでは、一般的に三つのことが起きる。まず、予算や安全性を無視してテクノロジーを応用しようとする。つぎに、自分の知る技術を使うことによって、世界のすべての事柄が解明されると想像する。最後に、紙の上ではすばらしく見えるが、実際に生きるには悪夢のような世界を想像する。もちろん実現するものもあれば、実際に計画が進められるものもある。しかしテクノロジーは、つぎに起こることを示す指標としてはあまりに不充分だ。テクノロジーへの人々の反応は往々にして、技術者が見たいと望むものではない。

今日、とりわけ都市部を中心として自動車を不必要だと考える動きがあるが、それは一世代前には考えられないことだった。伝統的なテレビも、いまや見捨てられつつある。短波ラジオはかつて、世界とつながる唯一の手段だった。しかし、いまでは誰も使わなくなった。私たちの生活の中心にあった強力なテクノロジーの数々は、驚くべきスピードで消えていく。あなたが最後に電報を受け取ったのはいつのことだろう？　自動車がたどった歴史と同じように、コンピューター、インターネット、携帯電話はこれから一〇〇年以上にわたって利用されつづけるにちがいない。車はかつて、持ち主のアイデンティティーを定義するアイテムだった。しかし現在は、たんなる移動手段になった。マイクロチップをもとにした技術もまた、〝驚異〟から〝道具〟へと変わる。それこそが、第六サイクルのあいだに起きることだ。

この結末に向けて、まず社会的な運動が起こり、つぎに政治的な運動が起きる。孤独は世界でもっとも強い力のひとつだ。人は歳をとり、病気になる。私は、自分が病気になったときに誰が面倒を見てくれるのかを知っている。しかし、三〇代で、子どもがおらず、あるいはパートナーもいない場合はどうなるだろう？　五〇年後、彼らはその問いに答えることを迫られる。たしかな答えがないと知ることは、ひどく恐ろしいものだ。あなたを必要とする人が誰もいないなかで長生きし、あなたが生きていても死んでいても誰も気にしない――。そんな人生も一種の解放にちがいない。しかし解放の恐ろしい影響は、時間とともに訪れる。

集団のなかで独りぼっちで生活するという疎外感を解決するのは、テクノロジーではない。むしろ問題を解決するのは、疎外感がもたらす個人的な絶望のほうだ。第五サイクルのあいだに生まれた社会運動は、さまざまな伝統、常識、生活様式を破壊してきた。同じように第六サイクルを生きる人々は、古い生活様式が破壊されることを受け容れ、新たな様式を生みださなくてはならなくなる。その生活様式の基盤となるのは、死ぬまえに繁殖するという緊急性ではない。そうではなく、多くの選択肢を持つことがより良い選択につながるという穏やかな認識のうえに、新たな生活様式が築かれることになる。若くして死ぬことに危険があったように、健康的に歳をとることにも危険はひそんでいる。この生活様式の変化が、第六サイクルの社会の混乱へとつながる。

生活に予測可能な要素を生みだすためには、ある程度まで儀式化された人間関係を築く必要がある。すべての人間社会には生活様式がある。それらの生活様式の多くは、家族や集団にたいする義務に関連したものだ。家族が存在しない社会を私は知らないし、どんな社会の家族もなんらかの義務を負っている。社会のなかでどのような種類の家族が誕生し、どのような義務が課せられるのかをまえもって予測することはできない。しかし、子どもを育て、病人を看病し、分業を行なうこと以外の家族の目的は、人間同士の絆への渇望を満たすという点にある。一般的に、新しい生活様式は戦争から生まれる。戦争によって社会が崩壊し、新しい秩序が生まれる。そして新しい選択肢が利用可能になり、サイクルの精神に見合った柔軟性が生みだされる。私が思うに、この種の新しい秩序のなかには、生まれたばかりの歴史の浅い伝統も数多く含まれることになるはずだ。

伝統から生活様式が生まれ、その伝統は過去に拠り所を求める。伝統を重んじる人々は、まずは説得をとおして、つぎに法律をとおして主義や生活様式を広めようとする。そのような流れはいたって自然なものだ。言い換えれば、新しい生活様式は古いものを模倣し、そこに法的な地位を求める。生活様式には宗教的な側面も多いが、非宗教的なものとして扱われる。許容される配偶者の数、離婚における財産分与、子どもの権利に関するさまざまな規則は、道徳的価値観にもとづいた非宗教的な義務だといっていい。第六サイクルの中盤に向けて新たな価値観が生まれるとき、それは政治的な色合いを持つことになる。

その争いは、ふたつの流れに沿って進む。まず、税法について問題が生じる。高所得層への所得税率は、第六サイクルのはじめに一気に引き上げられるはずだ。しかし問題は、医療のさらなる発展には巨額の民間投資が必要になるという点だ。連邦政府が基礎医学の研究に予算を与え、その研究によって新薬や新しい治療法が生まれる――。それが理想ではあるものの、連邦政府は伝統的にそのような役割を担ってきたわけではないし、第六サイクルにおける制度の再編後の政府もそのような役割を積極的に担おうとはしない。よって投資資金は手に入るものの額は少なく、新たな税法変革が強く求められることになる。

第六サイクルの主軸となる最初の世代――五〇代になった〝ミレニアル世代〟――は、個人の富を増やすための減税にたいしてイデオロギー的な嫌悪感を持っている。少なくとも、リベラル寄りの人々はその傾向が強い。しかしこのような減税によって、伸びた平均寿命が引き起こす病気の治療にたいする投資資本が生みだされることになる。そして人々は、イデオロギーよりも自己利益を優先する道を選ぶ。減税がマイクロチップ経済の発展を推し進めたように、二〇五〇年代の減税は医療改革を推し進める。

いわゆるミレニアル世代の子どもたちは、前世代の不安定さに反発する。集団として彼らは、コンピューターやインターネットが時代遅れだと感じ、強力な家族の絆を築くことが現代的だと感じるようになる。彼らは国家にたいして、新たに生まれた価値観をなかば強制的に広めることを求める。道徳的な目的を法制化しようとする動きは、これまでのあらゆるサイクルにもなかったものだ。年長者たちは、若い世代がマイクロチップへの愛着を拒んだことに愕然とし、秩序と生活様式が古いものへと後戻りしたことに恐怖を覚える。この年長の世代とは、二〇二〇年代に敗北した古いテクノクラシーの集団である。一方の若い世代は、かつて敵対的だったさまざまな集団を取り込みながら独自の政党を作り上げる。ここでは、民主党と共和党のどちらの支持者であるかという点は不透明であり、かつ大きな意味を持たなくなる。彼らは、むかしの連携——テクノクラートを打ち負かし、数十年かけてみずからを定義しなおしてきた集団——の継承者となり、権力の階段を駆け上がろうとする。ついに若い世代が権力の座に就くと、こんどは第七の社会経済的サイクルの前兆が現われはじめる。

## 地球温暖化と気候変動の真実

私はここまで、ある話題をあえて避けてきた——地球温暖化と気候変動についてだ。言及を避けてきたのは、重要ではないからではない。この話題がたんなる誹謗中傷の場となったことにくわえ（私としては個人的にはかかわりたくない）、あまりに複雑で私自身すべてを理解できていないからだ。

第一に、気候が実際に変化しているという点に疑う余地はない。過去にも気候は劇的に変化してきたものの、これほど劇的な変化ははじめてのことだと一般的には考えられている。古気候学（有史以前の気候の研究）が示す証拠から判断するかぎり、それは事実のようだ。私には反論する資格がないので、この考えを受け容れることにする。

第二に、この気候変動は人間の活動によって引き起こされているように見える。変化のスピードが実際にこれほど速いとすれば、人間の活動以外の原因は私としては考えられない。

第三に、温暖化が今後どのように進み、世界がどのような状況になるのか私にはわからない。問題は、科学的モデリング（私が精通していない分野）にもとづいて予測が行なわれているという点だ。さらに気候変動についての効果的なモデリングは、あらゆる変数、その基準となる相互作用、変数にたいする新しい力の影響などに関する理解にもとづいて行なわれる。そのためには、気候の仕組みを包括的に理解したうえでモデリングする能力が必要になる。気候の仕組みについての私たちの理解のレベルは飛躍的に高まったものの、いまだ知られていないことは多い。なかでも、すべての変数を個別に扱い、新しい変数が環境にくわわったときの影響を測定するのはとりわけむずかしい。

気候が変化していることはあまりに明らかであり、それが悲惨な方向へと変化しているという主張にも一理あるものの、私としてはそう確信しているわけではない。公に発表された内容の多くは、わずかな変数に関するきわめて限られた研究にもとづくものでしかない。そのような研究だけをもとに、人間に害を及ぼすような結果につながるという強力な議論が生まれているのだ。しかし、気候にまつわる包括的なモデルが確立していないことを踏まえると、未知の変数によってこれらの発見がくつがえされる可能性もある。つまり全体のシステムは、各部分が示すものとは異なる結果を生みだすかもしれないのだ。

くわえて、気候変動が悪い結果につながるという考えは世界じゅうで受け容れられているものの、複雑なシステムはきまって複雑な影響を及ぼすことになる。たとえば過去のある時点では、アフリカのサハラは豊かで肥沃な農耕地帯だった。しかし現在、サハラは砂漠に変わった。では、海面上昇によって湾岸の都市が水浸しになり、サハラ砂漠やほかの荒れ地に再び緑が戻ると仮定してみよう。この交換条件は人類にとって良いことなのか、それとも悪いことなのか？　いずれにせよ、地球の気候に関する議論をより具体的な予測に変えるモデルはいまのところ存在しない。

私がいつも思いだすのは、スイスの高名なシンクタンク〈ローマクラブ〉による一九七〇年の予言だ――人口爆発によって、二〇〇〇年までに世界的な飢餓が起きる。彼らはお騒がせ集団などではなかった。世界全体の食糧生産と人口増加率にかんがみれば、彼らの予測は正確なものだった。しかし、予測は当たらなかった。なぜなら、農業学者ノーマン・ボーローグが「奇跡の小麦」を発明し、食糧供給が劇的に増えることを予測できていなかったからだ。さらに彼らは、想像さえしていなかった要因によって出生率が低下することも予測できていなかった。人口爆発についての一般的な考えに誤りが生じたのは、実際に起きた出来事（奇跡の小麦）と陰で起きつつあったこと（出生率の低下）を考慮に入れていなかったからだった。

人口の大爆発を予測した人々は、利用可能なデータにもとづいて研究を進めた。実際、人口は一気に増え、食糧生産は落ち込んでいた。彼らが眼を向けるべきだったモデルは、あまりにも幅広く複雑であり、すべてを首尾よく管理するのは困難だった。現時点で気候変動について解説する人々が、まちがった予測をしているのかどうかはわからない。私が知っているのは、人口爆発の予測と同じように、多くのモデルにはきまって欠点があるということだ。よって私としては、気候変動について説明できる立場にはないため、本書ではこの話題には触れなかった。気候は実際に変化しており、人間がその変化を後押ししている可能性は高い。しかし、それがアメリカの北東部と南西部にどのような異なる影響を与えるのか、残念ながら私はくわしく解説することができない。

私が気候変動の話題を無視してきたのは、世界が一丸となって政治的にこの問題を解決しようとしないかぎり、大きな行動にはつながらないからだ。そのような協力はおそらく起きないと私は考えている。温室効果ガス排出を削減するための構造改革のコストは膨大であり、それをケチることはできない。多くの国民の生活がつねに危機的な状況にある中国などにおいて、温室効果ガスのための対策を講じることは生活水準の著しい低下へとつながる。

気候変動から生じる不安定さに耐えられない新興途上国には、対策を講じている余裕などない。一方の先進工業国には、ふたつの政治的な問題がある。ひとつ目は、気候の危機が来年すぐに起きると予想されているわけではないこと。多くの専門家は、長期的な視野での危機について警鐘を鳴らしている。実際に気候変動が起きるとしても、それは私が死んだあとのことになる。よって私自身は、不確かな解決策にたいして犠牲を払いたいとは思わない――そう頭のなかで論理づける人は多い。ふたつ目の問題は、気候変動をもっとも心配しているのが、もっとも信頼されていない人々であるということ。気候変動とは、専門家たちが使う最新ツールなのではないかと多くの人は疑っている。国家を掌握し、市民の行動を規制するために気候変動を利用しているだけなのではないか、と。したがって私は、気候変動にたいする世界的な反応については予測をしない。なぜなら、世界的に共通する反応など生まれるはずがないからだ。

ついでながら最後に、問題解決のために重要な役割を果たすと予想されるものについて強調しておきたい。気候変動は実際に起きている。人間がそれを引き起こしているものの、誰も解決のために犠牲を払おうとはしない。環境保全技術《グリーン・テクノロジー》だけで、産業消費社会の影響を抑え込むことはできない。私が思い描いているのは、テキサス州西部でいま実験中のロケットを利用した未来だ。発電所による汚染をなくす方法のひとつとして、宇宙太陽光発電がある。宇宙には限りない太陽光の供給があり、高速集電装置のためのスペースも充分にある。集電装置は太陽光をマイクロ波に変換し、地球に送電する。地上に置かれた巨大な変圧器は、それを利用可能な電気に変える。これによって炭化水素の過剰使用に終止符が打たれ、おそらく気候変動のリスクも消え去るはずだ。

宇宙太陽光発電の普及は、私が一〇年以上前に『１００年予測』で予測したものであり、それがほんとうに実現するのではないかと私は考えはじめている。私としてはめずらしいことだが、どうかこの点は強調させてほしい。エネルギー使用量を半分に減らすよりもはるかに安いコストで、なおかつ革命の必要もなく、利用可能な既存の技術を使って宇宙太陽光発電を普及させることができるのだ。将来のモデルがどのようなものになるかにかかわらず、宇宙太陽光発電をおおいに活用するべきだ。

# 結論——アメリカの時代

二〇二六年はアメリカ合衆国にとってきわめて重要な年になる。独立宣言が署名されてから二五〇年。アメリカに来た入植者たちが新たな国民であることを宣してから二五〇年。その道のさきには戦争があり、思いもよらない勝利があった。そして憲法が起草され、注目は「国民になること」から「政治体制を作ること」に移った。すべては、独立宣言が公布された一七七六年七月四日に始まった。すでに説明したとおり、その物語はいまだにアメリカ独特の道をたどりながら展開しつづけている。

この流れについてもっとも驚くべきなのは、アメリカが結果としてどのような国になったかという点だ。アメリカは第三世界の小国から、世界を席巻する大国になった。この国は毎年、世界のすべての富の四分の一近くを生みだしている。賢明かどうかはさておき、米国の軍隊は世界全土で活動し、一五〇を超える国々に配備されている。多くは小規模な訓練を行なっているが、一部は実際に戦闘に従事している。規模がどうあれ、この一五〇カ国という数字は驚き以外のなにものでもない。

建国の父祖たちは、合衆国が新しい時代を導く存在になることを意図していた。しかし私たちは誰しもが、起こりそうもないことを妄想するものだ。およそ二五〇年近くまえに建国者たちは、アメリカの現在の姿を想像していたのだろうか？　トーマス・ジェファーソンとジョージ・ワシントンは、ある程度までは想像していたようだ。一方、皮肉屋のベンジャミン・フランクリンは、そのような想像を現実離れしたものだと思っていたにちがいない。ジョン・アダムズとジェームズ・マディソンは、空想的な夢よりも喫緊の課題に眼を向けていたはずだ。だとしても、その想像は現実になった。大英帝国に反乱を起こしたアメリカは、いつしかみずからが帝国になった。建国者たちが意図し、期待したのは別のことだったのかもしれない。しかしアメリカの例についていえば、すべては起こるべくして起きたことだった。

帝国としてのアメリカの基盤となるのは、軍隊でもなければ、経済でさえもない。アメリカを支えるのは、ロックンロール、「サンタバーバラ」と書かれたTシャツ、ニューヨーク・ヤンキースの野球帽だ。二〇カ国から人々が集まる国際会議の参加者全員が、完璧な英語を話す。なぜなら、それが唯一の共通言語だからだ。ほとんどのコンピューター・プログラミング言語は、英語をもとに作られている。アメリカ合衆国に怒りを感じ、憎んでいるにもかかわらず、自分の子どもをアメリカの大学に通わせたいと願う人も多い。

あらゆる帝国の基盤となるのは銃ではなく、ヒトラーとスターリンが理解できなかったもののほうだ——裕福さそのものと、裕福さがもたらす羨望。しかし金や銃よりも大切なのは、未来を象徴するテクノロジーと現在を象徴する文化である。長く続く帝国とは、ほかの人々が真似したいと思うような知性と情熱に満ちた帝国だ。

アメリカ合衆国は、帝国になるために建国されたわけではない。でも結果として、帝国になった。独立戦争のあとから、「帝国」は称賛の言葉として位置づけられてきた。しかし、帝国には二種類ある。ひとつは、ヒトラーが築こうとしたような、搾取を目的とした帝国。もうひとつは、利益を得るだけでなく、全員に利益を与える共生関係のシステムを築ける帝国。そのような帝国はみずからの軍事力だけでなく、植民地の住民たちが生みだす利益によって互いに結ばれている。ローマ帝国はほかの国々を征服したが、ローマの政治体制の一部になりたいという願望はきわめて一般的なものだった。これはペルシア帝国にも当てはまる。時とともに帝国は、征服者としての立場から、経済成長、貿易、平和の監督者としての立場へと移行する。帝国がなければ、経済成長や平和が訪れることはない。帝国はさらに、文化の伝播と進化をうながす大切な役割も担っている。

程度の差はあれ、他国が真似したいと望む国でありつづけることによって、アメリカ合衆国はいまでも建国者の意図に沿って行動しているといっていい。二五〇年ほどまえに建国者たちは、新しい時代を生みだすことを望んだ。新しい時代は、政治体制にたいする道徳的価値観とその派生物のうえに築かれていった。共和制という政治形態は、いまではほぼ普遍的なものとなった。完璧な共和制などありえないとしても、それは現在のアメリカが建国者の思いに完全に忠実とはいえないのと同じだ。しかし、一七世紀のフランス文学者ラ・ロシュフコーが「偽善とは悪が善にたいして払う敬意である」と言ったように、おしなべて不完全な形ではあるものの、（君主制の国を含めた）世界のほとんどの国が自国を共和制だと主張するようになった。建国者たちが求めた権利が踏みにじられることは多々あるとしても、踏みにじる人々はその行動についてきまって嘘をつく。野球帽、コンピューター言語、そして巨大な軍隊は、実際にはきわめて不完全な勝利の象徴であり、原則のうえでの勝利の象徴でしかない。しかし建国者たちの考えや発言によって、世界が大きく変わったことはまちがいない。

合衆国がいま直面しているのは、冷戦後の一九九二年に始まった根本的に新しいアメリカ時代のなかで、国を維持するための基盤を見つけるという難問だ。たとえ米国がみずからの権力の現実に満足できなくても、権力を支えるための戦略を立てられなくても、この時代は少なくともあと一〇〇年は続く。合衆国が国際社会のなかで向き合っているのは、帝国のための持続可能な方針を考えだすという課題だ。これまで築き上げられてきたサイクルの流れをとおして権力、富、革新技術が増えつづけるアメリカにおいて、帝国をどのように維持できるのか？　一方でアメリカ合衆国は、ほかの世界強国と同じように積極的に行動する必要がある。他方で、アメリカを国内的に駆り立てる創造性と活力が失われないよう注意する必要もある。

一九九二年以前のアメリカの戦略は、軍事力を使って自国の利益を追求するというものだった。その最大の勝利は第二次世界大戦だった。アメリカはドイツと日本を打ち負かしただけでなく、大西洋と太平洋を支配した。核戦争にこそ発展しなかったものの、大きな闘いのなかでアメリカは自国を侵略から守った。第二次世界大戦以降の合衆国は、一貫して同じ戦略を使いつづけることによって帝国になった。しかし湾岸戦争での砂漠の嵐作戦をのぞけば、アメリカは一度も戦争に勝つことはできなかった。偉大な帝国は可能なかぎり軍事力を使うことを避け、国家間の地域的緊張に頼ってそれぞれの国益を維持しようとする。イギリスは、数十万の兵隊を送り込んでインドを支配したわけではなく、インド国内の勢力バランスを利用した。

アメリカ帝国が誕生したのは、ジハーディストとの闘いが始まったのと同じ時期のことだった。その闘いはアメリカにとってもっとも長く、多くの点においてもっとも失敗の多いものだった。9・11以降、アメリカはアフガニスタンで活動を始め、現地の軍隊を支援・買収してアルカイダに立ち向かおうとした。しかし、やがて米軍の地上部隊を送り込まざるをえない状況になり、戦火はイラクにまで広がっていった。それまで理性的だった戦争が、勝者なき戦争に変わり、アメリカ国内の生活を弱体化させる戦争に変わった。どんなに優秀な軍隊を送り込んだとしても、正式な軍として編成されていないあいまいな集団を相手に勝つのはきわめてむずかしい。そのような相手と闘う帝国戦争は、母国を疲弊させる。

これは、アメリカの未熟さから生じる問題だ。成熟した国家戦略を持たなければ、紛争を最小限に抑え込むことはできない。世界一五〇カ国に軍隊を配備する帝国は、限りない紛争の危険性とつねに直面しており、そのような戦争は往々にして敵の行動から始まる。ときに、これが国家の活力をぶち壊してしまう。その反面、世界じゅうの資源、市場、イノベーションとのつながりを保つことによって、よりダイナミックな社会が生まれる。帝国である事実をただ放棄することはできないし、むやみやたらに受け容れるだけで帝国が成立するわけでもない。帝国の繁栄のためには、成熟した管理が必要になる。

成熟は帝国の基盤となるものであり、アメリカ合衆国はそのような安定性を手に入れなければいけない。しかしながら、それはアメリカ国内の家庭生活の基盤となるものではない。本書で私が議論してきたサイクルはかならず振りだしへと戻り、それぞれのサイクルはアメリカを新たに発明しなおす。制度的および社会経済的サイクルの両方が成熟すると、さまざまな問題が渦巻いて危機が起こり、はじめからやり直すことによって解決策が見つかる。「外交政策に不可欠な慎重さ」と「周期的なサイクルの未成熟さ」のあいだには、避けがたい緊張関係が存在する。

これまで説明してきたとおり、二〇三〇年代ごろに出現するふたつの新しいサイクルは、現在のサイクルの問題を解決し、新しいサイクルにたいする問題を提起する。社会経済的サイクルは二〇八〇年、制度的サイクルは二一〇五年ごろにさらに次の周期へと移行する。各サイクルを終わりへと導く失敗がどんなものかを想像するのはむずかしい。二〇八〇年ごろに社会経済的サイクルが破綻するのは、自然な流れの一部だといっていい。将来的に生まれる新しい技術によって人間の寿命が劇的に延びたとき、サイクルはその圧力にさらされることになる。高齢者には知恵がある。人生の酸いも甘いも知る彼らは、大切なものと大切ではないものを見分けることができる。高齢者はつねに最新の知識を持っているわけでも、最新のテクノロジーを活用しているわけでもない。私はかつてコンピューターに魅了されたが、一〇年ほどまえに興味をなくしてしまった。若い人々は、コンピューターについて私よりもはるかにくわしい知識を持っている。長年の経験から私が学んだのは、コンピューターよりも〝愛〟のほうが重要であるということだ。コンピューターはときに、愛する能力をも妨げようとする。これは老人の知恵かもしれないし、ただの戯言《ざれごと》かもしれない。いずれにせよ、これは〝知識〟ではない。アメリカ人の寿命が今後も延びつづけるとすれば、人々はより思慮深くなるかもしれないが、かならずしも知識が増すわけではない。サイクルを前進させるためには知識が不可欠になる。それを踏まえると、二〇八〇年の危機は、急激に増える高齢者人口という重い錘《おもり》のまわりに発生する可能性が高い。高齢者は健康で豊かな知恵を持っているものの、その存在感と権力はあまりに大きい。だからこそサイクルが廃れていくのであり、高齢者がそのサイクルを乗り越えてさきに進むことはできない。

制度的サイクルにたいして連邦政府によって生みだされる解決策は、内部の機能を変化させるというものだ。厳しい規制を課すことをやめ、政策決定者により多くの権限を委ね、トップダウンではなくボトムアップの方向へと制度は移行する。くわえて、地方政治の機能的な制度が復活するはずだ。この制度によって地方政府が住民の代わりを務め、さまざまな政策にたいして政府に責任をとらせる流れができあがる。これで既存の問題は解決されるが、つぎに発生する可能性のある問題は解決されない。私たちの現在の制度的システムは、選挙の投票権の最低年齢を定める一方で、最高年齢を定めていない。平均寿命が延び、出生率が低い水準のまま推移するようになると、人口の高齢化が進む。高齢者にとっての利益は、若い投票者の利益とは大きく異なる。平均寿命が延びることによって、高齢者は現在よりも大きな投票者集団となる。すると、アメリカのサイクル変化に必要な活力がシステムから失われていくおそれがある。高齢者もじつに多くのものを生みだしてくれるものの、若い世代には若い世代ならではの創造力が存在する。ある時点で、こんな議論が持ち上がったとしてもおかしくはない。投票年齢に上限を設けるべきではないか？　あるいは、一定の年齢以上の有権者の投票を、ほかの世代の投票よりも少なくカウントすべきではないか？　高齢化の加速は、社会にさまざまな影響をもたらす。それこそが、二一世紀の分水嶺となるかもしれない。

アメリカ合衆国は、人口統計のうえではより成熟しつつある。成熟とともにもたらされる知恵は、外交政策を維持するために必要なツールとなる。しかし知恵がもたらされる一方で、サイクル移行をうながすアメリカの回復力を保つために必要なエネルギーが不足する。ある意味、このような緊張は建国の核となるものだった。外交政策において、建国者たちはきわめて慎重だった。彼らの関心はフランス革命に向けられていた。しかし主たる貿易相手はイギリスであり、アメリカはイギリスとの同盟を軸に成熟した行動をとった。同時に、サイクルはつねにアメリカをある種の再生へと導いた。サイクルが移り変わるときには、成熟したサイクルの強固な基盤に立ち向かうために、一定の無謀さが必要になった。

建国者たちは、成熟した慎重な人々だった。一方、彼らが作った国は未熟で無謀だった。その国を構成していたのは、冒険家とリスクを恐れない人々だった。チャンスを追って方々を歩きまわり、自分が望むとおりの生活を送ろうとする人たちだった。幾多のサイクルを経験してきたにもかかわらず、そのようなアメリカ建国時の精神はいまもそれほど変わってはいない。仕事や機会を追い求めるなかで、多くの家族の親と子どもたちが互いに何百、何千マイルも離れた場所で暮らすことになった。アメリカでは、誰もが新天地に自由に引っ越し、自身を再発明することができる。逆にいえば、誰もが自分やまわりの人々を破滅に導くこともできる。

これこそ、アメリカ合衆国がほかの国々と決定的にちがうところだ。すべての国には荒々しい一面がある。しかし、その混乱をアメリカほど制度化した国はほかにはない。アメリカのサイクルに現われるのはこの荒々しさであり、それは個人の生活を反映したものでもある。サイクルは、現実を打ち破るために生まれる。サイクルは画期的な新しい解決策を作りだし、その解決策は世界じゅうへと伝播していく。サイクルはそれ自体の成功と弱点に呑み込まれ、無謀にも思える形ですべてを転覆させ、確かなものも不確かなものも根こそぎにしてしまう。アメリカという国は、建国の枠組みのなかで革命を起こし、あらゆる勇気を制度化してきた。

その中心にあるのがテクノロジーの文化である。そのような文化を持つのはアメリカだけではないにしろ、きわめてアメリカ的な文化だといっていい。ユダヤ人の小説家アーサー・ケストラーがスターリンによる粛清について描いた小説のなかで、主人公は何カ月も独房に閉じ込められる。新聞を読むこともできない生活を送る主人公は、外の世界の出来事について思いを馳せ、アメリカ人がタイムトラベル装置を発明したのではないかと妄想する。つまり一九三〇年代の段階ですでに、世界はアメリカをそのように見ていたのだ。アメリカには偉大な芸術も、深い思想も、すぐれた戦略もなかった。にもかかわらず、並外れた技術的偉業を成し遂げることができる国だと考えられていた。

将来、健康寿命を延ばすための新しいテクノロジーが生まれるだろう。人口が減りつづける世界では、健康寿命を延ばすことが喫緊の課題となり、その課題は科学によって解決される。しかし前述のとおり、これが新しい問題へとつながる。どんなに元気で健康であれ、高齢者によって支配された国家は、古いものに支配された国家となる。そのような国は、帝国を管理するために必要な知恵を充分に持っている。ところがその同じ知恵が、アメリカを前に動かすサイクルを麻痺させてしまう。若者の無知は、不可能を可能にする。何が不可能なのかを知らない若者たちは、無謀なことを不可能だとあきらめずに実現させる。そのような無謀さのなかにこそ未来がある。

二〇二〇年代なかばから始まる第四の制度的サイクルは、健康的な高齢人口にうまく適応したものになるだろう。それは、常識と知恵にもとづいた統治となる。常識と知恵を持ち合わせた高齢者たちは、社会経済的サイクルにたいする大きな脅威となる。なぜなら、人は年齢を重ねるにつれて〝俯瞰力〟を身につけるからだ。しかし、社会には俯瞰力だけでなく、スティーブ・ジョブズやヘンリー・フォードのような向こう見ずな虚勢も必要になる。したがって次のサイクルでは、大きな問題が生じることになる——医学は人口減少の危機を解決するが、社会経済的な危機を引き起こして国を大きく分断させる。

ほかの多くの国々は、この問題にたいしてアメリカとは異なる対応策をとるにちがいない。しかしアメリカ合衆国は、いつもと同じ方法で対処する——一〇年近くにわたって国民は激しい政治的な怒りを互いにぶつけ合い、それと同時に経済および社会的危機が起きる。ときに、高齢者と若者が対立する。ときに、イノベーションの問題が社会的な不安定へとつながる。そして最後に、政治的なプロセスによって解決策が生みだされ、古いサイクルを崇拝する大統領は力を失う。その後、新しいサイクルとその解決策への移行を取り仕切る（ことをみずからの手柄だと主張する）大統領が誕生する。

アメリカという国には、静けさへの道を切り拓くための嵐が不可欠である。アメリカ人は現在と未来に取り憑かれており、過去を記憶することを不得手としている。だからこそ誰もが、現在ほど野蛮で緊張が張りつめた時代はないと考える。アメリカ人は、すべての物事が崩壊する嵐を待ち望み、その嵐を作りだしたすべての人々——自分と意見が異なる他者——を忌み嫌う。意見が異なる他者にとってそのような嵐の時代は、ときに殺人にまで発展するほど独善的な過信や憎悪に満ちたものとなる。その後、眼のまえにある素材を使って新たな歴史の模様《パターン》が織り上げられていく。世界におけるアメリカの力は今後も保たれるだろう。なぜなら、巨大な経済、軍隊、魅力的な文化を持つアメリカのような国の力は、たとえ憎まれたからといって衰えることはないからだ。すべての帝国は憎まれ、妬まれる。そのような憎悪や嫉妬によって、国の力が失われることはない。

アメリカ建国時から不変のもの――われわれの権利と憲法――は、この国の慎重さと無謀さの両方を突き動かす原動力となっている。このふたつの要素が組み合わさり、アメリカは二五〇年近くにわたる安定と混乱のなかで進化しつづけることができた。その進化が終わるという兆候はない。アメリカ合衆国のこれまでの歴史と私たちの生活のなかにおいて、現在の嵐はごく平凡なものにすぎない。

日本版増補

# コロナ危機がサイクル移行を加速させる

本書『2020-2030 アメリカ大分断——危機の地政学』は、アメリカ合衆国がどのように機能しているのかを解き明かそうとする本である。アメリカはあたかも機械のように、段階を経たサイクル循環によって機能している。あるサイクルから次のサイクルへと移行するあいだには、社会や政治の情勢がたびたび不安定になるのはもちろん、ときに大混乱に陥ることもある。現在のアメリカでは、これまで続いてきた古いサイクルが終わりへと近づき、次のサイクルが始まろうとしている。このタイミングについて踏まえると、本書の議論は私たちにとってより大きな意味を持つものになるはずだ。

ひとつまえのサイクルが終わりに近づきつつあった一九六〇年代と一九七〇年代、アメリカはさまざまな出来事によって引き裂かれていった。ベトナム戦争、経済システムの深刻な機能障害、人種間の激しい緊張、立てつづけに起きた著名人の暗殺、大統領の辞任……。多くの分別ある国民たちが、アメリカは衰退どころか崩壊へと突き進んでいるにちがいないと考えた。しかし、実際に起きていたのはちがうことだった。古い時代が摩耗して機能しなくなり、アメリカは次の時代のための準備をしていたのだ。

そのあとの一九八〇年前後から現在に至るまでの期間は、驚くべき技術的・経済的発展の時代だった。このあいだにアメリカ国内に強い政治的リーダーシップが生まれ、偉大な敵対国であるソビエト連邦が崩壊した。

今日《こんにち》のアメリカでは、これまでのすべての発展が瓦解しつつあるかのように見える。経済の衰退、政治の混乱、社会の機能不全が深刻化していくなか、この国が破滅へと突き進んでいるのではないかという大きな懸念が人々のあいだに広がっている。再び、古い時代が摩耗して機能しなくなり、次の時代のための準備をする時期に差しかかっているのだ。この移行期へと突入するにつれ、米国を悩ませつづけてきた人種間の緊張がまた表面化していった。とはいえ、一九六〇年代や一九七〇年代の緊張はいまよりずっと激しいものだった。その時期、マーティン・ルーサー・キング牧師とマルコムXが暗殺され、ニューヨークやデトロイトなどの都市で大きな暴動が起きた。アメリカ合衆国が犯した原罪はまちがいなく奴隷制であり、サイクル移行期にはその火種がきまって荒々しく燃えることになる。

新型コロナウイルス（COVID-19）の登場は、ひとつの時代にたいする予測を打ち砕くものだった。本書は、ウイルス蔓延を防ぐために国じゅうが閉鎖されようとしていた直前、二〇二〇年二月二五日にアメリカで出版された。そのころの私は、ウイルスが全土にひそかに広がっていることも知らなかったし、その深刻さも理解していなかった。二〇二〇年の新型コロナウイルスの世界的大流行《パンデミック》は、本書における議論の土台を根底からくつがえすもののようにも思われる。ところが奇妙なことに、そうではなかった。この本のなかで私は、アメリカ合衆国が社会的・経済的な危機によってずたずたに引き裂かれるだろうと予測した。私としては、ウイルス蔓延やそれにともなう大規模な社会の混乱を予想していたわけではなかった。しかしこの流れは、結果として本書の主張をさらに補強することになった。アメリカは世界のほかの国々とともに、これからの一〇年の大部分を費やし、ウイルスによって引き起こされた混乱に対処し、次のサイクルのための準備を進めることになるだろう。つまり新型コロナウイルスは米国のサイクルの流れを乱すのではなく、その移行をさらに強く押し進めることになった。

本書のなかで私は、マイクロチップ（集積回路）経済とその発明によって可能になったすべてのことがすでに成熟期に達していると主張した。マイクロチップは、いまから五〇年前の一九七〇年ごろから一般的に利用されるようになった。一方、内燃機関を利用した自動車は一九一五年にはじめて量産された。それから五〇年後の一九六五年までに、いくつかの小さなイノベーションをのぞいて、技術としての内燃機関は成熟期に達した。マイクロチップは今後もさまざまなものに応用されていくにちがいない。しかしながらパンデミックに襲われる以前からすでに、アメリカの生産性の伸びはゼロに近づきつつあった。マイクロチップは世界を変え、アメリカの現在のサイクルを支配した。が、その成長期は終わった。

さらに私は、次のコア技術がどんなものになるのか考察した。内燃機関やマイクロチップと同じように、電気も世界を変えた。どの発明も、当時の核《コア》となる社会問題に対処するものだった。新しいテクノロジーはきまって、社会のニーズに応えるために開発されてきた。電気は工業都市を作りだした。内燃機関によって、人々は車と飛行機を使って素早く移動できるようになった。マイクロチップは、工業化によって生みだされた膨大なデータの管理を可能にした。次世代のテクノロジーは、生物学における飛躍的な進歩にまつわるものになるはずだ。アメリカでは平均寿命が急速に延びる一方で、出生率は前世代よりも著しく低下している。次の時代では、若い世代よりも高齢者人口のほうが多くなる。この現象によって奇妙な政治的な力学が生まれ、さらには医療と経済の危機が起きるだろう。長寿社会の問題は、高齢者が巨大な消費者層となり、彼らを生産で支える若者層が減ることである。その流れが社会を押しつぶしていく。よって、パーキンソン病のような身体機能を奪う病気にたいする根本的な解決策を見つけることが急務となる。今後さらに規模を増していく高齢者層の人々が、より長く元気に活動できる社会を実現しなければいけない。

　ＣＯＶＩＤ‐19の出現によって、生物学における革命の必要性はさらに増している。（救急医療はあるが）医学研究に緊急モードはない。医師倫理の基礎である「ヒポクラテスの誓い」は、医師は害を与える治療を選択するべきではないと説いている。しかし極端な状況下では、害の可能性を受け容れることよりも、害を与えるリスクを拒むことによって犠牲者が増えるおそれがある。ＣＯＶＩＤ‐19の蔓延を戦争にたとえて考えてみよう。攻撃が繰り返され、人々が無差別に被害を受け、多くの命が奪われている。敵を倒す方法はまだ見つかっていない。ここで手をこまねいて何もしないという選択は、現在の被害の規模を受け容れることを意味する。迅速な解決策にはリスク要素がつきものだ。このような状況では、戦略をまえもって充分に検証することはできないし、誤爆による死者が出るのも免れない。しかし、計算されたリスクを受け容れるというのが戦争行為の原則である。ヒポクラテスの誓いを守る医師たちとは異なり、戦争中の軍に与えられる選択肢は「広範囲にわたる犠牲者」を受け容れるのか、「状況緩和へとつながる見込みのある一定の犠牲者」を受け容れるのかのどちらかだけだ。

医学におけるイノベーションが次のサイクルのマイクロチップになることはまちがいない。このイノベーションにはふたつの効果がある。まず、高齢者の消耗性疾患に打ち勝ち、破滅的な社会的・経済的影響を抑えつつ平均寿命を延ばすことができる。さらに、予期せぬ死を招く緊急事態への対処プロセスに劇的な改善がもたらされる。現時点での医学研究者の意思決定のスピードは、パンデミックのような大量死をともなう事態に対処するには充分とはいえない。新たな対策を講じることによって、いくらかの弊害が生じるのは避けられない。そのような危険性を受け容れながらも、迅速に解決策を与えてくれるシステムができれば、それが抜本的な転換点となる。現在の医療戦略は、実際の人間から得られた結果の統計的分析にもとづいて定められている。緊急時のためにモデリング技法を活用する余地はまだまだ残されている。そのようなモデリングはやがてほかの医学分野にも拡大され、特定の消耗性疾患の撃退をさらにあと押ししてくれるはずだ。

パンデミックが少しでも戦争に似ているとするなら、アメリカの国内政策と外交政策の両方を形づくるうえで実際の戦争がどのような影響をもたらしたのかを理解しておくのはおおいに有益なはずだ。アメリカ合衆国は闘いのなかで生まれた。イギリスを相手に闘った独立戦争では、男性人口の一〇〇人にひとりが犠牲になった。独立を勝ち取ったそれぞれの植民地は、あいまいな協力関係で結びつくことになった。八〇年後、南北戦争によって六五万人の命が奪われ、各州が連邦政府に従属するという政治構造が確立された。それから八〇年後に起きた第二次世界大戦は、連邦政府と社会の関係を定め、政府に大きな権限を与えた。くわえて米国は、ソ連と並んで支配的な世界大国になった。第二次世界大戦から八〇年を迎える二〇二〇年代なかば、アメリカ合衆国の姿が再び変わることになる。

一九九〇年代のソ連の崩壊によって、アメリカは大きな経済力と軍事力を誇る唯一無二の世界大国になった。一部の国はみずから帝国だと宣言するが、その宣言は誤っていることが多い。アメリカ合衆国はみずからを帝国だと宣言したことは一度もないものの、実際に帝国になった。帝国とは、意図的であるかどうかにかかわらず、その国の行動がほかの国々に強く影響を及ぼす〝状態〟にすぎない。アメリカの経済的あるいは軍事的な決定は世界じゅうに大きな影響を及ぼし、それと同時にアメリカ文化も広まっていく。私はたびたび国際会議に出席してきたが、多くの参加者が、メジャーリーグのチームのロゴ入り野球帽をかぶっているのを眼にした。

実際、アメリカは帝国としての力を持っていたのかもしれない。ところが、帝国とみなされることをつゆほども望んでいなかった。アメリカ建国は世界初の大規模な反帝国計画であり、そもそも帝国主義は忌々しい思想だと考えられていた。それどころか、アメリカは帝国になる方法も知らなかった。この国はつねに〝無関心〟と〝無謀な介入〟のあいだで揺れ動いてきた。第二次世界大戦が終わってからのアメリカは、ソ連とどう渡り合い、大規模な戦争をどう仕掛けることができるのかを見きわめ、いつでも闘える態勢を整えてきた。しかしソ連が崩壊したあと、覇権国アメリカは進むべき道を見失ってしまった。すると米国は、リスクを冒さずに世界的な支配力を維持できると信じることを好むようになった。

9・11同時多発テロ事件に度肝を抜かれたアメリカは、二〇〇〇年代にアフガニスタンとイラクにたいして戦争を始め、さらに数カ国を秘密裏に攻撃した。真珠湾攻撃で手痛い教訓を学んだアメリカにとって、ワシントンDCとニューヨークのテロ攻撃への対抗措置を取るという以外の道は考えられなかった。かくして米国は、アルカイダを匿《かくま》った国、同じような行動に出そうな国に宣戦布告した。アフガニスタンが攻撃され、アルカイダは逃げだした。イラクが侵略されると、それに抗う反乱が起きた。アメリカは撤退することを敗北とみなし、闘いつづけた。正確な目標は不明瞭なままだった。しかしこの戦争の目的の起源は、冷戦とそれ以前の第二次世界大戦にまでさかのぼるものだった――世界に民主主義を広めること。テロリスト集団の追跡は、いつしか占領と変革のための戦争に変わった。

やがてアメリカは、眼のまえの現実を理解しはじめた。第一に、政府のトップが頼りにした専門家たちは、テロ対策には精通していたものの、その限界や全面戦争の危険性については理解していなかった。かつて、アメリカという国は専門家に支配された。しかし時とともに、専門家の知識は文字どおり特定の分野に限定されたものであり、彼らが広い視野を持っていないことがわかってきた。第二次世界大戦以前には、経験豊富で慎重な法律家たちが米国の外交政策を牛耳っていたこともあった。が、もう時代は変わった。この〝対テロ戦争〟から導きだされた見識――専門知識は役に立つものの、政府の方針決定を専門家に委ねてはいけない――は、連邦政府全体で共有されることになった。

アメリカはいま、新たな外交政策を定めるプロセスのただなかにある。第一のステップは、最優先となる利益を特定することだった。結果として米国は、アフガニスタンやイラクなどの中東地域からの軍の撤収を進めることを決めた。中東でのアメリカの利益は限定的なものでしかない。くわえて、イスラエル、トルコ、アラブ首長国連邦といった地域のほかの国々が、自国の利益を追い求めつつも米国と利益を一致させ、戦争のリスクとコストを回避する手助けをしてくれている。

次のステップは、戦略的利益を守ること。アメリカは、封じ込めるべき二大大国としてロシアと中国に狙いを定めている。これは戦争の始まりを意味するものでもなければ、かならずしも危険な対決を意味するものでもない。ロシアが欧州半島を支配し、世界的な超大国になる見込みはきわめて低く、それを阻止するために大規模な戦闘を行なう必要などない。一方の中国は、アメリカの太平洋政策にとって大きな脅威となる。アメリカが位置する北米大陸は、大西洋と太平洋という大海に両側を守られている。大西洋側からの脅威は存在しない。ところが太平洋側については、アメリカは第二次世界大戦のなかで大きな教訓を学んだ――日本のようなアジアの大国が、太平洋での米国の基本的利益を脅かすおそれがある。そのため現在のアメリカは、太平洋における中国の力の広がりを抑え込むことを望んでいる。

とはいえ、全面戦争を仕掛けようと考えているわけではない。米国には、中国と地上戦を闘うつもりもなければ、そんな力もない。アメリカの現在の対中戦略はふたつの要素から成り立っている。第一に、空軍と海軍を使って中国に圧力をかけること。アメリカがこれまでの経験から学んだように、戦争につきまとう問題は「負ける可能性がある」という点だ。米国から戦争を始めることはない。その陰で、戦争を始めるという選択肢を中国側には残しておき、それにともなうリスクを背負わせることはできる。第二に、大国の政策としては一般的な流れとして、アメリカは、同じような考えを持つ国――太平洋での中国の脅威にさらされている国々――と同盟関係を築こうと模索してきた。現時点では、太平洋の四つの大国がアメリカと同じ利害関係を共有している。日本と韓国は、互いについては微妙な態度を保ちつつも、どちらも中国にたいして脅威を感じている。中国の台頭に懸念を抱くインドは、自国の海軍力のための〝非公式の緩衝材〟の存在を歓迎している。第二次世界大戦で苦渋を味わったオーストラリアは、自国の海岸線を守るためにも、中国が大陸勢力《ランドパワー》としてとどまることを望んでいる。アメリカにとっては、リスクと利益を分散することが理想的な解決策となる（これは、北大西洋条約機構《NATO》の礎となった基本原則でもあった）。この種の同盟関係はときに、アメリカの行動を抑制することにもつながる。なぜなら、オーストラリアを筆頭としてこれらすべての国が、中国とは経済的に切っても切れない関係にあるからだ。

　近年のアメリカは、第一手段として軍事行動を使うことは避け、代わりに経済力を利用するという方針を取っている。アメリカは世界最大の輸入国であり、新型コロナウイルスのパンデミックのさなかでもその立場は変わっていない。よって、特定の国にたいして輸入停止や制裁発動などの措置を講じ、軍事行動よりも低いリスクで自国の利益を守ることができる。アメリカが中国にたいする関税を引き上げたのもそのためだ。同じように、イランへの軍事攻撃は避けつつも、経済制裁によって相手の動きを弱めた。ロシアにたいしても、それほど大規模ではないものの同じ手を使っている。

　新しい時代は、失敗と成長のなかから誕生する。中東における失敗とマイクロチップの成熟が組み合わさり、まだ成長の余地のあるアメリカのための新しいモデルが生まれようとしている。国内では、現在の混沌からまったく新しい革新的なエッセンシャル・テクノロジーが生みだされ、それが次の時代の国家の原動力となるだろう。私としては、その技術のだいたいの姿はわかっているつもりだ。でも振り返ってみれば、一九七一年に（デジタル計算機という形で）はじめてマイクロチップを手にしたときの私は、その潜在的な力に気づいていなかった。テクノロジーは驚きに満ち満ちている。一方で次のような事実は、それほど驚くべきことではないはずだ。一九四五年から始まった現在の制度的サイクルでは、連邦政府がアメリカ社会の奥深くへと入り込み、世界と密接に結びついてきた。次のサイクルでは、政府が社会から離れるわけでも、アメリカが国際的な領域から身を引くわけでもない。そうではなく、ひとつの専門知識の枠を超えた意思決定のための合理的な基盤が生まれ、アメリカと世界、そしてアメリカと自国民の新たな関係が築かれることになる。

アメリカ合衆国は世界的な帝国である。米国の国内総生産（ＧＤＰ）は世界経済の二五パーセントを占め、世界のすべての大海に軍事力を投入できるのはアメリカだけだ。ある意味でアメリカは文化的な覇権国であり、世界じゅうの技術、言語、娯楽を形づくっているといっても過言ではない。もちろん、それを快く思わない人もいる。いつの日か、どこかの国や集団がアメリカに挑戦を挑み、この国を倒すことになる。それはまちがいない。しかし、米国のような規模の大国が、自分から身を引くことはない。

アメリカ合衆国のように世界的に大きな力を持つ国は、けっして愛されることはなく、往々にして軽蔑される。アメリカはいまだに称賛を受けることを強く望んでいる。しかし成熟するにつれて、無関心を貫くことも学んでいく。アメリカはその歴史のなかで、多くのことを日本から学んできた。日本はどこまでも謙虚であり、教えることを望まない国だ。それでも、アメリカはこう日本から学んだ――失礼な態度は相手を過小評価することにつながるため、敵にもかかならず敬意を払うこと。もっと大切な教訓もあった――危険きわまりない敵が、深い敬意と真の利益を共有する大親友に変わる。アメリカのかつての敵はいまや、太平洋同盟の中核的存在になった。日本もまた、多くのことをアメリカから学んだはずだ。しかしながら、過去にひどい敵対関係になった時期はあったとしても、古くから続く日米関係はアメリカにより多くのことを教えてくれた。アメリカが歴史のなかでサイクル移行を繰り返し経験する姿をずっと見てきた日本は、この国が崩壊してしまったのではないかと不安に思ったこともあるにちがいない。しかし異常な時代はやがて過ぎ、アメリカは再び世界を変える。そう日本は知っている。日本はこれからも日本でありつづけ、最悪の時代が訪れたとしてもけっして動じることはないだろう。アメリカ人と日本人は性格的に大きく異なるものの、その密接な関係は古くからずっと続いてきたのだ。

ジョージ・フリードマン

二〇二〇年八月

# 謝辞

私は五年かけて本書を書き上げたが、当然ながら多くの人の手を借りることになった。この本をよりよいものにするために、わざわざ時間を割いてくれた方々には感謝してもしきれない。とくに、マービン・オラスキー、ビル・セラ、デイビッド・ジャドソン。三人はそもそも読む必要もないのに本書の原稿を読み、早い段階で感想を教えてくれた。つぎに、私が運営するウェブサイト〈ジオポリティカル・フューチャーズ〉の同僚たちは（ほぼ仕事とはいえ）大きな助けになってくれた。アントニア・コリバサヌ、アリソン・フェディルカ、とくにジェイコブ・シャピロには深く感謝したい。ジオポリティカル・フューチャーズのグラフィック・デザイナーであるステイシー・ハレンは図表と地図の制作を担当し、プロとして見事な仕事をしてくれた。

私のこれまでの四冊の著作において代理人を務めてくれたジム・ホーンフィッシャーは、今回も気を抜くような素振りを一度たりとも見せなかった。私と出版社の両方にうまく対処してくれてありがとう。私が頼んでいないときでさえ、彼はいつも原稿について役立つアドバイスをくれた。

そして誰よりも、ランダムハウスの編集者であるジェイソン・カウフマンに最大の感謝の言葉を伝えたい。共同作業は五冊目となるが、今回もすばらしい編集をしてくれた。重要な場面で意見が食いちがったときにも、彼はけっしてタオルを投げようとはしなかった。編集補佐であるキャロリン・ウィリアムズもまた、この本をさらに読みやすいものにしてくれた。ふたりには心から感謝している。

私の子どもや孫たちにもありがとうと伝えたい。休日や長期休暇のあいだ私はずっと〝本〟を書いて過ごしていたが、彼らはじっと耐えてくれた。次の本を書きおえるまで、また少し辛抱してもらうことにはなるけれど。

そして、私の愛するメレディス。彼女がいなければ、私の本は始まることも、終わることもない。

# 解説　「事実」を重視した大局的米国観

慶應義塾大学ＳＦＣ教授、現代米国研究
渡辺　靖

本書はジョージ・フリードマン（George Friedman）が今年二月に刊行した *The Storm Before the Calm: America's Discord, the Coming Crisis of the 2020s, and the Triumph Beyond*（Doubleday, 2020）の邦訳である。

フリードマンは一九四九年、ハンガリー生まれの地政学アナリスト・未来学者。ホロコーストを生き延びたユダヤ人の両親とともに、共産主義政権の弾圧から逃れるため、オーストリア、そして米国へと移り住んだ。ニューヨーク市立大学卒業後、コーネル大学で政治学の博士号を取得。博士論文ではフランクフルト学派の政治哲学を考察した。その後、ルイジアナ州立大学地政学研究センター所長などを経て、一九九六年に世界的インテリジェンス企業「ストラトフォー」を創設、会長を務めた。同社は、政治・経済・安全保障にかかわる独自の情報を各国の政府機関や有力企業に提供し、「影のＣＩＡ」の異名をもつ。二〇一五年には同社を辞し、テキサス州オースティンを拠点にバーシャル・シンクタンク「ジオポリティカル・フューチャーズ」を妻メレディスと創設、会長を務めている。地政学の手法を駆使しながら二一世紀の世界の覇権勢力図を見通した『１００年予測』（*The Next 100 Years*, 2009）と『続・１００年予測』（*The Next Decade*, 2011）は世界的ベストセラーとなった。

あくまで世界全体の情勢予測に重きを置いていたこれら二冊に対し、本書は米国の将来そのものに焦点を当てている。これまでも巷に溢れる米国衰退論の類を退け、米国が二一世紀においても中心的役割を担うと論じてきた著者だが、国際社会からの退却傾向が目立つトランプ政権を見るにつれ、著者の予測と現実の解離が気になっていた。そうした折、タイミングよく本書の刊行となり、著者の見解に触れることができた。

＊

私自身、学部生に米国史を教える際、大雑把に四つの時代に分けて説明するようにしている。すなわち、

**１．建国時代**：英国から独立を果たしたものの、連邦（中央）政府が必要か否か、政府の暴走をいかに防ぐか、疑念が渦巻いていた時代。州権重視や三権分立をもとに、市民（デモス）主体の実験（人工）的な連邦・共和制国家としてかろうじて船出した。

**２．南北戦争時代**：地理的環境や経済基盤の違いが、南部と北部の対立として顕在化。南部はアメリカ連合国（ＣＳＡ、南部連合）としてアメリカ合衆国（ＵＳＡ）から離脱を宣言。奴隷制度

の存続をめぐり南北戦争（一八六一～六五年）に発展。連邦政府が必要か否かという論争にようやく終止符が打たれた。

**3. ニューディール時代**：南北戦争後、北部を中心に近代的な国民国家として急速に発展。しかし、一九二九年の世界大恐慌を契機に、真の「自由」のためには自由放任主義ではなく、一定の政府の介入こそ必要だとする米国流リベラリズムの考えが台頭。社会工学的発想に基づくいわゆる「大きな政府」の時代に。

**4. レーガン保守革命時代**：ニューディール時代への反動としての「小さな政府」の時代。一九八一年のレーガン大統領の就任により決定的に。「自己統治」（セルフ・ガバナンス）の考えに基づき、経済的には新自由主義（ネオリベラリズム）、社会的にはキリスト福音派（エバンジェリカルズ）、対外的には軍備増強と単独行動主義を辞さない新保守主義（ネオコンサーバティズム）の影響力が増大した。

という具合である。これは私の独創ではなく、ごくオーソドックスな分類法と言ってよいだろう。もちろん、学年が上がり、専門性が増すにつれ、この区分けはより細分化し、着目する点によって、異なる区分けが可能である。

本書で著者が着目するのは「制度的サイクル」と「社会経済的サイクル」の二つ。「制度的サイクル」は連邦政府のあり方に関わるもので、戦争が大きな変化の契機となってきた。著者は第一サイクル（独立戦争〜南北戦争）と第二サイクル（南北戦争〜第二次世界大戦）がそれぞれ約八〇年周期であることに注目。一九四五年に始まる第二次世界大戦後の第三サイクルは二〇二五年頃に終わり、次の第四サイクルに入ると指摘する。

もう一つの「社会経済的サイクル」は社会と経済の関係に関わるもので、テクノロジーやメディアの発達などに左右されてきた。著者は第一期のワシントン周期（一七八三〜一八二八年）、第二期のジャクソン周期（一八二八〜一八七六年）、第三期のヘイズ周期（一八七六〜一九二九年）、第四期のルーズベルト周期（一九三二〜一九八〇年）がそれぞれ約五〇年続いてきたことに注目。一九八〇年に始まる第五期のレーガン周期は二〇三〇年頃に終わり、次の第六周期に入ると説く。

毎年、私が上述の四時代区分を用いて講義すると、学生から必ず聞かれるのがオバマ政権やトランプ政権が「レーガン保守革命時代」に含まれるのか、それとも別の時代なのかという問いだ。そのたびに私は答えに窮する。「ニューディール時代」が一九三〇年代から七〇年代まで約五〇年間続いたことを考えれば、一九八〇年代から始まる「レーガン保守革命時代」はオバマ大統領の就任時（二〇〇九年）でまだ約三〇年。オバマ氏の革新的な施策がトランプ政権になってことごとく覆されるのを見るにつけ、オバマ政権も「レーガン保守革命時代」の一コマだった気がしないわけではない。その一方で、近年の共和党政権との政策的解離が目立つトランプ政権を「保守」ととらえてよいか戸惑う。むしろ、ニューディール時代以降の「リベラル vs. 保守」（＝「大きな政府」vs.「小さな政府」）という対立軸が崩れつつある新たな時代の先駆けがトランプ政権のように思えるときもある。いずれにせよ、直近の時代すぎて歴史的な位置付けは難しい。そう答えると好奇心旺盛な学生はがっかりする。

その点、著者は明快である。トランプ大統領の言動に目を奪われてはいけない。大統領とて「制度的サイクル」と「社会経済的サイクル」の二つから自由に振る舞うことはできないのだ、と。そして、二つのサイクルの変換期が重なる二〇二〇年代そのものこそ決定的に重要だ、と著者は念押しする。

特筆すべきは米国の将来に対する著者の楽観的姿勢である。それぞれのサイクルの終盤には制度疲労や社会的混乱が目立ち、米国衰退論や悲観論に支配されるようになるが、それらを覆し、新たな自信と繁栄の時代を取り戻してきたのが米国だという。その意味で、真に注目すべきは、二つのサイクルの変換期が米史上初めて密に重なる二〇二〇年代最後（二〇二八年）の大統領選だとする。言い換えれば、現在のサイクルの終盤期に行われる今回（二〇二〇年）や次回（二〇二四年）の大統領選は「古い政治」の幕引きを象徴する場に過ぎないというわけだ。

＊

率直に言えば、二つのサイクルがなぜ一定の間隔で変わるのか釈然としない部分はある。特定のジャンルのファッションや音楽の流行が世代（約三〇年）ごとに起きるとはしばしば耳にするが、国際関係や産業構造の目まぐるしい変化のなかにあって、米社会全体が一定のリズムで変わると想定し得るものなのか。ただ、著者はあくまで変わってきた「事実」を重視し、議論の前提としている。

とはいえ、このことは本書の魅力を失わせるものではない。むしろ細部の厳密さにこだわるあまり大局を見失いがちな（私のような）凡庸な研究者やジャーナリスト、実務家などに対し、全く新しい現状認識の仕方を示してくれるのが本書の醍醐味だ。「トランプ旋風」の原動力となった白人労働者層や「ブラック・ライブズ・マター」（ＢＬＭ）運動の急速な広がりなど、近年の大きな出来事や現象も、著者の視点を通して新たな理解が可能になるはずだ。

例えば、トランプ大統領が科学者などの「専門家」を軽視していることは、彼の国における新型コロナウイルスの感染拡大の一因として、日本でも広く指摘されている。国家安全保障問題を専門とするトム・ニコルズ（米海軍大学校教授）は『専門知は、もういらないのか』（*The Death of Expertise*, 2017）において、近年、米国では専門家や専門知への敬意が損なわれ、正誤ではなく、好き嫌いによって政策を判断する風潮が強まっていると警鐘を鳴らしている。しかし、フリードマンはより大局的な見地から、むしろ専門知に固執したテクノクラシーの打破こそ、来るべき次のサイクルの中心的課題の一つだと主張する。実に挑発的かつ鋭い視点だ。同様に、ニコルズは学生を「顧客」として満足させることに執心している大学の迎合主義を批判しているが、私にはフリードマンの大学批判のほうが核心を突いており、それゆえ耳が痛い。

著者の予測が当たるかどうかは分からない。正直に言えば、著者のこれまでの予測（例えば、二〇二〇年頃に中国とロシアが崩壊・分裂し、二〇四〇年頃に日米の対立が顕著となり、二〇五〇年頃に日本・トルコ同盟が米国との第三次世界大戦に突入し、二〇七〇年頃に米国とメキシコの頂上決戦が勃発するなど）は私には遠大すぎるものが多かった。その点、今回はより短いタイムスパンでの予測ゆえに、より現実味を感じることができた。とはいえ、本書（原著）は今回のコロナ危機が本格化する前に刊行されたため、大きな変数が一つ増えたことは確かだ（「日本版増補」において、著者はコロナ危機がサイクルの交代を加速すると述べている）。

しかし、私にとっては、著者の予測が当たるか外れるかはさして問題ではない。むしろ、日々の目まぐるしいニュースサイクルのなかで見失いがちな大局的な米国観に触れること自体が有り難く、フリードマンが大切な存在であり続ける理由である。

もちろん、米国の変化の可能性やその幅を理解しておくことは、ビジネスから外交、安全保障にいたる日本の地政学的未来にとって死活的に重要であることは多言を要しない。

二〇二〇年七月